BAZYLISZEK

W sprzedaży tego autora:

Aniołowie chaosu

Czerwona maska

Dziedzictwo

Dżinn

Głód

Festiwal strachu

Kostnica

Trans śmierci

Wojownicy nocy

GRAHAM MASTERTON

BAZYLISZEK

Przełożył
Piotr Kuś

DOM WYDAWNICZY REBIS
Poznań 2009

Tytuł oryginału
Basilisk

Redaktor
Elżbieta Bandel

Projekt i opracowanie graficzne okładki oraz ilustracja na okładce
Zbigniew Mielnik

Wydanie I

ISBN 978-83-7510-126-3

Dom Wydawniczy REBIS Sp. z o.o.
ul. Żmigrodzka 41/49, 60-171 Poznań
tel. 061-867-47-08, 061-867-81-40; fax 061-867-37-74
e-mail: rebis@rebis.com.pl

www.rebis.com.pl

Bądź jak królewski bazyliszek,
Zadający wrogom rany – niewidoczne, acz śmiertelne!

Percy Bysshe Shelley
Oda do Neapolu

Rozdział pierwszy

NOCNE HAŁASY

– Słyszę jakieś hałasy – powiedziała pani Bellman drżącym głosem. – Zawsze między drugą a trzecią nad ranem, kiedy jest zupełnie ciemno.

Grace stała przy oknie, patrząc pod światło na zdjęcie rentgenowskie nogi pani Bellman. Niewiele to dawało. Od wczesnego rana padał rzęsisty deszcz i niebo było szarobure, zaciągnięte chmurami. Na parapecie stały dwie donice z bluszczem; rośliny wyciągały się ku sobie, niczym zdesperowani kochankowie, jakby pragnęły się spleść liśćmi i łodygami.

– Hałasy? – zapytała Grace. Właściwie nie słuchała pani Bellman. – Jakie hałasy?

– Brzmią tak, jakby ktoś ciągnął po korytarzu jakiś pakunek, tuż przed moimi drzwiami. Czasem słyszę też wrzaski, nie wiem jednak, skąd dochodzą. Może z góry, a może z głębi domu? Czasami z bliska, czasami z daleka.

– Jesteś pewna, że się nie przesłyszałaś? Może po prostu aparat słuchowy jest źle wyregulowany? Jeśli ustawi się go zbyt głośno, mogą występować echa i trzaski.

Pani Bellman pokręciła głową tak zdecydowanie, że aż zatrzęsły się jej obwisłe policzki.

– Doskonale wiem, kiedy nawala aparat słuchowy, a kiedy naprawdę słyszę krzyk człowieka. Byłam kiedyś pielęgniarką.

– Naprawdę? W którym szpitalu?

– Och, nie ma pani o tym zielonego pojęcia. Zostałam wysłana do Europy z Korpusem Pielęgniarek Wojskowych, w tysiąc dziewięćset czterdziestym czwartym, zaledwie dwa i pół tygodnia po Dniu D. Na co ja się tam nie napatrzyłam...

– Mój Boże. To musiały być traumatyczne przeżycia.

– Traumatyczne? W czasie bitwy pod Bugle dostałam przydział do 76. Szpitala Ewakuacyjnego. Musiałam się opiekować mężczyznami, którzy mieli amputowane obie ręce. Żołnierzami rozjechanymi przez czołgi. Znam zatem różnicę pomiędzy trzaskiem aparatu słuchowego a ludzkim krzykiem, może mi pani wierzyć.

Grace schowała zdjęcie rentgenowskie z powrotem do koperty.

– Z tego, co widzę, kość udowa zrasta się bardzo dobrze. Za tydzień lub dwa staniesz z powrotem na nogi.

Pani Bellman przekrzywiła głowę na bok jak gdacząca młoda kura.

– Nie wierzy mi pani, co? Myśli pani, że wszystko zmyśliłam?

– Ależ absolutnie tak nie myślę. W nocy jednak wszystkie odgłosy brzmią inaczej niż w dzień, prawda? Prawdopodobnie słyszysz dozorcę, jak niesie pościel do pralni.

– Pościel nie krzyczy.

– Wiem, Doris. Ale krzyczą starsze panie, kiedy przyśni im się coś złego albo kiedy cierpią z powodu bólu. Ta wilgotna pogoda ma fatalny wpływ na pacjentów z zapaleniem stawów.

Poprawiła poduszki pod głową pani Bellman i wygładziła kołdrę. Była lekarką, nie należało to więc do jej obowiązków, ale przez ułamek sekundy widziała w wyobraźni panią Bellman jako młodą kobietę i dzielną pielęgniarkę, którą zapewne była w 1945 roku, kiedy jej włosy były jasne i bujne, nie siwe i zmierzwione jak teraz, a jej piękne niebieskie oczy lśniły intensywnym blaskiem.

Pewnego dnia, pomyślała Grace, też będę stara i niezdarna i będę opowiadała takie brednie. Mam tylko nadzieję, że młode kobiety, pod których opieką się wtedy znajdę, zobaczą mnie taką, jaka jestem naprawdę.

– Ten doktor Zauber – odezwała się pani Bellman konfidencjonalnym szeptem. – Nie ufam mu, od pierwszego dnia, kiedy go zobaczyłam. Moim zdaniem on się porozumiewa z szatanem.

– Doris! Nie opowiadaj takich rzeczy, proszę cię! Wszyscy tu bardzo szanujemy doktora Zaubera.

– Ha! Szatana też wszyscy szanują.

– Takie wywrotowe opinie powinnaś zachować dla siebie.

Pani Bellman mocniej otuliła się szerokim, szarym szalem. W jej okularach odbiło się ponure światło zza okna, przez co wyglądała przez chwilę jak niewidoma. Jej wysuszone dłonie podobne były do szponów.

Na ścianie za nią wisiało lustro w ramie ozdobionej morskimi muszelkami, a wokół niego fotografie członków jej rodziny – synów, córek i wnuków.

– Ładne zdjęcia – powiedziała Grace.

– Tak – przyznała pani Bellman. – Szkoda, że bardzo rzadko ich widuję. Widzi pani tego malucha w czerwono-żółtym śpioszku? To Tyler, najmłodszy syn mojej córki Sarah. Ostatni raz przynieśli go do mnie, kiedy miał dwa lata. A teraz jest już w czwartej klasie, uwierzyłaby pani?

– Przykro mi.

– Och, nie musi pani być przykro. W miarę jak człowiek się starzeje, młodsi o nim zapominają. Jestem do tego przyzwyczajona. To jest tak, jakby się umarło za życia. Czasami myślę, że jedyną istotą, której na mnie zależy, jest Harpo, a on nawet nie jest człowiekiem.

Grace popatrzyła w kąt pokoju, gdzie na stoliku stała kopulasta klatka z wikliny. W środku na żerdzi siedziała puszysta biała papuga kakadu, bujając się i cicho świergocząc z głębi gardła. Grace delikatnie postukała w pręty i powiedziała:

– Cześć, Harpo. Powiedz coś do mnie. Powiedz: „Dzień dobry, Grace".

Ptak jednak nadal szczebiotał, nie zwracając na nią uwagi.

– No, Harpo. – Grace nie rezygnowała. – Może byś chociaż zagwizdał.

Pani Bellman odchrząknęła.

– Kakadu Goffina tylko sporadycznie dają się nauczyć ludzkiej mowy. Harpo, odkąd go dostałam, nie wymówił ani słowa. A chciałabym, żeby powiedział: „Ten klops smakuje jak dupa starego człowieka".

– Doris!

– Przepraszam. Ale kucharzom się wydaje, że skoro człowiek jest stary, to kompletnie stracił zmysł smaku. – Pani Bellman pochyliła się do przodu i wyszeptała: – Jeśli chce pani wiedzieć, to oni właśnie to ciągną nocami w workach po korytarzu. Podają jakiemuś staremu dziadowi zbyt dużą dawkę ksylokainy, a potem ciągną trupa do kuchni i robią z niego mielone klopsy.

– Masz naprawdę makabryczną wyobraźnię – powiedziała Grace. – Zażywasz tabletki uspokajające, które przepisałam? Powinny ci pomóc. Przyjadę tu znowu za dwa tygodnie i wtedy pomyślimy o zdjęciu gipsu.

– Jeśli jeszcze tutaj będę. Jeśli ten doktor Zauber nie zabierze się także do mnie i nie wywlecze mnie stąd w worku.

– Doris.

Pani Bellman machnęła ręką.

– Wiem, wiem. Moje podejrzenia powinnam zostawić dla siebie. Mam siedzieć cicho, dożywać moich dni, oglądając telewizję, i czekać, aż szatan zapuka do drzwi.

– Do zobaczenia, Doris. Uważaj na siebie, słyszysz?

Kiedy szła korytarzem w kierunku recepcji, niespodziewanie otworzyły się drzwi gabinetu lekarskiego i stanął przed nią doktor Zauber.

– Doktor Underhill! – powitał ją. Mówił z niemieckim akcentem, którego nie potrafił się pozbyć. – Co za miła niespodzianka.

– Jechałam do Chestnut Hill, pomyślałam więc, że wpadnę i zobaczę, jak się miewa Doris Bellman.

– No i?

– Noga doskonale się goi. Starsza pani ma mocny organizm, prawda?

Doktor Zauber posłał Grace krzywy uśmiech.

– Cóż, przykro mi to mówić, ale nie jest najłatwiejszą spośród naszych rezydentek. Ale, owszem, z powodu byle pęknięcia kości biodrowej nie zejdzie z tego świata.

Doktor Zauber był niskim mężczyzną o nieproporcjonalnie dużej głowie. Miał zakrzywiony nos, który nadawał mu drapieżny wygląd, a jego oczy były tak bladozielone, że wydawały się w ogóle pozbawione wszelkiego koloru. Lśniące siwe włosy, które miał starannie zaczesane do tyłu, opadały na wierzch kołnierzyka. Ubrany był jak zwykle – w czarną marynarkę i szarą kamizelkę oraz spodnie w szaro-czarne prążki. Kiedy Nathan spotkał go po raz pierwszy, powiedział, że wygląda raczej na pracownika kostnicy niż dyrektora domu starców. Denver z kolei mówił, że Zauber wygląda jak jeden z trojaczków Jacka Nicholsona (drugim jego zdaniem była dyrektorka jego szkoły, West Airy High School).

– Czy Doris nadal przyjmuje diazepam? – zapytała Grace, gdy ruszyli korytarzem obok siebie.

– Dlaczego pani pyta?

– Wydaje mi się trochę niespokojna.

– Naprawdę? Na jakim tle?

– Twierdzi, że w środku nocy słyszy jakieś hałasy. Krzyki i szurania, jakby ktoś przed jej pokojem ciągnął po podłodze jakiś ciężki pakunek.

– Naprawdę? Może to lekarstwa sprawiają, że ma przywidzenia. Porozmawiam na ten temat z siostrą Bennett.

– Bardzo o to proszę. Widzi pan, Doris jest tutaj bardzo samotna, bardziej niż inni mieszkańcy tego domu.

– Pewnie ma pani rację. Zobaczę, może uda mi się sprowadzić do niej kogoś w odwiedziny.

Doszli do recepcji i doktor Zauber położył dłoń na ramieniu Grace.

– Cóż, Grace – powiedział. – Muszę panią pożegnać. Mam kolejną naradę w sprawie budżetu. Będziemy decydować, czy nas w ogóle stać na karmienie naszych rezydentów. Kiedy się znowu zobaczymy?

– Nie wcześniej niż za jakieś dwa tygodnie. Staram się namówić męża na trochę wolnego.

– Och, rzeczywiście! Pani mąż jest pogromcą lwów, prawda?

– Zoologiem, panie doktorze.

– Co za fascynujący zawód! Zawsze uważałem, że zwierzęta są o wiele bardziej interesujące niż ludzie. Gdyby potrafiły mówić, zdradziłyby nam mnóstwo sekretów!

– Nathan twierdzi, że prawdopodobnie mówiłyby tylko o jedzeniu i seksie. Jednak głównie o jedzeniu.

– Och, nie! Zwierzęta są o wiele bliższe Bogu niż my. No i też bliższe szatanowi.

Gdybyś wiedział, co o tobie mówi Doris Bellman, pomyślała Grace. Ale tylko się uśmiechnęła i powiedziała:

– Zatem do zobaczenia za jakieś dwa tygodnie, doktorze.

– Będę czekał z niecierpliwością.

Grace wyszła z budynku i niemal biegiem przecięła parking. Krople deszczu rozbijały się o asfalt, a drzewa, targane przez wiatr, dziko, jakby w panice, wymachiwały gałęziami. Naciągnęła na głowę kaptur purpurowego płaszcza przeciwdeszczowego.

Kiedy odwróciła głowę, zobaczyła, że ktoś patrzy na nią z okna na parterze. Była to kobieta o bladej, wymizerowanej twarzy. Grace odruchowo jej pomachała, kobieta jednak nie zareagowała. Może jej po prostu nie widziała, a może zwyczajnie już jej nie interesowali inni ludzie.

Rozdział drugi

NATURALNA KATASTROFA

Kiedy Richard Scryman zapukał do otwartych drzwi Nathana, było prawie dziesięć po ósmej. Wyglądał jak zmartwiony bocian – miał haczykowaty nos oraz długie, chude ręce i nogi.

– Hej, Richard, jeszcze tu jesteś? – zapytał Nathan i popatrzył na swego roleksa. – Przepraszam, stary, kompletnie straciłem poczucie czasu. Zobaczymy się rano, dobrze?

– Nie ma mowy, żebym teraz wyszedł, profesorze – odparł Richard. – Niepokoi mnie puls embriona. Kompletnie oszalał.

– Cholera. Aż tak źle?

Richard wykonał w powietrzu jakieś dziwne znaki palcem wskazującym.

– W jednej chwili jest sporo ponad trzysta, a w następnej zaledwie dwieście trzydzieści pięć.

– Cholera – powtórzył Nathan i odłożył pióro.

– Nie sądzę, żebyśmy mogli jeszcze długo czekać – powiedział Richard. – Jeśli sytuacja nie wyjaśni się w ciągu kilku następnych godzin, poważnie wątpię, czy nastąpi to kiedykolwiek.

Nathan szybko ubrał się w długi biały fartuch laboratoryjny i, podążając za Richardem, wyszedł ze swojego gabinetu.

– Cholera – powtórzył po raz trzeci.

Jego jasne włosy były potargane, a na policzkach miał

dwudniowy zarost. Był czterdziestoczteroletnim mężczyzną, teraz wyglądał jednak jak student, który właśnie się obudził na cudzej kanapie po całonocnej imprezie alkoholowej.

Jego dwoje młodych stażystów, Keira i Tim, stało przed inkubatorem. Byli zaniepokojeni i wyglądali tak, jakby poczuwali się do winy, że z embrionem dzieje się coś złego.

– Ile wynosi tętno w tej chwili? – zapytał.

Keira zmarszczyła czoło i popatrzyła na ekran komputera.

– Dwieście dziewięćdziesiąt pięć. Dwieście dziewięćdziesiąt sześć. Jest mocniejszy niż kilka minut temu.

– Dwieście dziewięćdziesiąt sześć? To dużo, ale sytuacja nie jest krytyczna. Żadnych oznak bliskiego rozwiązania?

– Nie zauważamy istotnych skurczów mięśni, jeszcze nie teraz. Odnotowujemy lekkie drżenia, ale tylko w nogach.

– Czy oprócz pulsu są jeszcze jakieś inne objawy stresu?

Tim potrząsnął przecząco głową.

Nathan spojrzał na Richarda Scrymana i powiedział:

– Dajmy mu jeszcze kilka godzin. Przy odrobinie szczęścia tętno się ustabilizuje.

Richard się skrzywił.

– Pan decyduje, profesorze. Jednak worek żółtkowy przez cały czas gwałtownie się kurczy i sądzę, że embrion już długo nie pożyje. Wkrótce nastąpi zatrzymanie akcji serca.

– Dwieście dziewięćdziesiąt osiem – powiedziała Keira. I za moment: – Dwieście dziewięćdziesiąt dziewięć.

Przez dłuższą chwilę Nathan w milczeniu wpatrywał się w jajko. Było duże, miało może siedemdziesiąt pięć procent wielkości jajka strusia i odcień bardzo ciemnej zieleni z czarnymi kropkami, jakby ktoś spryskał je atramentem, używając szczoteczki do zębów. Spoczywało w specjalnie wymodelowanej piance lateksowej i było połączone elektrodami z urządzeniami pomiarowymi, które bezustannie kontrolowały puls, ciśnienie krwi i zużycie tlenu.

Dla Nathana to jajko było kulminacją pięciu lat intensywnych prac laboratoryjnych, nie licząc mnóstwa kolacji, podczas których zbierał pieniądze na badania, niezliczonych wizyt u sponsorów i różnych kombinacji akademickich. To jajko stanowiło dowód, że jego najbardziej ryzykowne teorie i opracowane przez niego formuły genetyczne są prawdziwe.

Ze wszystkich trudności i przeciwności najbardziej męczący był dla niego otwarty sceptycyzm innych zoologów. Nie przepuścili żadnej okazji, aby go okazywać – zebrań zarządu, seminariów zoologicznych czy też artykułów w czasopismach naukowych. Nathan Underhill to szaleniec naszych czasów. Nathan Underhill to szarlatan szukający rozgłosu. Nathan Underhill to sprzedawca „cudownego leku", który odebrał środki finansowe projektom, które znacznie bardziej ich potrzebowały, jedynie po to, żeby urządzić niczemu niesłużące, z gruntu fałszywe przedstawienie zoologiczne. Niejeden przywódca religijny oskarżył go, że wykonuje pracę godną diabła.

Nawet studenci wołali na niego za plecami „doktor Freakstein"*, chociaż już ze znacznie większą tolerancją, zwłaszcza dziewczęta. Lubili tego dziwaka – przystojnego dziwaka – i chociaż zasadniczo nie mieli wątpliwości, że jego pomysły są szalone, nie odmawiali mu też prawa do podejmowania prób.

Drzwi laboratorium otworzyły się z hałasem i stanął w nich George, dozorca.

– Skończył pan już, profesorze? Zamykam na noc.

Nathan uniósł rękę.

– Przepraszam, George, ale właśnie jesteśmy w samym środku czegoś ważnego. Będziemy musieli jeszcze trochę poczekać.

– A czy to, w czego środku pan jest, nie może poczekać do jutra rana?

---

* Gra słów: ang *freak* – dziwak, maniak.

– Nie, George, nie może. To jest tylko odrobinę mniej ważne od narodzin Jezusa Chrystusa.

– No dobrze. Wpadnę tutaj jeszcze później, kiedy skończę obchód.

– Założę się, że Trzej Królowie nigdy by czegoś takiego nie powiedzieli – zauważył Tim teatralnym szeptem.

Nathan założył słuchawki i przyłożył stetoskop do skorupy jajka. Usłyszał bicie serca, delikatne, ale bardzo szybkie. Popatrzył na zegarek. Biło ponad cztery razy szybciej niż serce człowieka, lecz tylko nieznacznie szybciej od serca kurczaka.

Na ekranie komputera sprawdził najnowszy odczyt z ultrasonografu. Embrion wyglądał dobrze. Wyraźnie widział jego głowę, ciało i skrzydła. Widział także ostry dzióbek – narzędzie, którym wkrótce miał przebić worek powietrzny wewnątrz skorupy. Kiedy zostanie przebity, pisklę zacznie samodzielnie oddychać i dopiero wtedy, chcąc się wydostać na otwarte powietrze, rozbije skorupę jajka.

Aby przebić skorupę, musiało jednak mieć odpowiednio silne mięśnie szyi, a na razie nic nie świadczyło o tym, że już je ma. Oceniając jego wielkość i masę, Nathan przypuszczał, że zacznie się wykluwać po trzydziestu pięciu dniach – kurczaki wykluwały się po dwudziestu jeden – tymczasem minęło już trzydzieści osiem dni, a embrion wciąż był zwinięty w skorupie i prawie się nie poruszał.

– Spada ciśnienie krwi – powiedział Tim. – Spada także zużycie tlenu.

– Umiera – dodał Richard.

Nathan wiedział, że Richard ma rację. Dotychczas miał wielką nadzieję, że embrion wykluje się samodzielnie, teraz jednak było oczywiste, że jest na to za słaby.

– Ciśnienie krwi spadło do dwunastu – powiedział Tim.

– Puls także słabnie – dodała Keira. – Dwieście sześćdziesiąt pięć. Dwieście sześćdziesiąt trzy. Dwieście pięćdziesiąt jeden.

Richard popatrzył na Nathana, który rozumiał już, że

nie ma wyboru. Otworzył głęboką szufladę w stole laboratoryjnym i wyciągnął z niej młotek, którzy przygotował specjalnie na tę chwilę – choć myślał, że mimo wszystko nigdy nie nastąpi.

Włożył maskę chirurgiczną i rękawice z lateksu.

– Dwieście dwadzieścia jeden – mówiła Keira monotonnym głosem. – Dwieście siedemnaście. Dwieście dwanaście.

– Kamery wideo włączone? – zapytał Nathan.

Tim uniósł w górę kciuk, dając mu znak, że z kamerami wszystko w porządku. Szybko, lecz bardzo ostrożnie, Nathan odłączył elektrody od zielonej skorupy. Znów nasłuchiwał przez chwilę przez stetoskop, aby się upewnić, że serce wciąż bije. Wreszcie raz i drugi uderzył młotkiem w skorupę. Powtórzył to jeszcze kilkakrotnie, skorupa jednak nie pękała. Było oczywiste, że jest grubsza i mocniejsza, niż myślał.

Popatrzył na Richarda, jednak ten jedynie wzruszył ramionami. Keira i Tim sprawiali wrażenie równie bezradnych.

– Dobrze – mruknął. – Skoro tak musi być...

Uderzył z całej siły i wreszcie jajo pękło w trzech miejscach, ale się nie rozpadło. Odłożył młotek i delikatnie uniósł część skorupy. Pod spodem zobaczył półprzezroczystą membranę, która rozszerzała się i kurczyła. Pod nią dostrzegł szarą, upierzoną głowę lśniącą od śluzu i pojedyncze pomarańczowe oko, które spojrzało na niego, w ogóle nie mrugając.

– Chryste Panie! – jęknął Tim.

Z jaja wydobył się przeraźliwy smród, tak okropny, że Keira natychmiast się zachłysnęła, jakby miała zwymiotować, i nawet Richard zakaszlał i cofnął się o dwa kroki. W laboratorium zaśmierdziało siarką, zgniłym jajem kurzym, ale w tle tego smrodu był także odór rozkładającego się mięsa i jakiś dziwny, trudny do zidentyfikowania zapach. Trochę przypominał Nathanowi smród wydobywający się ze zlewu, do którego wleje się chemiczny środek do czyszczenia.

– O Boże – powiedział Richard. – Popatrzcie na to. To wciąż żyje, mimo że w połowie jest zgniłe!

Nathan odwrócił głowę i głęboko wciągnął powietrze. Po chwili znowu popatrzył na jajo i odłożył na bok drugi, a potem trzeci kawałek skorupy. Pióra na skrzydłach były maziste, lepkie, a ciało przypominało pęknięty worek. Miało wszystkie elementy, których Nathan się spodziewał – głowę, dziób, kończyny i pazury – i nie było wątpliwości, że jego serce wciąż bije.

Embrion złapał powietrze, potem uczynił to drugi raz, zaczął się dławić, i wreszcie w ogóle przestał oddychać. Nathan delikatnie wziął go w ręce i spróbował podnieść.

– Tim! Podaj gniazdo! Natychmiast. Keira, bądź gotowa z tlenem!

Tim pośpieszył z czerwoną plastikową miską z czystym piaskiem, piórami i skrawkami delikatnej wełny. Nathan zaprojektował to gniazdo osobiście, wybierając podobne elementy, jakimi wyścielają swoje gniazda na klifach wędrowne sokoły.

Drżącymi rękami Tim przystawił miskę do inkubatora.

– Dobra, teraz spokojnie – powiedział Nathan. – Za mocno ukochaliśmy tego faceta i zbyt wiele wysiłku mu poświęciliśmy, żeby teraz dać mu umrzeć.

– On już jest w osiemdziesięciu procentach martwy – stwierdził Richard. – On. To. A może ona.

Nathan podniósł rękę i kiedy to uczynił, embrion się rozpadł. Jego skrzydła upadły na podłogę, a głowa wtoczyła się do miski. Reszta ciałka po prostu zanurzyła się w otaczającym kości śluzie i przegniłym szlamie.

– O Boże – jęknęła Keira i odsunęła się w najdalszy kąt. Widać było, że zmaga się ze sobą, żeby nie zwymiotować. – To jest totalnie obrzydliwe.

Nathan wrzucił szczątki do inkubatora i zaczął ścierać

z palców galaretowatą maź. Następnie zdjął lateksowe rękawice i podszedł do zlewu, aby umyć dłonie żelem przeciwbakteryjnym.

Milczał. Nie potrafił znaleźć żadnych słów, które oddałyby, co czuje. Tim obserwował go, wciąż trzymając w rękach miskę, w której wymoszczone było gniazdo. Keira stała w kącie przy drzwiach.

Richard z nieskrywanym obrzydzeniem podniósł z podłogi skrzydła embriona i położył je na martwej głowie. Zakaszlał, zacharczał, po czym splunął do chusteczki.

– Co się stało, profesorze? – zapytał.

Nathan starannie osuszył ręce i dopiero wtedy mu odpowiedział:

– Mam wrażenie, że doszło do infekcji bakteryjnej. Najprawdopodobniej to jakiś paciorkowiec z grupy A.

– Dlaczego więc jego serce biło aż tak długo? Żaden człowiek nie przetrwałby tak zaawansowanej martwicy.

– Oczywiście, że nie. Ale przecież nie mamy tu do czynienia z człowiekiem ani też z żadnym znanym gatunkiem ptaka ani zwierzęcia.

– To co teraz? – zapytał Tim. Policzki miał jeszcze bardziej czerwone niż zwykle. – Jezu... Pracowałem nad tym kryptozoologicznym projektem od dnia, w którym ukończyłem studia.

Nathan położył dłoń na jego ramieniu.

– Zamrozimy szczątki i jutro z samego rana rozpoczniemy szczegółową sekcję. I, posłuchajcie, na razie nikomu nie mówimy, co się stało. Wczoraj po południu telefonowano do mnie z działu finansów Towarzystwa Zoologicznego z informacją, że do tej pory wydałem dwa przecinek siedem – powiedział. Odpowiedziało mu milczenie. – Dwa miliony siedemset tysięcy dolarów – dodał, kiedy się zorientował, że nie został zrozumiany.

Richard popatrzył na kości i pióra spoczywające w inkubatorze.

– Cholera jasna – mruknął.

– Tak, masz rację, cholera jasna... A my tymczasem będziemy mogli im pokazać jedynie zgniły embrion.

– Przecież wciąż możemy coś z niego uratować – zauważył Richard. – Jeśli zdołamy zrozumieć, dlaczego był w stanie żyć aż tak długo w stanie tak zaawansowanego rozkładu... wtedy towarzystwo będzie mogło się ubiegać o zwrot kosztów badań. Ktoś taki jak Pfizer z pewnością będzie zainteresowany wynikami.

Nathan nie odpowiedział mu. Richard prawdopodobnie miał rację, on był jednak zbyt zdołowany, żeby teraz mu ją przyznać. Po chwili Scryman podszedł do rzędu lodówek i wyciągnął z jednej z nich tacę z nierdzewnej stali. Już chciał chwycić za jedno ze skrzydeł, ale Nathan zaoponował:

– Nie, Richardzie, daj spokój. To mój bałagan, moja katastrofa, więc ja po niej posprzątam. Widzimy się jutro, dobrze?

– Jesteś pewien?

Nathan pokiwał głową.

– Poza tym muszę w spokoju pomyśleć. Czuję się co najmniej tak, jakby umarł mi ktoś bliski.

W tym momencie znowu otworzyły się drzwi. George wsunął głowę do laboratorium i zapytał:

– Czy Jezus już się urodził?

Rozdział trzeci

LATAJĄCE PIÓRA

Kiedy wrócił do domu, była prawie północ. Wszedł do sypialni i w milczeniu stanął obok łóżka, wycieńczony, jakby właśnie dobrnął do kresu bardzo długiej podróży. Grace siedziała na kołdrze, czytając *Northern Liberties*, romantyczną powieść, której akcja rozgrywa się w pierwszym okresie istnienia Filadelfii, kiedy była największym miastem w Ameryce.

– Mój Boże, Nathan – powiedziała i odłożyła książkę. – Wyglądasz, jakbyś padał ze zmęczenia.

– Czarny dzień w Black Rock – odparł, cytując tytuł znanego filmu. Zdjął sweter i zaczął rozpinać koszulę. – Bóg chyba pokarał mnie za to, że chciałem wejść w Jego rolę.

– Co się nie udało?

– Lepiej zapytaj, czy w ogóle się coś udało.

– Nie mów, że chodzi o gryfa. Spodziewałeś się, że dzisiaj się wykluje.

Nathan usiadł na skraju łóżka.

– Umarł. Jego serce biło, ale nie miał siły, żeby się wyzwolić ze skorupy. Więc ja ją rozbiłem. No i... fuj! Musiałabyś poczuć ten smród. A właściwie to ciesz się, że tego nie poczułaś. Embrion był w osiemdziesięciu procentach zgniły. Częściowo wręcz płynny.

– Och, Nate. Po tylu wysiłkach.

– Muszę się napić piwa. Może ty też masz ochotę?

Grace potrząsnęła przecząco głową.

– Tak mi przykro – powiedziała.

– Cóż, cały ten projekt był nie z tej ziemi. Ale naprawdę myślałem, że tym razem się powiedzie.

Zszedł do kuchni i wrócił z puszką dale's pale ale. Usiadł na łóżku i ją otworzył.

– Wdała się jakaś infekcja. Nie wiem jaka i nie wiem, w jaki sposób się to stało. Ale wszystko wskazuje na zespół cieśni przedziału powięziowego.

Grace przysunęła się do niego i usiadła obok.

– Musisz być wstrząśnięty. Nie wiem, co ci powiedzieć.

– Prawdę mówiąc, czuję się całkowicie otumaniony. Zobacz, jakie mam lodowate ręce. Byłem przekonany, że do końca tygodnia moje zdjęcia zaczną zdobić okładki „Scientific American", a mój uśmiech będzie wkurzać wszystkich tych niedowierzających drani, którzy twierdzą, że nie potrafię nawet hodować chomików.

– Co teraz zrobisz?

Nathan wypił łyk piwa i westchnął.

– Przede wszystkim dowiem się, co, u diabła, poszło nie tak. To mogła być zwykła infekcja albo coś znacznie poważniejszego.

– A później?

– Później? Wszystko zależy od Henry'ego Burnside'a. Jeśli nie odetnie mi funduszy na badania, spróbuję znowu. Ostatnio jednak nie był nastawiony zbyt przyjaźnie. Do wczoraj wydaliśmy dwa miliony siedemset tysięcy dolarów, a ja nie dostarczyłem mu nawet małego ryboszczura, nie wspominając o dorosłym gryfie.

– Może za bardzo tę sprawę rozdmuchałeś? – zapytała Grace. – Masz wspaniały pomysł i rozumiem, dlaczego Burnside go kupił. Ale zawsze mu mówiłeś, że zanim nastąpi sukces, będziesz musiał jeszcze pokonać wiele trudności.

– Trudności? Oględnie powiedziane! Chodzi raczej o rzeczy niemożliwe, przynajmniej dla mnie.

– Och, daj spokój, Nate. Zachowaj przynajmniej odrobinę zaufania do siebie. Gdyby embrion zdołał wyrosnąć, zapewne wstrząsnęłoby to podstawami genetyki, prawda?

– Może tak, może nie. Nie będę tego wiedział na pewno, dopóki nie przeprowadzę pełnej autopsji. Zacząłbym ją jeszcze dzisiaj w nocy, ale byłem cholernie zmęczony i rozgoryczony.

– Już mu powiedziałeś?

– Burnside'owi? – Nathan pokręcił przecząco głową. – Nie. Jest stanowczo za późno, żeby do niego dzwonić. Poza tym jakoś dziwnie nie mam na to ochoty. Nie zadzwonię do niego, dopóki się nie dowiem, gdzie tkwił błąd i co powinienem zrobić, żeby go nie powtórzyć.

– Jesteś głodny? – zapytała Grace. – Jest zupa rybna z warzywami, jeśli chcesz. Albo kurczak na zimno.

– Kurczak? Nie, dziękuję. – Nathan przypomniał sobie odór, jaki się uniósł z pękniętego jaja. Niemal czuł go na języku. – Nie jestem głodny. Przede wszystkim muszę się wyspać.

Grace pocałowała go lekko w policzek. Odwrócił głowę, żeby na nią popatrzeć. Nagle zdał sobie sprawę, że ostatnio stanowczo za rzadko się widywali. Zmieniła fryzurę, a on dotychczas tego nie zauważył. Jej włosy były teraz krótsze i miały kilka jaśniejszych brązowych pasemek. Niemal nie pamiętał, jaka jest urzekająca, zapomniał śliczny owal jej twarzy, przypominającej twarz średniowiecznej świętej. I jak szarozielone są jej oczy, jak ocean w pełnym słońcu.

– Naprawdę uważasz, że jestem w stanie tego dokonać? – zapytał. – Nie jestem współczesnym obłąkańcem?

Grace ujęła jego dłoń i uścisnęła ją.

– Nigdy w ciebie nie wątpiłam, Nate, przecież wiesz. Czasami tylko myślę, że może powinieneś się podejmować czegoś mniej ambitnego. Może naprawdę powinieneś podjąć próbę wyhodowania ryboszczura?

– Cóż, być może. Ale genetyka to taka skomplikowana dziedzina wiedzy. Człowiek pracuje latami w pocie czoła i jak to się kończy? Albo wyhoduje rybę, która wędruje rurami kanalizacyjnymi, albo szczura, który potrafi grać w piłkę wodną.

Grace przycisnęła czoło do jego czoła, jakby w ten sposób chciała przekazać mu swoje współczucie.

– A jednak się nie poddasz, prawda?

– Nie, nie mam takiego zamiaru. Muszę jednak to wszystko przemyśleć raz jeszcze, od samego początku. Mam wrażenie, że coś przeoczyłem.

– Co takiego?

– Cóż, jestem pewien, że od strony biologicznej wszystko jest w porządku. Kod genetyczny, rozwój komórek, wszystko. Może jednak potrzeba czegoś więcej niż biologii, jeżeli chce się stworzyć istotę rodem z mitologii? Być może... nie wiem... Być może potrzeba więcej legendy?

Grace zamrugała ze zdziwieniem.

– Wybacz, ale teraz nie rozumiem.

– Pomyśl tylko. Ci wszyscy średniowieczni czarownicy, którzy powołali do życia gryfy, gargulce i chimery, jak oni to robili?

– Nikt tego nie wie, prawda?

– Ale jedna rzecz w tym wszystkim jest pewna. Oni nie mieli pojęcia o IVF ani o transplantacji komórek jajowych. Nie słyszeli o tomografii komputerowej ani o balistokardiogramach. A więc zanim spróbuję zapłodnić kolejne jajo gryfa, powinienem pewnie się dowiedzieć, jak to robili w średniowieczu.

– Zapewne masz rację – zgodziła się Grace.

– Naprawdę tak myślisz?

– Tak. Ale myślę też, że powinieneś się wyspać. Porozmawiajmy o tym jutro, dobrze?

Wziął prysznic i owinął się w pasie grubym białym ręcznikiem. Umył włosy, ogolił się, wklepał w policzki trochę wody kolońskiej Aqua di Giò i znowu poczuł się człowiekiem.

– Kochanie, przepraszam, że nie zapytałem wcześniej. Jak tobie minął dzień?

– Dużo zajęć, jednak nic ponad rutynowe sprawy. Ale miałam też rozmowę z dreszczykiem z panią Bellman z Domu Spokojnej Starości Murdstone w Millbourne.

– Panią Bellman?

– Pamiętasz tę zbzikowaną starą kobietę, która próbowała zjeżdżać po poręczy i złamała kość biodrową? Powiedziała mi, że często w środku nocy słyszy, jak ktoś ciągnie po korytarzu jakieś worki. I że towarzyszą temu krzyki. Jest przekonana, że doktor Zauber zabija pacjentów, po czym wlecze ich zwłoki do kuchni, żeby je przerabiać na kotlety mielone.

Nathan popatrzył na swoje odbicie w lustrze toaletki.

– Może kobiecina ma rację? Pamiętasz *Zieloną pożywkę*, ten film science fiction, w którym starych ludzi przerabiano na jedzenie?

– Pani Bellman jest samotna i pewnie dlatego ma urojenia.

Nathan uważniej przyjrzał się swojemu odbiciu.

– Boże, jestem przystojny – powiedział. Posługując się kciukiem i środkowym palcem, wyszarpnął włos z lewej dziurki od nosa i krzyknął: – Au!

– Żałuję, że nie mogę zrobić więcej dla takich osób jak ona – kontynuowała Grace. – Rodzina nigdy jej nie odwiedza. A ona dzień za dniem siedzi samotnie w pokoju i nie ma nawet z kim porozmawiać. Nic dziwnego, że przychodzą jej do głowy szalone pomysły. Ten problem dotyczy zapewne milionów starych ludzi.

Nathan wszedł do łóżka i pocałował Grace w ramię.

– Jedynym lekarstwem na to jest nie zestarzeć się. Jak myślisz, czemu mają służyć moje badania? Egipski ptak benu rzekomo żył ponad tysiąc lat. Gdybyśmy mogli uzyskać jego kod genetyczny, to kto wie, jak długo moglibyśmy żyć?

– Coś takiego. Nie sądzę, żebym zdołała wytrzymać z tobą jeszcze dziewięćset osiemdziesiąt dwa lata. Dziękuję.

– Hej! – zawołał Nathan i rzucił w żonę poduszką.

W tej samej chwili usłyszał trzaśnięcie frontowych drzwi. Zmarszczył czoło i zapytał:

– Czy to Denver?

– Zapomniałam ci powiedzieć. Pozwoliłam mu dzisiaj wyjść. Powiedział, że wróci do jedenastej.

Nathan popatrzył na budzik, stojący na nocnym stoliku.

– Ale jest dziesięć po pierwszej. Gdzie on był, do diabła?

– Nie wiem. Będziesz go musiał zapytać. Mówił, że idzie na kręgle ze Stu Wintergreenem i z tym chłopakiem od Evansów.

Usłyszeli hałas w kuchni. Nathan wyszedł z łóżka i z wieszaka na drzwiach zdjął szlafrok.

– Nate – odezwała się Grace zaniepokojona. – Nie bądź dla niego zbyt szorstki.

– Nie będę szorstki. Dlaczego ci to przyszło do głowy?

– Bo zwykle taki jesteś, dlatego. Nate, on ma już siedemnaście lat. Pomyśl tylko, co ty robiłeś, kiedy byłeś w tym wieku.

– Właśnie.

Wyszedł na półpiętro akurat wtedy, gdy Denver ruszał do góry po schodach. W każdej ręce miał po puszce piwa. Był bardzo podobny do Grace – miał bladą owalną twarz i ciemne włosy sięgające do ramion. Jednak wyraz twarzy odziedziczył po Nathanie. Był zawsze poważny i czujny, jakby bezustannie gnębiło go coś nieokreślonego.

– Proszę, proszę! – powiedział Nathan. – Strudzony wędrowiec powrócił do domu! Do diabła, czy ty wiesz, która jest godzina?

Denver zachwiał się i zamrugał gwałtownie.

– Nie wiem, tato. Chodzi o czas gwiazdowy?

– Na miłość boską, ty piłeś!

– Pewnie, że piłem. Byłbym wkurzony, gdybym nic nie wypił i tak fatalnie się czuł.

– Denver, masz dopiero siedemnaście lat. Spożywanie

alkoholu przez osoby poniżej dwudziestego pierwszego roku życia jest nielegalne. Do cholery, jak zdobyłeś alkohol? I chyba nie prowadziłeś w tym stanie?!

– Musiałem, tato. Jestem zbyt pijany, żeby iść na piechotę.

Nathan wyciągnął ręce po puszki. Zdołał wyrwać jedną z nich, jednak drugą rękę chłopak zdążył schować za plecy.

– Daj mi to piwo, Denver. Nie licz na to, że wypijesz jeszcze chociaż jeden łyk.

W drzwiach sypialni stanęła Grace.

– Denver, jak ty wyglądasz?

– Jak ja wyglądam? Jak ja wyglądam? Mam siedemnaście lat i byłem z kumplami na kręglach. Wypiłem trzy puszki millera i wyszczałem je przez płot. Skakałem, śmiałem się i robiłem zwyczajne wesołe rzeczy. Niczego nie ukradłem, niczego nie zniszczyłem i nie zgwałciłem żadnej dziewczyny. Dlaczego więc jesteście tak cholernie upierdliwi?

Nathan wyciągnął rękę.

– Oddaj mi to piwo.

– Nie ma mowy. – Denver potrząsnął głową. – Ta puszka piwa ma być dla mnie z twojej strony rekompensatą za to, że z twojego powodu jestem codziennie wyśmiewany. Zdajesz sobie sprawę, co ja muszę znosić? Czy twój ojciec wysiedział ostatnio jakiegoś fajnego smoka? Ale na pewno udało mu się zapłodnić gargulca, no nie? Popatrz tylko w lustro.

– Oddaj mi to piwo, Denver. Jeśli mi go nie oddasz, do końca miesiąca masz szlaban na wychodzenie z domu. Ja nie żartuję.

Denver zachwiał się i niemal padł do tyłu na schody.

– Wiem, że nie żartujesz. Ty nigdy nie żartujesz. Zawsze jesteś cholernie poważny. Aż mnie to dziwi, skoro całe dnie spędzasz na zapładnianiu stworzeń, które nawet nie istnieją. Takie jest twoje życie, tato. Oto cały ty! Realne rzeczy w ogóle cię nie interesują. Gówno cię obchodzi twój własny syn! Problem ze mną polega na tym, że jestem prawdziwy! Ja naprawdę istnieję! Nie jestem jednorożcem ani gryfem, ani trójgłowym czymśtam! Jestem nudnym, prawdziwym, zwyczajnym chłopakiem!

Nathan szarpnął Denvera za rękaw i z całej siły pociągnął go do siebie. Oczy chłopaka były szkliste, ale uniósł butnie głowę i zawołał:

– No i co? Co teraz zrobisz? Uderzysz mnie?

– Nate, nie rób tego – poprosiła Grace.

Nathan popatrzył na Denvera, chcąc uchwycić jego spojrzenie. Zaraz jednak potrząsnął z rezygnacją głową i powiedział:

– Idź do łóżka, dzieciaku, i odeśpij to wszystko. Nie jestem w stanie zrobić ci większej krzywdy, niż zrobi ci twoja głowa jutro rano.

– Czy to żart? – zawołał Denver zuchwale. – Nie mów mi, że wymyśliłeś dowcip! Mamo, słyszałaś to? Tato właśnie opowiedział dowcip! Czy zastanawiałeś się nad nim równie długo, jak długo wysiadujesz jaja?

Nathan złapał Denvera za sweter pod szyją i przyciągnął go tak blisko, że ich nosy niemal się zetknęły. Trząsł się, ale wiedział, że to nie z powodu syna. Powodowała nim wściekłość na siebie samego, że prawie pięć lat żmudnej pracy w laboratorium poszło na marne. Zamiast lśniącego gryfa o strojnych piórkach, wyhodował tacę poklejonych futer i kilka ochłapów zbutwiałego mięsa.

– Idź do łóżka – powiedział i puścił Denvera.

– Jesteś żałosny – odparował syn. – Jesteś naprawdę żałosny.

– Idź do łóżka. Jutro porozmawiamy.

Denver skierował się do swojego pokoju. Mijając Grace, zatrzymał się na chwilę i powiedział do niej:

– Daj tacie kilka kropelek mikstury świętego Jana. To go uspokoi. Nie ma to jak medycyna naturalna.

– Nie waż się w ten sposób zwracać do matki! – warknął Nathan.

– Bo co? – odparł Denver buńczucznie. Zachwiał się, oparł o ścianę i przekrzywił wiszący na niej obraz. Następnie wyciągnął przed siebie puszkę z piwem i powiedział. – Proszę. Weź ją sobie! Nie potrzebuję od ciebie żadnej rekompensaty, doktorze Frankenstein!

Z całej siły rzucił puszką w Nathana. Nie trafił i puszka uderzyła w krawędź porcelanowej wazy, odłupując od niej spory fragment.

Nathan stał nieruchomo, milczał. Już wiele lat temu nauczył się panować nad emocjami. Mimo wszystko, gdy Denver wbiegł do swojej sypialni i trzasnął za sobą drzwiami, musiał się mocno trzymać poręczy, żeby nie zareagować.

Grace wzięła go pod ramię i poprowadziła do łóżka.

– On jest pijany – powiedziała. – Kiedy jesteśmy pijani, wszyscy wygadujemy mnóstwo niestworzonych rzeczy, których później żałujemy. Denver na pewno cię jutro przeprosi.

– A niby dlaczego miałby mnie przepraszać? Przecież ja naprawdę jestem doktorem Frankensteinem. I nawet w naśladowaniu pierwowzoru nie jestem dobry. Co właściwie osiągnąłem w ciągu ostatnich pięciu lat, pięciu trudnych lat? Doprowadziłem do powstania dwudziestu ośmiu niewysiedzianych jaj i jednego martwego gryfa. Denver ma całkowitą rację. Jestem nieudacznikiem.

Usłyszeli głośny trzask, gdy Denver, starając się wyzwolić z dżinsów, upadł na podłogę. Następnie trzasnęła opuszczana deska toalety, a później rozległy się odgłosy wymiotowania.

W końcu chłopak rzucił się na łóżko i w domu zaległa cisza.

Nathan jednak nie mógł spać, mimo że był potwornie zmęczony. Leżał przytulony do Grace. Czuł, jak unosi się jej klatka piersiowa, i nasłuchiwał jej oddechu. W wyobraźni wciąż widział pomarańczowe oko gryfa, wpatrujące się w niego bezradnie z szarej galarety na wpół rozłożonego ciała. Rozmyślał o czarnoksiężnikach i czarodziejach, którzy pierwsi powołali do życia takie hybrydy – i to nie szczury skrzyżowane z łososiami czy jastrzębie skrzyżowane z kotami, lecz o wiele większe stwory, jak smoki czy hipogryfy – pół gryfy, pół konie.

Przypomniał sobie wiersz Ludovica Ariosta, który zacytował podczas pierwszej prezentacji przed Filadelfijskim Towarzystwem Zoologicznym, kiedy zwrócił się do niego o przydział funduszy.

Teraz brzmiał on pompatycznie i bez sensu. Jak w ogóle mógł się spodziewać, że naprawdę wyhoduje gryfa, nie wspominając o hipogryfie? Jakże mógł być aż tak arogancki?

Grace mruknęła coś przez sen i odwróciła się. Nathan uczynił to samo. Podświetlony zegar na stoliku wskazywał godzinę drugą siedemnaście. Nathan zamknął oczy i powoli pogrążał się w sen. Po chwili jednak znowu usłyszał, jak Denver człapie do łazienki, trzasnęła klapa sedesu i rozległy się chrapliwe pojękiwania młodego człowieka, który przysięgał, że za nic w świecie, już nigdy w życiu, nie tknie alkoholu.

Rozdział czwarty

SEKCJA

Następnego ranka wciąż padało, a porywisty wiatr wiał z północnego zachodu. Przydzielone Nathanowi miejsce na parkingu zajmowała furgonetka dostawcza z Emsco Scientific Supplies, musiał więc postawić swojego czarnego dodge'a avengera pod drzewami po drugiej stronie, gdzie nieuchronnie groziło mu zabrudzenie mokrymi liśćmi, drobnymi gałązkami i odchodami ptaków.

Kiedy zbliżał się do schodów prowadzących do laboratorium, usłyszał za plecami czyjeś pośpieszne kroki i szelest płaszcza przeciwdeszczowego.

– Profesorze Underhill! Profesorze Underhill!

Odwrócił się. Przez parking biegła za nim ładna młoda blondynka w puchatej czerwonej kurtce. Na nogach miała jasnoczerwone kalosze, a na głowie czerwoną wełnianą czapkę ze sterczącymi do góry króliczymi uszami.

– Profesorze Underhill! Proszę pana! Czy mogłabym z panem porozmawiać?

– To zależy o czym.

Pomagając sobie zębami, dziewczyna zdjęła jedną rękawiczkę, po czym sięgnęła do kieszeni i wyciągnęła z niej legitymację.

– Jestem Patti Laquelle, z „The Philadelphia Web" – powiedziała, ciężko oddychając. – Bardzo się cieszę, że pana złapałam.

– „The Philadelphia Web"? Ma pani na myśli gazetę internetową?

Nathan nie był szczególnie zadowolony. „Web" stanowiła cyfrową odmianę „The National Enquirer", publikującego niedyskretne teksty na temat życia małżeńskiego podrzędnych gwiazdek telewizyjnych albo naśmiewającego się z nieudanych napadów na lokalne banki czy wreszcie opowiadającego o takich bzdurach, jak na przykład o papużkach nierozłączkach, które potrafią śpiewać w duecie. Większość środków masowego przekazu od samego początku była głęboko sceptyczna wobec kryptozoologicznych projektów Nathana, jednak „Web" drwiła z niego przez cały czas, bez chwili wytchnienia. „Smocze jaja mogą być cudownym lekarstwem na wszystko, co nas gnębi – twierdzi filadelfijski czarodziej *in spe*". Po tym artykule na wszelkie pytania mediów o postępy w pracach udzielał w większości skomplikowanych technicznych odpowiedzi i z biegiem lat media praktycznie przestały się nim interesować. Do dzisiaj.

– Przepraszam, pani Laquelle, ale jestem bardzo zajęty. Mam już pół godziny spóźnienia.

– Muszę jednak zapytać o pańskiego gryfa!

– Mojego co?

– Pańskiego gryfa, profesorze. Niech pan nie udaje, przecież wiem, że zdołał pan zapłodnić jajo, z którego wykluje się gryf.

– Cóż – westchnął Nathan. – Nigdy nie robiłem z tego tajemnicy.

– Nie. Ale również nie krzyczał pan o tym na prawo i lewo.

– Dlatego, że to jest trudne, bardzo skomplikowane zagadnienie. Raczej nie materiał dla „Web". Jeśli jest tym pani naprawdę zainteresowana, napisałem artykuł, trzy tysiące słów w „The American Journal of Genetics". Proszę zajrzeć do numeru z siedemnastego listopada ubiegłego roku.

– Naprawdę? Kurczę, sama nie wiem, jak mogłam tego nie zauważyć.

– Pani i około trzystu trzech milionów innych ludzi. Proszę się nie martwić.

– Zatem jak się miewa mały potworek?

– Rośnie, a my jego rozwój uważnie obserwujemy. To wszystko. Zanim gryf się wykluje, musi minąć znacznie więcej czasu, niż początkowo zakładaliśmy, ale... Cóż, to były pionierskie prace, prawda?

– Chce pan powiedzieć, że gryf się jeszcze nie wykluł?

Nathan otworzył drzwi do laboratorium.

– Niech mnie pani posłucha, pani Laquelle. Jeśli coś się wydarzy, będzie pani pierwszą osobą, którą o tym poinformuję. Obiecuję.

– Na pewno się nie wykluł?

– Nie. Jeszcze nie. A teraz naprawdę muszę panią pożegnać.

– Więc jak to jest możliwe, że dotarły do mnie informacje, i to z wiarygodnego źródła, iż gryf się wykluł, ale był martwy?

Nathan zatrzymał się w otwartych drzwiach.

– Nie mam pojęcia, o czym pani opowiada.

– Opowiadam, że gryf się wykluł, ale był martwy, nie zrozumiał pan?

– Nic więcej pani nie powiem, ponieważ naprawdę nic więcej nie mam do powiedzenia.

Patti Laquelle podeszła po schodach i stanęła bardzo blisko Nathana. Zmarszczyła czoło i popatrzyła mu prosto w oczy, jakby chciała odczytać jego myśli. Na nosie miała drobne piegi, a jej jasna grzywka widoczna spod czapki błyszczała kroplami deszczu. Przypominała Nathanowi dziewczynę, z którą czasami chodził na dyskoteki, kiedy miał piętnaście lat.

– A więc twierdzi pan, że to nieprawda, profesorze? – zapytała.

– Pani Laquelle...

– Proszę mówić do mnie Patti. Ja wiem, co się stało, profesorze. Wiem, że wszystko poszło źle. I muszę coś na ten temat napisać. Nie może pan się spodziewać, że tego nie zrobię.

Nathan przez bardzo długą chwilę milczał. Wreszcie się odezwał:

– Kto puścił farbę?

– Pan wie, że nie mogę tego powiedzieć. Ale jeśli wyjaśni mi pan dokładnie, w jaki sposób gryf stracił życie, nie będę musiała spekulować, prawda? Nie będę musiała pisać „Jakim sposobem niedoszłemu filadelfijskiemu czarodziejowi jajo rozprysło się na twarz". No i niech pan pamięta, że kiedy tylko cała sprawa pęknie, zaraz opadną pana inni dziennikarze. Przepraszam za słowo „pęknie". Wie pan, że mam rację. To będzie szaleństwo.

Nathan się wahał.

– Proszę wejść – powiedział wreszcie i otworzył szerzej drzwi.

Wprowadził dziewczynę do swojego gabinetu. Richard jeszcze nie przyszedł, szczątki gryfa leżały więc ciągle zamknięte w lodówce. Mimo to, pociągnąwszy kilkakrotnie nosem, Nathan odniósł wrażenie, że czuje ich odór.

Patti zdjęła kurtkę. Nathan odebrał ją od niej i powiesił na wieszaku.

– Trochę na panią za duża – zauważył.

– Należała do mojego ostatniego chłopaka. Miał na imię Lars, uwierzy pan? Miał fioła na punkcie narciarstwa. A ja zawsze tego nienawidziłam. Człowiek lezie godzinami pod górę, żeby w ciągu kilku minut z niej zjechać. Gdzie tu sens?

– Napije się pani kawy?

– Jasne. Poproszę czarną. Bez cukru.

Nathan nasypał kawy do dzbanka stojącego na szafie, w której trzymał dokumenty. Nie odwracając się, powiedział:

– W kwestii gryfa ma pani rację. Zmarł wczoraj wieczorem, krótko po ósmej. Osiągnął właściwe rozmiary, ale nawet nie próbował się wydostać ze skorupy, to znaczy się wykluć. Podejrzewam, że był zbyt słaby.

– Więc co pan zrobił?

– Rozbiłem jajo młotkiem. Ale kiedy je otworzyłem, gryf był, jak by to powiedzieć, w stanie zaawansowanego rozkładu. Inaczej mówiąc, zgnił w tej skorupie.

– Mój Boże.

– Zdechł kilka sekund po tym, jak rozbiłem jajko. Nie mieliśmy żadnej szansy, żeby go uratować.

Zalał kawę wrzątkiem.

– Jest zbyt wcześnie, by mówić, co poszło źle. Mogło dojść do infekcji bakteryjnej, a być może coś było nie w porządku z chromosomami. Możemy też mieć do czynienia z problemem genetycznym, którego na razie nie jestem w stanie rozgryźć. Ale wiem jedno. Wszyscy ci, którzy dążą do zamknięcia tego projektu, będą teraz mieli używanie.

– Tak mi przykro, profesorze – powiedziała Patti. – Naprawdę.

– A niby dlaczego?

– Cóż, gdyby się panu udało, toby dopiero była wiadomość, prawda? Miałby pan prawdziwego chodzącego i mówiącego gryfa. No, może nie mówiącego, ale gdakającego. Zrobiłby pan na tym majątek! No i ja przy okazji zarobiłabym fortunę. Niech pan tylko pomyśli o prawach agencyjnych!

– Na miłość boską! Jestem biologiem molekularnym, a nie prawnikiem.

– Co więc chciałby pan, żebym teraz napisała w „Web"?

– Dlaczego mnie pani pyta? Z pewnością sama coś pani wymyśli. „Jajo gryfa jest wielkim grubym zerem". „Projekt gryfa totalną klapą". Kto wie?

– Pytałam poważnie.

Nathan napełnił kawą dwa kubki.

– A może przypomni pani po prostu ludziom, nad czym tutaj pracuję?

– Dobrze. Dlaczego nie?

Nathan uśmiechnął się i potrząsnął głową.

– Nie jestem pewien, czy mogę pani zaufać.

– Niech mnie pan wypróbuje. Co to szkodzi? Nie nazwę pana „niedoszłym czarodziejem", obiecuję. Ani „błazeńskim zoologiem". Mimo że pan jest zoologiem, prawda? A to, co pan tutaj robi, przynajmniej trochę ociera się o błazenadę, sam pan musi przyznać.

– Pani Laquelle... Patti... Nie dążę do wskrzeszenia tak zwanych mitycznych stworzeń dla ich wartości rozrywkowej. One są mi potrzebne do uzyskania zarodkowych komórek macierzystych. Mam nadzieję, że dzięki nim będę mógł leczyć ludzi, którzy według stanu wiedzy współczesnej medycyny są nieuleczalnie chorzy, na przykład na chorobę Alzheimera, mukowiscydozę, stwardnienie rozsiane czy wreszcie na chorobę Huntingtona.

– To wspaniała idea – powiedziała Patti. – Jeśli jednak mówimy o stworzeniach mitycznych, to odnoszę wrażenie, że one mogą istnieć tylko w wyobraźni, prawda? Ich nigdy tak naprawdę nie było na tym świecie.

– Owszem, niektórzy paleontolodzy absolutnie nie chcą w nie wierzyć – odparł Nathan. – Ale istnieje cała góra zarejestrowanych dowodów, że one jednak istniały. Dowody sięgają aż do czasów sumeryjskich. Istnieją opisy, rysunki, relacje dotyczące ich zwyczajów i zachowania. Wszystkie pochodzą z wysoce wiarygodnych źródeł. Niektóre z tych istot były zadziwiające. Na przykład szakale z wielkimi skrzydłami, potrafiące latać. Ptaki, które żyły po kilkaset lat. Jaszczurki, które potrafiły same się wyleczyć nawet wtedy, kiedy miały całą skórę spaloną na węgiel. Grecki filozof Arystoteles także był zoologiem, chociaż wie o tym niewielu ludzi. Rzekomo był właścicielem trójgłowego psa, który pamiętał dosłownie wszystko. Kiedy jedna głowa o czymś zapomniała, druga to pamiętała.

– To tak jak z moją babcią – zauważyła Patti.

Nathan otworzył szufladę, wyciągnął tekturową teczkę, a z niej drzeworyt przedstawiający gryfa w gnieździe. Podał drzeworyt dziennikarce.

– Wie pani, kto to wykonał? Albrecht Dürer, w tysiąc pięćset trzynastym roku. Jego prace przedstawiające egzotyczne zwierzęta były tak dokładne, że zamieszczano je w podręcznikach szkolnych jeszcze trzysta lat po jego śmierci. Dysponujemy także szczątkami osobników. Nie dalej jak w październiku szkielet gryfa znaleziono u stóp Ałtaju, na pustyni Gobi. Oficjalnie się mówi, że są to kości młodego protoceratopsa. Mało kto miał dość odwagi, żeby powiedzieć głośno, co to naprawdę jest. W gruncie rzeczy tylko jeden paleontolog ogłosił, że to prawie na pewno jest gryf. Miał głowę orła i ciało lwa.

Patti przez długą chwilę wpatrywała się w drzeworyt. Wreszcie oddała go Nathanowi.

– Wciąż trudno mi w to uwierzyć. Bo w gruncie rzeczy pan wyhodował coś takiego.

– W rzeczy samej, mimo że ten mój pierwszy egzemplarz zdechł. Lecz jeśli Towarzystwo Zoologiczne nie zrezygnuje z finansowania projektu, jestem pewien, że zrobię jeszcze raz to samo. A w swoim czasie będę w stanie wyhodować każdą odmianę hybrydy, jaka się pani tylko przyśni. Feniksa, syrenę czy hipogryfa. Nawet kueglę, potrafiącą samodzielnie wyhodować sobie kończynę. Proszę sobie tylko wyobrazić: traci pani nogę, która następnie odrasta.

– Mogę to zobaczyć? – zapytała Patti.

– Gryfa? Lepiej nie, bo zwróci pani śniadanie.

– Nie jadłam śniadania. Wypiłam jedynie sok grejpfrutowy. No proszę, niech mi pan pozwoli na to popatrzeć.

– Dobrze. Ale żadnych fotografii. Dopiero po sekcji, i to nie na pewno.

Nathan poprowadził dziewczynę przez laboratorium w kierunku lodówek z nierdzewnej stali. Kiedy otwierał szufladę, Patti stała kilka kroków z tyłu. Mimo schłodzenia szczątki nadal okropnie cuchnęły.

Posługując się szklanym wskaźnikiem, Nathan pokazał jej głowę, dziób i pazury. Odrobinę uniósł pióra, żeby Patti mogła zobaczyć, jak duża była rozpiętość skrzydeł gryfa.

– To fantastyczne – powiedziała dziewczyna, przyciskając dłonie do policzków. – Gdybym nie wiedziała, że to istnieje naprawdę, pomyślałabym, że pan zszył razem ptaka i małego lwa.

W tym momencie otwarły się drzwi i do laboratorium wszedł Richard, a za nim Keira i Tim.

– Profesorze? – zapytał, odwieszając płaszcz przeciwdeszczowy w kolorze khaki. – Co się dzieje?

– Mamy tu zaimprowizowaną konferencję prasową – odparł Nathan. – Poznajcie panią Patti Laquelle z „The Philadelphia Web". Zamierza sprawić, że będziemy sławni.

– „The Philadelphia Web"? – zdziwił się Tim. – Ostatnio czytałem tam artykuł pod tytułem *Babcia zjadła mojego sznaucera*.

– No właśnie – powiedziała Patti. – Tyle że chodziło nie o sznaucera, lecz o chihuahua.

Rozdział piąty

POSTAĆ SPOWITA W WORKI

Podczas kolacji Denver nadal był ponury. Nie mówiąc ani słowa, jadł powoli duszonego kurczaka z papryką.

– Nie zapytam cię, jak poszła sekcja – powiedziała Grace. – A przynajmniej nie przy jedzeniu.

Nathan po raz kolejny nalał sobie do kieliszka białego wina.

– Muszę przyznać, że wciąż nie mam pojęcia, co poszło źle. Z całą pewnością wdała się bardzo złośliwa infekcja, ale co to były za zarazki i skąd się wzięły...

Denver odrzucił widelec, który odbił się od talerza i wylądował na środku stołu.

– Nie słyszałeś, co mówiła mama? Naprawdę myślisz, że mamy ochotę wysłuchiwać przy kolacji opowieści o infekcjach bakteryjnych?

– Już dobrze, dobrze – odparł jego ojciec. – Nie musisz rzucać sztućcami.

Denver wstał z krzesła i odepchnął je tak, że przewróciło się do tyłu.

– Dość już tego. Nie jestem głodny. Wychodzę.

– Siadaj i dokończ kolację.

– Co? Mam jeść i słuchać, jak rozprawiasz o infekcjach i gnijących gryfach? A może my w ogóle nie chcemy nic o tym wiedzieć?

Nathan popatrzył na swój talerz. Bardzo się starał, żeby

nie stracić panowania nad sobą. Aby się uspokoić, wziął głęboki oddech.

– Denver, musisz przeprosić ojca – powiedziała Grace. – Tata ma w pracy bardzo poważny problem, który musi rozwiązać. Może od tego zależeć cała przyszłość zoologii. Ostatnią rzeczą, na jaką ma ochotę, jest więc znoszenie twoich dziecinnych zachowań. Postępujesz, jakbyś miał dwa latka.

– Och, ojciec ma bardzo trudny problem, tak? W związku z czym my musimy tu siedzieć i wysłuchiwać jego odrażających opowieści o martwych stworzeniach, które w gruncie rzeczy nigdy nie powinny istnieć. I to przy jedzeniu!

– Denver – powiedział Nathan bardzo cicho. – Zamknij się.

Denver pokazał mu środkowy palec.

– Uważasz, że jesteś jedyną osobą w tym domu, która może wypowiadać jakiekolwiek opinie? Z nikim i z niczym się nie liczysz, nic cię nie obchodzi. Wiesz, co ostatnio robiłem w szkole? Masz pojęcie? Oczywiście, że nie masz. Czy wiesz, że wyrzucili mnie z drużyny koszykówki?

– Nie – odparł Nathan. – Nie wiem, ponieważ mi o tym nie powiedziałeś.

– A chcesz wiedzieć dlaczego? Bo ty nawet nie wiesz dlaczego.

– Oczywiście, że chcę wiedzieć.

– Wcale nie chcesz. Kompletnie się mną nie interesujesz. Proponuję, żebyś wrócił do swojej obrzydliwej rozmowy o gnijących stworzeniach. Ja wychodzę.

– Powiedziałem już: zamknij się, siadaj i dokończ kolację. Nigdzie nie pójdziesz. Masz zakaz wychodzenia z domu po szkole, dopóki nie nauczysz się szacunku.

Denver potrząsnął głową.

– Szacunku? Wiesz, dlaczego mnie wyrzucili z drużyny? Za bijatykę. A wiesz, o kogo się biłem? O ciebie!

Nathan się wyprostował.

– Ktoś ci powiedział coś przykrego?

– Tak, ktoś mi powiedział coś przykrego. Nieważne, co

ja o tobie myślę, nigdy nie pozwolę obrażać ani mnie, ani mojej rodziny. Ale ciebie to chyba nie obchodzi. Nigdy byś się o mnie nie bił.

– Co ci powiedzieli?

– Nie powtórzę ci. Było to tak obrzydliwe jak te twoje opowieści o gryfich zwłokach.

– Denver...

– Zapomnij o tym, tato. Po prostu zapomnij. Wychodzę.

– Co usłyszałeś? – zapytał znowu Nathan.

– Zaliczyłem trzy wsady, jeden po drugim. I wtedy Alver Dunsmore powiedział, że pewnie ktoś wstrzyknął w jajeczka mojej mamy spermę kangura.

Grace zaczerwieniła się i przyłożyła dłonie do ust.

– Nie sądzisz, że to był po prostu żart? – zapytał Nathan.

– Alver nie zamierzał żartować. To w ogóle nie brzmiało jak żart.

– A może się zezłościł, że przegrywa, i po prostu zareagował zbyt emocjonalnie? Denver, świat jest dzisiaj brutalny, ale nie wszyscy potrafią z godnością przyjmować ciosy.

– Dobrze więc, ale skoro uważasz, że nie miałem racji, stając w obronie twojego honoru i honoru mamy, to znaczy, że nie uznajesz żadnych wartości rodzinnych. Wychodzę.

– Dobrze – zgodził się Nathan. – Możesz iść. Może spacer cię uspokoi.

Złość Nathana przygasała. Pamiętał, że w wieku siedemnastu lat bywał równie agresywny i sfrustrowany jak teraz Denver. Cały świat zdawał mu się wtedy głupi, nielogiczny, odwrócony do góry nogami, a on nie potrafił zrozumieć, dlaczego rodzice tak beztrosko to akceptują.

Denver odgarnął włosy z oczu.

– Przepraszam, mamo. To wszystko nie dotyczy ciebie.

– Mam ci zostawić kolację na później?

Denver podniósł przewrócone krzesło. Przez chwilę się wahał i Nathan miał wrażenie, że ma wielką ochotę usiąść i dokończyć jedzenie. W końcu jednak odwrócił się i wyszedł z jadalni. Grace i Nathan usłyszeli, jak otwiera drzwi garderoby, zapewne po to, by wyciągnąć wiatrówkę.

– Jutro porozmawiam z twoim trenerem! – krzyknął Nathan. – Postaram się, żebyś mógł wrócić do zespołu! W tej drużynie są chyba sami głupcy, skoro uważają, że stać ich na pozbycie się gracza z genami kangura.

Trzasnęły drzwi. Grace wstała, podeszła do Nathana, objęła go i pocałowała w policzek.

– Wiesz co? Myślę, że Denver się zmienia, nawet wbrew sobie samemu. Dzięki, że nie krzyczałeś.

Nathan oddał jej pocałunek.

– Nie mogłem. Z trudem wytrzymałem, żeby się nie roześmiać.

W tym momencie zadzwonił telefon. Grace podeszła i podniosła słuchawkę.

– Doktor Underhill? Czy to doktor Underhill?

– Tak. Kto mówi?

– Tu Doris Bellman, pani doktor. Mam nadzieję, że nie jest pani zła, że dzwonię tak późno.

– Oczywiście, że nie, Doris. Przecież jest dopiero wpół do ósmej. W czym mogę pomóc?

– Znowu to słyszałam, pani doktor. Krzyki. I ktoś ciągnął przed moimi drzwiami jakiś worek.

– Powiedziałaś o tym opiekunom?

– Nie chcę tego robić, pani doktor. Nie ufam im. Jedynie z panią mogę o tym porozmawiać.

Nathan uniósł brwi w niemym pytaniu, o co chodzi. Grace powstrzymała go gestem.

– Doris, może po prostu wpadnę do ciebie jutro rano? Wtedy mogłabyś mi o wszystkim opowiedzieć.

– Boję się, pani doktor. Strasznie się boję.

– Jestem pewna, że nie masz się czym martwić. Zjedz na dobranoc coś słodkiego, to cię uspokoi. A ja odwiedzę cię jutro z samego rana.

– A może przyjechałaby pani teraz? Wiem, że to dla pani kłopot...

Grace na chwilę zamknęła oczy. Cały dzień, od ósmej rano do szesnastej trzydzieści, z dwudziestominutową przerwą, spędziła na sali operacyjnej, a potem w pośpiechu wróciła do domu i przygotowała kolację. Poza tym wypiła już półtora kieliszka wina.

– Przepraszam, Doris, ale dzisiaj nie dam rady.

– Ale ja ich słyszę przez drzwi! Będę następna! Jestem tego pewna.

– Doris, obiecuję, że nic złego się nie stanie. Masz tylko dobrze się wyspać. – Pani Bellman milczała i Grace po chwili znów się odezwała: – Doris? Jesteś tam jeszcze? Jestem pewna, że nie masz się czego obawiać.

– A jeśli będą chcieli włamać się do mojego pokoju?

– Kto, Doris?

– Ci, co ciągną te worki. Co będzie, jeśli zechcą się włamać do mojego pokoju?

– Doris, jestem pewna, że nikomu nic takiego nie przyjdzie do głowy. Ale jeśli mimo wszystko tak się stanie, zadzwoń do mnie jeszcze raz, dobrze?

– Strasznie się boję, pani doktor.

– Wiem. Ale spróbuj się uspokoić. Może coś ci jutro przywieźć? Może placek albo ciasteczka? Albo jakieś czasopisma?

Pani Bellman bez słowa odłożyła słuchawkę. Grace uczyniła to samo.

– Pani Bellman z Murdstone – wyjaśniła Nathanowi.

– Dałaś jej numer domowy?

– Teraz tego żałuję. Po prostu było mi jej żal. Jest przekonana, że ktoś ma zamiar wsadzić ją do worka i wynieść z pokoju. Chce, żebym ją uratowała.

Grace usiadła, ale nie czuła już głodu, a poza tym kurczak zdążył wystygnąć. Chociaż u pani Bellman bez wątpienia dały się zauważyć początki demencji starczej, Grace czuła się winna, że nie może wsiąść do samochodu i od razu do niej pojechać. Dom Spokojnej Starości Murdstone znajdował się w odległości niemal szesnastu kilometrów, w Millbourne, a ona i tak nie miała pojęcia, w jaki sposób mogłaby pomóc Doris Bellman, nawet gdyby się tam teraz znalazła.

Denver wrócił do domu kilka minut po północy i starał się zachowywać bardzo cicho. Nathan usłyszał jednak, jak otwierają się drzwi, i włączył mu się alarm w głowie. Doszedł jednak do wniosku, że tym razem Denver nie przyszedł pijany, ponieważ pewnym krokiem wszedł po schodach i na palcach udał się do swojego pokoju. Potem Nathan usłyszał, że chłopak włączył telewizor – głos ustawił bardzo cicho – i położył się do łóżka.

– To Denver? – zapytała Grace niewyraźnie.

– Hej, myślałem, że śpisz.

– Jestem matką. Matki nigdy nie śpią. Przynajmniej nie całkowicie.

Przez chwilę leżeli w milczeniu. Wreszcie odezwał się Nathan:

– Może on ma rację? Może ja naprawdę nie poświęcam mu dość uwagi? Ostatnio wprost mnie opętał ten projekt.

– Przestań się tym zamartwiać – powiedziała Grace. – Denver po prostu dorasta. Potrzebuje kogoś, przeciwko komu mógłby się buntować. No i cóż, trafiło na ciebie.

– Wiem, jednak moją pracę powinienem ograniczać do laboratorium, bo tam jest jej miejsce. Nie powinienem jej przynosić do domu. Spróbuję jutro z Denverem porozmawiać. Rozumiesz, jak mężczyzna z mężczyzną.

– Mój Boże! Następny etap będzie taki, że razem pojedziecie na ryby.

– Nie ma szans. Ale możemy pójść razem na mecz Seventy-sixers.

– Doskonały pomysł. Pod warunkiem że nie zażądasz, żebym poszła z wami.

Wkrótce Grace znowu zasnęła. Około wpół do trzeciej nad ranem Nathan usłyszał, że Denver wyłącza telewizor. Jeszcze raz postanowił, że jutro z nim porozmawia i już nigdy więcej nie wspomni przy nim o mitycznych stworzeniach. Rozpoczną od nowa – ojciec i syn – i będą rozmawiać tak jak wtedy, kiedy Denver był małym chłopcem, gdy grywali razem w piłkę i jeździli rowerami do sklepu.

Nathan zamknął oczy. I niemal natychmiast znowu je otworzył. W sypialni było bardzo ciemno – o wiele ciemniej niż przed chwilą. Usłyszał jakiś oddech, jednak nie był to oddech Grace. Był grubszy i bardziej chrapliwy, jakby zwierzęcy. Nathan leżał przez kilka sekund, nasłuchując, i wreszcie usiadł.

W kącie pokoju dostrzegł wielką czarną postać ledwie widoczną w ciemności. Na głowie miała jakby najeżone kolcami rogi albo coś na kształt korony z suchych gałęzi sięgającej niemal do sufitu. Nathan odniósł wrażenie, że widzi błyszczące oczy, ale nie był tego pewien.

Postać z workiem z domu spokojnej starości, pomyślał. Zamiast jechać do pani Bellman, Grace została w domu, i ta przerażająca istota dowlokła się aż tutaj. Znalazła ją, wywęszyła.

Odrzucił kołdrę. Starał się oddychać bardzo płytko, by opanować strach. Nie potrafił sobie wyobrazić, w jaki sposób ta istota zdołała wejść do jego domu, wspiąć się po schodach do jego małżeńskiej sypialni, nie było jednak wątpliwości, że ona tutaj jest. Przechyliła się na jedną stronę, tak że zaskrzypiały deski w podłodze, a potem, szurając nogami, postąpiła jeden krok w kierunku Nathana.

Schylił się i gorączkowo zaczął szukać pod łóżkiem kija baseballowego. Znalazł go i szybko wyciągnął. Postać zrobiła kolejne dwa kroki w jego kierunku. Jej oddech był z każdą chwilą coraz głośniejszy i bardziej chrapliwy. Nathan był pewien, że widzi zakrzywione czarne szpony.

– Grace – powiedział głośno. Zszedł z łóżka i stanął

twarzą w twarz z tajemniczą postacią, zaciskając w dłoni kij. – Grace, obudź się!

Postać była już niemal przy nim, prawie się o niego ocierała. Odnosił wrażenie, że jest pokryta kilkoma warstwami postrzępionej czarnej juty, niczym średniowieczny trędowaty starający się ukryć pozbawioną nosa twarz. Teraz, gdy była bardzo blisko, czuł również jej odór. Śmierdziała kurzem, tkaniną workową i zgniłymi kurczakami.

– Grace, obudź się! Na miłość boską, Grace, wstawaj.

Z gardła istoty wydobył się gardłowy, bulgoczący odgłos i rzuciła się na niego. Nathan jednak z całej siły zamachnął się kijem i poczuł opór kilku warstw materiału, kiedy trafił nim w napastnika. Zaczął walić czarną postać bez opamiętania, powtarzając przy tym:

– Wynoś się stąd, ty draniu! Wynoś się stąd do diabła!

Z delikatnym pomrukiem postać upadła u jego stóp. Ale Nathan nie przestawał uderzać. Tymczasem z każdym ciosem postać zdawała się zmniejszać, jakby zamieniała się w stertę kości przykrytych brudną, czarną jutą.

Wreszcie się opamiętał, zastygł w bezruchu i zaczął nasłuchiwać. Oddech był już niesłyszalny. Jeszcze dwa lub trzy razy uderzył kijem, jednak workowa postać ani drgnęła. Albo ją zabił, albo pobił do nieprzytomności.

Opadł z powrotem na łóżko, ciężko dysząc. Dopiero wtedy Grace włączyła nocną lampkę i usiadła. Włosy miała zmierzwione, a policzki zaróżowione.

– Nate? Co się dzieje?

Zamrugał gwałtownie.

– Workowa postać. Zobacz.

Grace pochyliła się i popatrzyła na podłogę. W miejscu, które wskazał Nathan, leżała ciemnobrązowa kołdra, strasznie pognieciona.

– Workowa postać? O czym ty mówisz? I co robiłeś z tym kijem?

– Ja... w sumie sam nie wiem. Właściwie myślałem, że...

– Cokolwiek myślałeś, kochanie, może jednak położysz kołdrę z powrotem na łóżku? Jest strasznie zimno.

Nathan opuścił kij i odłożył go z powrotem pod łóżko. Następnie podniósł z podłogi kołdrę. Nie było pod nią żadnych kości i pokryta była adamaszkiem, a nie jutą. Nie pachniała niczym, poza perfumami Grace i jego własnym świeżym potem.

– Chyba miałem koszmar. Ale taki jakiś dziwaczny. Byłem pewien, że nie śpię. Czułem to. Czułem zapach.

Grace przeciągnęła kołdrę na swoją stronę łóżka.

– To z powodu tego gryfa. Myślę, że z jego powodu jesteś bardziej przybity, niż zdajesz sobie z tego sprawę.

– Być może.

Nathan wygładził poduszkę i ułożył się pod kołdrą. Grace wyłączyła nocną lampkę, a on zamknął oczy i starał się zasnąć. Jednak po kilku minutach znowu je otworzył. Był pewien, że znowu słyszy jakiś oddech i nie jest to oddech Grace. Był chrapliwy, gruby, a jego źródło znajdowało się gdzieś bardzo blisko.

Jeśli się nie poruszę i nie przyznam, że widzę tę postać, wtedy ona zapewne pozostanie w kącie, stopniowo zacznie znikać i wreszcie się rozpłynie, kiedy wzejdzie słońce. Ale mimo wszystko będę miał otwarte oczy i będę nasłuchiwał, w każdej chwili spodziewając się jakiegoś szmeru. Jeśli ta postać nie jest jednak tylko nocnym koszmarem, jeśli naprawdę ma szpony i rogi, nie zamierzam spać jak suseł w chwili, kiedy mnie zaatakuje – rozmyślał.

Rozdział szósty

SPOJRZENIE ŚMIERCI

Następnego ranka, gdy Grace wyszła spod prysznica, Nathan jeszcze twardo spał, oddychając przez usta. Rozsunęła więc zasłony w sypialni i w pomieszczeniu zrobiło się trochę jaśniej. Nathan jednak tylko przykrył się szczelniej kołdrą.

Każdego innego dnia obudziłaby go, jednak dzisiaj postanowiła, że pozwoli mu jeszcze pospać. Starał się ze stoickim spokojem podchodzić do swojego niepowodzenia z gryfem, Grace jednak wiedziała, jak wielkie przeżył rozczarowanie i jak mocno na nie zareagował jego organizm – umysłowo i fizycznie. Kilka dodatkowych godzin snu mogło mu jedynie wyjść na dobre.

Ubrawszy się, Grace zamknęła drzwi szafy, starając się zrobić to bardzo cicho. Drzwi jednak nieprzyjemnie zaskrzypiały.

– Szybko – mamrotał Nathan przez sen. – Nie chcę... nie!

– Nathan! – zawołała Grace, on jednak nie otworzył oczu.

Pochyliła się i pocałowała go w lekko zarośnięty policzek, po czym zeszła na dół.

– Pośpiesz się! – krzyknął tymczasem Nathan. – Na miłość boską, pośpiesz się!

W kuchni Denver siedział już przy stole nad miską płatków z mlekiem. Ubrany był w czarną koszulkę z napisem: „Będę się ubierał na czarno, dopóki ktoś nie wymyśli jeszcze ciemniejszego koloru". Był potargany, a zmierzwione włosy zasłaniały mu większą część twarzy.

– Cześć – powiedziała Grace. – Podwieźć cię do szkoły?

– Nie ma potrzeby. Taser mnie zawiezie.

– Taser?

– Nie znasz go.

Grace wzięła z lodówki kartonik soku z granatów i nalała sobie pełną szklankę.

– Spóźnisz się dzisiaj na kolację? – zapytała.

– Jeszcze nie wiem. Może będziemy mieli próbę zespołu. Zadzwonię do ciebie, dobrze?

– A co słychać w zespole?

– Wszystko w porządku, ale potrzebujemy nowego perkusisty. Nie wiem, co się dzieje z Chesneyem. Totalnie wszystko partoli.

– Jego rodzice się rozwodzą. Nie możesz więc winić Chesneya, że myśli teraz o innych rzeczach, znacznie poważniejszych niż granie na bębnach. Tak samo jak nie możesz być zły, że ojciec nie poświęca ci tyle czasu, ile uważasz, że powinien.

Denver wsunął łyżkę do płatków z mlekiem.

– Właściwie to przecież nie zasługuję na żadną uwagę z jego strony. Ojciec przekonuje mnie o tym od bardzo dawna. Czasami żałuję, że nie jestem smokiem albo czymś takim. Wtedy przynajmniej patrzyłby na mnie. Czasem może by się nawet zainteresował, jak minął mi dzień.

– Twój ojciec cię kocha. Nawet nie zdajesz sobie sprawy jak mocno.

Denver wstał i wstawił miskę po płatkach do zlewozmywaka. Chciał wrzucić do niej łyżkę, ale nie trafił i wpadła do rury odpływowej.

– Szlag – powiedział.

– Masz – powiedziała Grace, otworzywszy którąś z szuflad. Wyciągnęła z niej parę szczypiec. – Tym ją wyciągniesz.

Denver wsunął jednak do otworu całą dłoń, aż po przegub.

– Denver, wyciągnij rękę! Nigdy nie powinieneś tego robić.

– A niby dlaczego? Myślisz, że coś mi ją odetnie? A jeśli nawet, czy ojciec by się tym przejął? Pewnie bym krzyczał, no i pomyśl, ile by było krwi. Ojciec musiałby od nowa wymalować całą kuchnię. Koszmar.

– Denver, natychmiast wyciągaj rękę ze zlewozmywaka! I nie życzę sobie takich żartów.

Chłopak szeroko otworzył oczy i zaczął udawać, że mdleje z bólu.

– Przestań! – krzyknęła Grace.

Przypomniała sobie przyjaciółkę ze szkoły średniej, Jill Somersby. Jill spojrzała na nią takim samym przerażonym wzrokiem rankiem tego dnia, w którym przedawkowała paracetamol. Dwa tygodnie później Grace dowiedziała się, że Jill była molestowana seksualnie przez ojczyma, i to od piątego roku życia. Później, w czasie studiów medycznych, Grace zdała sobie sprawę, że nastolatki często udają radość i żartują, ponieważ nie znają innych sposobów, by pokazać całemu światu, jakie są śmiertelnie poważne.

Denver wyciągnął rękę ze zlewozmywaka i z triumfalną miną pokazał matce łyżkę.

– Przestraszyłem cię? – zapytał, szczerząc zęby.

– Nie. Po prostu mnie zdenerwowałeś.

– Cóż, przynajmniej jakoś zareagowałaś.

Kiedy Grace jechała do Domu Spokojnej Starości Murdstone, padał gęsty deszcz i wycieraczki jej samochodu z trudem zbierały wodę z szyby. Autobus szkolny zderzył się na obwodnicy miasta z furgonetką szklarza i powstał korek, długi na ponad kilometr. Mijając miejsce wypadku, Grace musiała jechać z prędkością mniejszą niż osiem kilometrów na godzinę na dwudziestometrowym odcinku szosy, a tymczasem dzieci patrzyły na nią z autobusu z ponurymi minami.

Deszcz, rozbite szkło i blade twarze dzieci wywołały u niej dziwne zaniepokojenie, jakby na chwilę zasnęła i zaraz obudziła się w jednym z przerażających japońskich filmów, na przykład *Ring*.

Do Millbourne dotarła o dziewiątej trzydzieści i skręciła w Glencoe Road. Kiedy zatrzymywała samochód przed budynkiem, od północnego zachodu dobiegł głuchy odgłos grzmotu. Wydobyła spod fotela pasażerskiego mały parasol i z trudem go rozłożyła. Trzy szprychy były złamane, przez co parasol wyglądał jak ranny kruk.

Niemal biegiem przemierzyła parking. Dom Spokojnej Starości Murdstone składał się z kilku ponurych budynków rozrzuconych na niewielkiej przestrzeni. Jedne z nich pochodziły z lat dwudziestych, a inne z połowy lat sześćdziesiątych XX wieku, kiedy w modzie było budowanie z prefabrykowanych elementów betonowych. Główny budynek miał naśladować średniowieczny zamek. Wykonano go z ciemnych kamieni, a do środka wchodziło się przez okazały portyk, wsparty na kilku filarach. Wieńczyła go rzeźba przedstawiająca gargulca. Jego głowa i ramiona były mokre i ciemne. Kamienny stwór dotykał pazurami swojej szczęki i na wszystkich wchodzących do budynku spoglądał z jednakowym nieskrywanym zdziwieniem, jakby wiedział, że szanse większości tych ludzi na opuszczenie tego przybytku inaczej niż w trumnie są niewielkie.

Grace przeszła przez drzwi obrotowe i w holu natychmiast spotkała siostrę Bennett i dwie koreańskie opiekunki. Siostra Bennett była potężnie zbudowaną kobietą, miała trzydzieści kilka lat, rumianą twarz i wiecznie potargane rude włosy. Miała też niebieskie oczy, ale była zezowata, przez co chwilami odnosiło się wrażenie, że jej prawdziwe oczy ktoś zastąpił szklanymi, wyjętymi z lalki; na wyposażeniu ośrodka było ich pełno. Jedna z Koreanek była naprawdę prześliczna, choć miała płaską twarz, która nie wyrażała żadnych uczyć. Druga była otyła i brzydka, jednak zawsze się uśmiechała i potakiwała. Wszystkie trzy kobiety miały na sobie bluzeczki w czerwono-czarne paski, czarne spódnice i czarne buty na gumowej podeszwie.

– Doktor Underhill? – zdziwiła się siostra Bennett.

– Przyjechałam, żeby się zobaczyć z Doris Bellman – odparła Grace. – Wczoraj wieczorem do mnie telefonowała i odniosłam wrażenie, że jest bardzo przygnębiona.

– Przygnębiona? – powtórzyła siostra Bennett.

– Tak. Miała wrażenie, że ktoś chciał siłą wejść do jej pokoju.

Siostra Bennett prychnęła i pokręciła głową.

– Nie rozumem. Przecież pokój pani Bellman nigdy nie jest zamknięty na klucz. A właściwie w ogóle nie zamykamy pokojów pensjonariuszy na klucz, mając na uwadze ich zdrowie i bezpieczeństwo. A poza tym, kto by się włamywał do pokoju pani Bellman, nawet gdyby był on zamknięty? Wchodzą tam jedynie jej opiekunki, by sprawdzić, czy czegoś nie potrzebuje. Nikt więcej.

– Zapewne – zgodziła się Grace. – Ona jednak do mnie dzwoniła, pomyślałam więc, że wpadnę i powiem jej, że z pewnością nie ma się czego obawiać.

– Święta prawda – powiedziała siostra Bennett. – Nie ma się czego obawiać. Już nie.

– Słucham?

– Doris Bellman nas opuściła, pani doktor. Zeszła z tego świata dziś w nocy, krótko po północy.

– Nie żyje?

– Zmarła tuż po północy. Nie męczyła się. Atak serca i koniec.

– Przecież telefonowała do mnie o ósmej i nic nie wskazywało, by była w złym stanie. Owszem, jak powiedziałam, była przygnębiona, ale przecież w dalekiej przeszłości sama była pielęgniarką. Jestem pewna, że zorientowałaby się, gdyby groził jej atak serca.

Siostra Bennett zauważyła na rękawie jakąś zabłąkaną białą nitkę i szybko ją usunęła.

– Atak serca. Tak powiedział doktor Zauber. Prawdopodobnie wywołał go zator naczyń limfatycznych, który był bezpośrednim skutkiem złamania nogi.

– Gdzie ona teraz jest?

– Zwłoki przewieziono do Domu Pogrzebowego Burnsów. Dzisiaj o siódmej rano.

– Nie mogę uwierzyć. Doris już nie ma, tak po prostu?

Siostra Bennett poprawiła rękaw.

– Śmierć silnych ludzi zawsze nas zaskakuje, prawda? Starcy, którzy sprawiają wrażenie, że w ich organizmie nic już nie funkcjonuje, jak należy, dożywają sto drugich urodzin. A tutaj proszę, właściwie zdrowa i bystra Doris Bellman, i co się dzieje? Człowiek na minutę się od kogoś takiego odwraca, a kiedy po chwili spojrzy znowu, ten ktoś wygląda, jakby wciąż żył i zamierzał coś powiedzieć, a w rzeczywistości jest martwy jak kamień. Sekunda, i już go nie ma. Stoi się w pokoju i patrzy na osobę, z którą się przed chwilą rozmawiało, ale faktycznie już jej tam nie ma.

Otyła Koreanka uśmiechnęła się i pokiwała głową.

Grace popatrzyła na zegarek.

– Wszystko więc wskazuje na to, że niepotrzebnie się fatygowałam – powiedziała.

– Bardzo mi przykro – odparła siostra Bennett. – Gdybym wiedziała, że ma pani zamiar przyjechać, na pewno bym wcześniej zatelefonowała.

Akurat, pomyślała Grace. Ale nie miała do niej pretensji. Opiekunki w Murdstone niczym się nie różniły od pielęgniarek w innych domach opieki. Wszyscy ich podopieczni umierali, większość z nich bardzo szybko, zatem nie pozwalały sobie na to, by do któregokolwiek z nich się przywiązywać. Nie można się było spodziewać, że będą spędzały życie na nieustannej żałobie. Z drugiej strony, nie można było im wybaczać lekceważenia obowiązków lub wręcz okrucieństwa wobec podopiecznych.

– Mogłabym zajrzeć do jej pokoju? – zapytała Grace.

Właściwie nie wiedziała, czego ma szukać, pomyślała jednak, że w ten sposób przynajmniej po raz ostatni pożegna się z Doris Bellman. Z młodą pielęgniarką, którą wysłano do Europy w przełomowych miesiącach drugiej wojny światowej. Ze starą kobietą, o której zapomniała rodzina i która spędziła ostatnie lata życia w towarzystwie kakadu, w pokoju z oknem wychodzącym na parking, niebieskie rynny i mały skrawek zachmurzonego nieba.

– Ależ bardzo proszę – odparła siostra Bennett. – Uprzedzam jednak, że jeszcze nie miałam czasu, żeby tam posprzątać.

Grace ruszyła korytarzem w kierunku pokoju Doris Bellman. Po drodze napotkała starego człowieka, wyglądającego przez jedno z okien. Ubrany był w brzydki brązowy szlafrok z kieszeniami wypchanymi pogniecionymi chusteczkami higienicznymi. Na nogach miał brązowe sztruksowe kapcie. Jego siwe włosy były bujne i potargane jak u Alberta Einsteina. Kiedy na niego popatrzyła, zauważyła, że jedna z soczewek jego okularów zaklejona jest srebrną taśmą samoprzylepną.

– Dlaczego jeszcze nie ma samochodu? – warknął na nią, gdy była już bardzo blisko.

– Słucham?

Mężczyzna zmarszczył czoło i popatrzył na przegub dłoni, gdzie powinien mieć zegarek i gdzie go jednak nie było.

– Spóźnimy się, jeśli będziesz się tak guzdrać. Nie możemy sobie pozwolić na spóźnienie. Stracimy uwerturę!

Grace się zatrzymała.

– W porządku, nie musi się pan martwić. Mamy jeszcze kilka godzin.

Mężczyzna popatrzył na nią zdrowym okiem.

– Jesteś pewna? Nie chciałbym jej rozczarować. Czeka na to od miesięcy.

– Nie będzie rozczarowana. Obiecuję panu.

– Tak? A więc wszystko w porządku. Ale pamiętaj, kiedy przyjedzie samochód, natychmiast mi powiedz.

– Oczywiście. Czy kiedykolwiek zapomniałam?

Chciała ruszyć dalej do pokoju Doris Bellman, ale stary człowiek niespodziewanie pociągnął ją za rękę. Poczuła kwaśny zapach, jaki czasami można poczuć z szafy, która nie była otwierana przez wiele lat.

– Będziesz bardzo ostrożna, prawda?

– Przecież zawsze jestem.

Mężczyzna ukradkiem rozejrzał się w prawo i w lewo.

– Sam to widziałem. Uważają, że postradałem rozum, ale mnie nie oszukają. Widziałem to.

Grace delikatnie cofnęła rękę.

– Naprawdę muszę już iść. Mam nadzieję, że dziś wieczorem wszystko pójdzie dobrze.

– Nie widziałem tego twarzą w twarz – kontynuował starzec, jakby w ogóle jej nie usłyszał. – I chyba mam szczęście, że nie udało mi się tego zobaczyć. Jednak otworzyłem drzwi i wyjrzałem z pokoju dokładnie w chwili, kiedy to znikało za załomem.

– Przepraszam, ale pana nie rozumiem.

Stary człowiek zmrużył widzące oko.

– Chyba nie jesteś jedną z nich, co? Nie należysz do gangu czarownic, które rządzą tym domem?

– Nie, jestem lekarką. Przyszłam tu dzisiaj w odwiedziny do Doris Bellman, jednak powiedziano mi, że dziś w nocy zeszła z tego świata.

Starzec energicznie pokręcił głową; tak energicznie, że Grace niemal się przestraszyła, iż głowa odpadnie od ramion.

– Zeszła? Doris Bellman nie zeszła. Została zabrana. To przyszło po nią, kiedy ciemność była najciemniejsza.

– To? To znaczy co?

– Kto wie? Kto wie, co to jest? Przysięgam ci jednak na milion Biblii, widziałem to. Nie z bliska, nie widziałem wyraźnie, nic z tego. Z tym także miałem szczęście. To właśnie znikało za tamtym rogiem, było wielkie, czarne, pochylone i miało jakieś wypustki na czubku głowy.

Boże, ten opis brzmi niemal identycznie jak koszmar Nathana z workową postacią, pomyślała Grace. Zaraz się jednak zmitygowała. Co za bzdura. Nathanowi po prostu przyśniło się stworzenie rodem z mitów, a starzec ma własne koszmary. Dwóch ludzi nie może mieć identycznych koszmarów, cokolwiek by Jung powiedział o zbiorowej nieświadomości.

Popatrzyła na zegarek. Czas szybko uciekał; za niecałe trzy kwadranse musiała być na spotkaniu ze szpitalną komisją do spraw zakupów.

– Niech pan posłucha – powiedziała. – Może porozmawiamy o tym innym razem, kiedy nie będę się tak bardzo śpieszyła? Jak się pan nazywa?

Mężczyzna znów zmrużył oko.

– Chyba nie chcesz mnie zakablować, co? Nie doniesiesz na mnie tym czarownicom?

– Oczywiście, że nie. Dlaczego miałabym to zrobić?

Stary człowiek znowu rozejrzał się po korytarzu, chcąc się upewnić, że nikt go nie podsłuchuje. Po chwili odezwał się:

– Michael Dukakis.

– Michael Dukakis?

– Właśnie. Michael Stanley Dukakis.

– Nie jest pan przypadkiem tym samym Michaelem Stanleyem Dukakisem, który startował przeciwko George'owi Bushowi w wyborach prezydenckich w 1988 roku?

Stary człowiek uśmiechnął się z zadowoleniem.

– Właśnie! Rozpoznałaś mnie! Niewielu ludzi mnie rozpoznaje. W końcu minęło już parę ładnych lat, prawda? Parę ładnych lat, a czas robi swoje. – Niespodziewanie przestał się uśmiechać, a jego twarz przybrała refleksyjny wyraz. – Powinienem był go pobić, tego Busha. Powinienem był mu pokazać, gdzie raki zimują. Raz na zawsze, porządnie mu dowalić. Dupek. To znaczy on, Bush, a nie ja.

– Dobrze, Michael – powiedziała Grace. – Kiedy następnym razem przyjdę tu z wizytą, spokojnie gdzieś usiądziemy i opowiesz mi o tym czymś, co widziałeś.

Znów złapał ją za rękaw i przyciągnął do siebie bardzo blisko. Tak blisko, że kiedy mówił, kropelki jego śliny pryskały Grace na twarz.

– To było pochylone, przygarbione i czarne, przykryte jakimś ohydnym workiem. I miało na czubku głowy rogi podobne do korony. Modliłem się, żeby mnie nie zauważyło. Modliłem się, możesz mi wierzyć. I miałem szczęście, bo jednak pozostałem niezauważony. To zniknęło, ale jeszcze przez jakiś czas słyszałem...

Grace złapała go za rękę, próbując się od niego uwolnić, Palce miał kruche i kościste, przypominające kości kurczaka.

– Jakby szurało po ziemi – nie ustawał starzec. – Jakby było zmęczone, stare i znużone, ale nadal niepokonane. Jakby nie zamierzało pozwolić się zwyciężyć bez walki.

– Naprawdę muszę już iść – powiedziała Grace.

Stary człowiek niespodziewanie puścił jej rękaw.

– Oczywiście, że musisz. Nie chcesz marnować cennego czasu na wysłuchiwanie mojego ględzenia, co? O której godzinie będzie mój samochód?

– Będzie, będzie, obiecuję.

Stary człowiek pokiwał głową i z nieprzyjemnym odgłosem poruszył sztuczną szczęką.

– Wiesz, co mawiał mój ojciec? „Gdyby życie było zakładem, przystojniaczku, nigdy bym go nie przyjął".

Grace opuściła go i poszła do pokoju Doris Bellman. Zauważyła, że jej nazwisko już usunięto z tabliczki na drzwiach. Otworzyła je i weszła do środka.

Pokój wyglądał dokładnie tak samo jak poprzedniego dnia, tyle że nie było już w nim Doris Bellman. Na łóżku wciąż leżała pomięta pościel, ulubiony szal Doris leżał na podłodze. Na nocnym stoliku stała szklanka z wodą. Jej obity skórą podróżny budzik zatrzymał się dwanaście minut po dwunastej.

Pierwszą rzeczą, jaką zauważyła Grace, były dwie doniczki z bluszczem stojące na parapecie po obu stronach okna. Rośliny były brzydkie i pomarszczone, jakby od miesięcy nikt ich nie podlewał. Grace podeszła do nich i dotknęła liści. Były suche, kruszyły się pod jej palcami. A przecież jeszcze wczoraj cieszyły oko wspaniałą zielenią.

Przez chwilę stała przy oknie, patrząc, jak na szyby padają krople deszczu. Po chwili zdała sobie sprawę, że – jeśli nie liczyć miarowego bębnienia deszczu i odległego szumu odkurzacza – w pokoju Doris Bellman jest zupełnie cicho.

Odwróciła się. Klatkę Harpo okrywała postrzępiona beżowa chusta, jednak papuga nie wydawała żadnych dźwięków. Ani nie świergotała, ani nie drapała, ani nie poruszała drążkami. Grace podeszła i zerwała chustę. Harpo leżał na dnie klatki. Jeden pazurek miał uniesiony wysoko do góry, a jego wyłupiaste niebieskie powieki były zamknięte.

Grace stanęła na środku pokoju. Przyszła tutaj, żeby poczuć ostatnie echa życia Doris Bellman, a tymczasem dotarło do niej coś zupełnie innego, jakby śmiertelny akord wielkich kościelnych organów. Nie potrafiła pojąć dlaczego, ale nagle poczuła potężny atak przerażenia, wręcz paniki. Nawet twarze z fotografii rodziny Doris Bellman wpatrywały się w nią z desperacją, jakby bardzo niedawno były świadkami czegoś okropnego i nie mogły nic zrobić, żeby do tego nie dopuścić.

Popatrzyła na własną twarz, odbitą w lustrze, oprawionym w ramę z muszelek morskich.

– Co się stało, Doris? – wyszeptała. – Powiedz mi, co się stało, dobrze?

Odwróciła się i zadrżała. W progu pokoju stała korpulentna koreańska pielęgniarka i uśmiechała się do niej.

– Przepraszam panią, muszę posprzątać pokój.

– Czy rodzina pani Bellman została poinformowana?

– Słucham?

– Jej rodzina – powtórzyła Grace i wskazała na fotografie. – Czy ktokolwiek im powiedział, że pani Bellman zmarła?

Pielęgniarka wzruszyła ramionami. Nie przestawała się uśmiechać.

– Nic o tym nie wiem. Zapytać siostrę Bennett.

– Dobrze. Nie powinna pani jednak ruszać rzeczy Doris Bellman, zanim przyjadą jej krewni.

– Tak – odparła pielęgniarka.

Grace odniosła jednak wrażenie, że kobieta i tak nie ma pojęcia, o co chodzi.

– Jak się pani nazywa? – zapytała.

– Phuong.

– Pani Phuong, ma pani pojęcie, co się stało ostatniej nocy w tym pokoju?

– Tak. Pani Bellman umrzeć.

– Wiem. Ale niech pani popatrzy, jej papuga też nie żyje, martwe są również jej rośliny.

Pielęgniarka pokiwała głową. Grace jednak wątpiła, by jej słowa do niej dotarły.

– Phuong, wszystko, co jeszcze wczoraj żyło w tym pokoju, jest martwe. Wszystko.

Pielęgniarka najwyraźniej nie rozumiała Grace. Ta odwróciła się do okna, żeby jej pokazać pomarszczony bluszcz. W tym momencie dostrzegła kilka zielonych much leżących na parapecie. Były martwe.

– Widziała coś pani ostatniej nocy? Widziała pani mężczyznę, ubranego na czarno, może w jakimś spiczastym kapeluszu?

– Nie, mężczyznę nie.

– Mógł być bardzo duży i garbaty. Jak Quasimodo, rozumie pani? Nie, nie ma pani pojęcia, kto to taki. A może słyszała pani jakiś hałas, jakby ktoś ciągnął po podłodze ciężki worek?

Pielęgniarka kilkakrotnie pokręciła głową.

Grace wahała się przez moment, po czym zadała kolejne pytanie:

– Słyszała pani może krzyki Doris Bellman?

W tym momencie szerzej otworzyły się drzwi pokoju i stanęła w nich siostra Bennett.

– Doktor Underhill? Przepraszam, ale musimy jak najszybciej zająć się pokojem. Mamy długą listę osób oczekujących na miejsce w ośrodku, sama pani rozumie. Nowy rezydent przyjedzie tutaj jutro rano.

– A co będzie z rzeczami pani Bellman?

– O ile mi wiadomo, jej syn przyleci jutro z Houston. Wszystko, co należało do pani Bellman, zostanie spisane i zamknięte w naszym magazynie. Będzie całkowicie bezpieczne.

– Z pewnością. Jednak zanim to wszystko zrobicie, czy nie sądzi pani, że pokój pani Bellman powinna obejrzeć policja? Dokładnie w takim stanie, w jakim jest on w tej chwili?

Siostra Bennett popatrzyła na Grace takim wzrokiem, jakby ta powiedziała coś w obcym języku.

– Policja? A po co, u diaska?

– Cóż... Pani Bellman zatelefonowała do mnie do domu i powiedziała, że ktoś próbuje się włamać do jej pokoju. A kiedy ostatnim razem się z nią widziałam, mówiła mi, że jest pewna, iż ktoś podejrzany chodzi nocami po korytarzach. Jeden z waszych mieszkańców powiedział mi ponadto, że widział kogoś obcego tuż obok swojego pokoju.

– Naprawdę? Który mieszkaniec?

– Spotkałam go na korytarzu – powiedziała Grace. – Nosi brązowy szlafrok. Powiedział, że nazywa się Michael Dukakis, jednak ani przez chwilę nie wątpiłam, że to nie jest jego prawdziwe nazwisko.

Siostra Bennett roześmiała się gwałtownym i pozbawionym wesołości śmiechem. Jej szkliste niebieskie oczy pozostały jednak zimne i nieprzyjazne.

– Pan Stavrianos cierpi na demencję starczą – powiedziała. – Widzi nawet goryle w lasach, które otaczają nasz ośrodek. Widzi w wannach wielkie jaszczurki. Uważa, że jest światowej sławy dyrygentem i codziennie się spóźnia na swój kolejny wielki koncert.

– Rozumiem.

Siostra Bennett pochyliła się i podniosła z podłogi szal Doris Bellman.

– Proszę się nie martwić, pani doktor. Kiedy się pracuje w domu starców, po jakimś czasie można do tego przywyknąć. Do tych wszystkich przywidzeń i paranoi. Umysły tych ludzi plączą się, a my możemy jedynie ich uspokajać i pilnować, żeby sami sobie nie robili krzywdy, nie zadawali ran.

– Tak – powiedziała Grace.

Nadal jednak uważała, że o śmierci Doris Bellman należy poinformować policję. Powinni się dowiedzieć o obawach, jakie wyrażała zaledwie kilka godzin przed śmiercią. Ale siostra Bennett prawdopodobnie miała rację. Czarny osobnik ciągnący worek pewnie był jedynie nocnym koszmarem starej kobiety, takim samym jak te, które przerażają małe dzieci. Istniało też duże prawdopodobieństwo, że o swoim śnie opowiedziała „Michaelowi Dukakisowi", a on wkrótce nabrał przekonania, że także go widział.

Poza tym, myślała Grace, naprawdę muszę już iść. Nie mogę sobie pozwolić na tracenie tutaj całych godzin i na rozmowy ze znudzonymi i pełnymi sceptycyzmu detektywami policyjnymi, gdy tymczasem siostra Bennett będzie za moimi plecami wpatrywać się we mnie swoim śmiertelnie poważnym wzrokiem.

– Dobrze – powiedziała. – Niech się pani wszystkim zajmie.

Kiedy wyszła z budynku, stwierdziła, że przestało padać. Chmury deszczowe przesunęły się ponad rzeką Delaware w kierunku Camden i na niebie świeciło słońce.

W kącie parkingu stał wielki zielony kontener na śmieci. Grace podeszła i wrzuciła do niego parasol, jednocześnie przysięgając sobie, że kupi nowy. Wracając do samochodu, popatrzyła jeszcze raz, bez żadnego powodu, na zabudowania Murdstone. Dach głównego budynku lśnił i sprawiał wrażenie, jakby płonął. Jej uwagę przykuł jednak gargulec na szczycie werandy. Odniosła wrażenie, że uśmiecha się do niej z drwiną, jakby wiedział, że właśnie poniosła porażkę w konfrontacji z siostrą Bennett.

Stchórzyłaś, co? Po co ci dodatkowe zmartwienie? A jeśli postać z workiem mimo wszystko jest prawdziwa i szurając nogami, będzie co noc chodzić korytarzami i zabierać jedną starą osobę po drugiej? Co wtedy?

Grace wskoczyła do samochodu i włączyła silnik. We wstecznym lusterku napotkała własne spojrzenie, puste, jakby bez wyrazu. Po raz pierwszy od wielu lat poczuła kompletny brak pewności siebie. Nie miała najmniejszego pojęcia, co właściwie powinna teraz zrobić.

Rozdział siódmy

CZARNA KSIĘGA

W tej samej chwili, w której Grace opuszczała Murdstone, Nathan podjeżdżał do budynku naukowo-badawczego Filadelfijskiego Ogrodu Zoologicznego. Wjeżdżając na teren ogrodu, zobaczył dwie furgonetki stacji telewizyjnych: WHYY i publicznej WCAU. Przy bramie gromadziły się grupki reporterów telewizyjnych i dziennikarzy prasowych.

Nie zwalniając, objechał wielką kałużę na środku parkingu i wycofał samochód. Zajechał na tyły bloku laboratoryjnego i zatrzymał auto obok zdezelowanej zielonej furgonetki, która stała przed wejściem do działu technicznego.

Jeden z pracowników natychmiast wytoczył się na zewnątrz. Miał na sobie zielony płaszcz. W takie stroje byli wyposażeni wszyscy zatrudnieni w tym dziale.

– Nie możesz tu parkować, człowieku.

– A co panu do tego, gdzie parkuję? – rzucił Nathan. – Proszę pilnować swoich obowiązków, a nie kierować ruchem. Idź pan do swojej pracy.

Wszedł po schodach i otworzył podwójne drzwi. Mężczyzna krzyknął za nim:

– Hej!

Nathan jednak go zignorował. Doszedł do końca korytarza, mimo że za jego plecami co chwilę rozlegało się „Hej!" albo „Hej, człowieku!" Nie miał ochoty odpowiadać na to „człowieku", szczególnie dzisiaj.

Kiedy na końcu korytarza skręcił, przed drzwiami laboratorium zobaczył Patti Laquelle. Była w swojej czerwonej kurtce, bardzo krótkiej spódnicy i długich kozakach. Rozmawiała z kimś przez telefon komórkowy.

– Millie – mówiła Patti. – Zadzwonię do ciebie później. Wreszcie przyszedł profesor Underhill.

– Jak się pani tutaj dostała? – zapytał Nathan, gdy ruszyła za nim do jego gabinetu. – Wstęp do całego budynku jest przecież ograniczony.

– Użyłam mojego wdzięku oczywiście. I identyfikatora.

Nathan wziął do ręki plastikową kartę, którą miała przypiętą do kurtki, i uważnie na nią popatrzył. Była to autentyczna karta gościa Ogrodu Zoologicznego, jednak zaraz się zorientował, że na oryginalną fotografię Patti po prostu nakleiła swoją.

– Dobrze, zabrałam ją z pańskiego biurka – przyznała i dodała: – Widział pan mój artykuł? Myślę, że jest naprawdę bardzo udany.

– Jeszcze nie miałem czasu, Patti. Prawdę mówiąc, trochę dzisiaj zaspałem.

– Wyszła mi naprawdę wspaniała rzecz. Przynajmniej moim zdaniem. *Moje zgniłe narodziny. Piórem Jajogłowego Smoka.*

Nathan usiadł przy biurku i włączył komputer.

– Taki jest tytuł? *Moje zgniłe narodziny. Piórem Jajogłowego Smoka*?

– Musi pan to koniecznie przeczytać – naciskała Patti. – Tekst jest totalnie po pana myśli, *simpatico*. Włączyłam do artykułu wszystko, co mi pan powiedział o Alzheimerze, mukowiscydozie i chorobie Parkinsona.

– To dobrze. Wspaniale. Dziękuję.

Zaczął sprawdzać pocztę. Patti została po drugiej stronie biurka. Nie przestawała się uśmiechać.

Nathan podniósł wzrok.

– Coś jeszcze? – zapytał.

– Właściwie nie. Chciałam tylko panu powiedzieć, że

artykuł bardzo mi się udał, to wszystko. Może wkrótce dopiszę do niego następną część.

– Następną część?

– Absolutnie. Przecież będzie pan znowu próbował, prawda? Wyhoduje pan kolejne jajo gryfa, czyż nie? Chciałabym pisać o tym od momentu *concepcione*.

– Sam nie wiem. I na razie nie wiem jeszcze, co poszło nie tak ostatnim razem. No i wszystko zależy od funduszy, jakimi będę dysponował. Ogród Zoologiczny nie da mi *carte blanche* na powoływanie do życia mitycznych stworów, jeśli żadne z nich nie będzie w stanie przetrwać.

– Ależ to jest konieczne. Przecież badania, które pan prowadzi, są zbyt ważne, żaby tak po prostu z nich zrezygnować.

– Cóż, Patti, oczywiście, zgadzam się z panią. Proszę to jednak powiedzieć naszemu wydziałowi finansowemu.

Do drzwi zapukał Richard. Krzywo zapiął fartuch laboratoryjny, przez co wyglądał jeszcze bardziej asymetrycznie niż zazwyczaj. Przedziałek na jego głowie biegł zygzakiem.

– Dzień dobry – powiedział i podejrzliwie popatrzył na Patti. – Zdaje się, że są korki w mieście, co?

– Właśnie powiedziałem pani Laquelle, że trochę zaspałem. Zacząłeś już sekcję?

– Pański telefon dzwonił chyba milion razy, jednak nie podnosiłem słuchawki. Przypuszczam, że to wszystko dziennikarze, sam pan rozumie.

– Dziennikarzami zajmę się później. Co do tej pory zrobiłeś?

– Już, już... – Richard wyciągnął z rękawa pomiętą papierową chusteczkę i energicznie wytarł nos. – Pobrałem próbki DNA, wycinki z tkanek miękkich, mięśni i organów wewnętrznych, w tym wątroby i śledziony. Pobrałem także próbki szpiku kostnego ze szkieletu oraz keratyny z piór i dzioba. Założyłem hodowlę siedmiu kultur bakteryjnych z różnych płynów ustrojowych.

– Dobra robota – pochwalił Nathan. Był pod wrażeniem.

– Trochę wcześnie, żeby stwierdzić, jaka była główna przyczyna śmierci – kontynuował Richard. – Na podstawie tego, co wiemy do tej pory, możemy założyć, że ma pan jednak rację. Przynajmniej w zasadniczej części. Mamy do czynienia z paciorkowcem grupy A. Ale być może jeszcze z czymś innym.

– A może pan przeczytał mój artykuł? – przerwała mu Patti.

Siedziała na rogu biurka Nathana, a jej spódniczka podjechała tak wysoko, że widać było czerwone majteczki. Nathan pośpiesznie odwrócił wzrok.

Tymczasem Richard znowu wytarł nos i głośno wciągnął powietrze.

– W „Web"? Jasne. Czytałem.

– I co pan o nim sądzi? Nie uważa pan, że jest wspaniały?

Richard przez chwilę się zastanawiał, po czym odparł:

– Muszę przyznać, że owszem, artykuł jest napisany w miarę poprawnie. Oczywiście jeśli nie liczyć tytułu. W rzeczy samej nigdy przecież nie próbowaliśmy ożywić smoka jako takiego.

– Ach tam, smoki, gargulce, gryfy – odparła Patti. – To w gruncie rzeczy wszystko to samo, prawda? Przecież przeciętny czytelnik nie ma zielonego pojęcia, czym jest gryf.

Zadzwonił telefon. Nathan podniósł słuchawkę.

– Laboratorium zoologiczne, słucham.

– Dzień dobry. Mówi Kevin McNamara, szef działu naukowego „The Philadelphia Inquirer". Czy mogę rozmawiać z profesorem Nathanem Underhillem?

– Przykro mi, panie McNamara. Profesora Underhilla nie będzie dzisiaj w laboratorium.

– Och, jaka szkoda. Chciałem zadać mu kilka pytań w związku z jego badaniami nad stworzeniami mitycznymi. W szczególności chodzi mi o gryfa, który się właśnie wykluł.

– Gryf wykluł się martwy. Wszystko na ten temat może pan przeczytać w „Web".

– Tak, wiem. Chciałem jednak zapytać profesora Underhilla, czy zamierza kontynuować swoje badania, czy też gotów jest przyznać, że w tej dziedzinie niczego nie osiągnie, i rzucić ręcznik?

– Odnoszę wrażenie, że profesor Underhill jest zdecydowany kontynuować badania.

– Naprawdę? Powiedział to panu?

– Po prostu takie odniosłem wrażenie. Oczywiście ostateczna decyzja należy jednak do zoo. Chodzi głównie o to, czy ogród zoologiczny jest gotów finansować badania czy też nie. O to powinien pan pytać doktora Burnside'a. On odpowiada za fundusze.

– Już go pytałem.

– No i co?

– Doktor Burnside chyba jeszcze nie rozmawiał z profesorem Underhillem, ale kiedy do tej rozmowy dojdzie, profesor raczej nie będzie zadowolony.

– Naprawdę? A co takiego doktor Burnside ma do powiedzenia?

– Kiedy z nim rozmawiałem, raczej nie przebierał w słowach, tak bym to ujął. Powiedział, że profesor Underhill stracił pięć lat i ponad dwa miliony dolarów, a mimo to nie doprowadził do powstania ani jednej realnej hybrydy. Powiedział, że ogród nie zainwestuje już ani centa w projekt doktora Underhilla. Nazwał ten projekt „bezsensownym polowaniem na gryfa". „Całkowitym marnotrawstwem cennych środków". To są cytaty.

Nathan popatrzył z ukosa na Richarda i na Patti. Poczuł, że zaczyna drgać mu mięsień w lewym policzku. Najspokojniej, jak potrafił, powiedział do słuchawki:

– Uprzejmie pana informuję, panie McNamara, że profesor Underhill jest uważany za jednego z najbardziej twórczych i poważnych zoologów od czasu Thomasa Hunta Morgana.

– Cóż, być może. Próbuje jednak ponownie ożywiać stwory, które żyły setki lat temu, prawda? Jeżeli w ogóle żyły.

– Ma pan rację. Ma pan absolutną rację. Ale jeśli odniesie sukces, w jednej chwili popchnie nauki medyczne o setki lat do przodu, rozumie pan? Na miłość boską, będzie nawet w stanie leczyć stwardnienie rozsiane.

Po drugiej stronie zapanowała krótka cisza. Nathan niemal usłyszał, jak dziennikarz „Inquirera" szczerzy zęby.

– Rozmawiam z profesorem Underhillem, prawda? Profesorze, niech pan się przyzna.

Nathan zrobił niechętny grymas. Powinien był trzymać język za zębami.

– Profesorze! Niech mi pan powie, co pan czuje teraz, gdy dowiedział się pan, że pański projekt został już pogrzebany?

– Już panu mówiłem, profesora Underhilla dzisiaj tu nie ma. I jutro też nie będzie. I pojutrze również.

– Profesorze, zależy mi, żeby pan powiedział chociaż jedno krótkie zdanie, które mógłbym zacytować. Na przykład: Doktor Burnside jest krótkowzrocznym draniem.

Nathan powoli odłożył słuchawkę i zniechęcony westchnął, po czym osunął się na fotel.

– Co się stało? – zapytał. – Coś złego?

– Wszystko skończone – odparł Nathan. – Burnside zamyka projekt. Właściwie wszystko, co pozostało z naszych badań, możemy wyrzucić do spalarni, a potem rozejść się do domów.

– Naprawdę? – nie dowierzała Patti. – I to wszystko? Nie będzie więcej smoków? Ani jednego gryfa więcej?

– Nie – odparł Nathan. – Będę miał szczęście, jeśli pozwolą mi się opiekować szympansami. Jeżeli w ogóle będą chcieli mnie tu jeszcze trzymać.

– Ależ to niemożliwe!

– Możliwe, możliwe. Wiecie, co w tym wszystkim jest najbardziej frustrujące? Nigdy się nie dowiem, jak blisko byłem ponownych narodzin mitycznego stworzenia. Albo jak daleko.

– Cóż, myślę, że był pan bardzo blisko – odezwał się Richard. – Naprawdę bardzo, bardzo blisko.

– Dzięki. Nigdy nie dowiemy się tego ze stuprocentową pewnością.

– Może powinienem zostawić embrion w zamrażarce? – zaproponował Richard. – Nigdy nic nie wiadomo.

– W jakim celu?

Znowu zadzwonił telefon. Tym razem w słuchawce rozległ się głos Burnside'a. Był suchy jak krakersy.

– Nathan? Chciałbym, żebyś przyszedł do mojego biura. Jak najszybciej, bardzo proszę.

– Tak, Henry – odparł Nathan. – Już słyszałem. Możesz mi oszczędzić krokodylich łez.

– Musimy porozmawiać o twojej przyszłości tutaj, w zoo, Nathan.

– A co chciałbyś mi zaproponować? Stanowisko inżyniera PZ Express?

Była to nazwa pociągu dla dzieci, który jeździł na terenie zoo. „Każdej osobie o wzroście powyżej 150 centymetrów musi towarzyszyć w pociągu małe dziecko".

– Daj spokój, Nathan. Wiem, że masz prawo być zdenerwowany tym, co się zdarzyło. Bardzo cenię pracę badawczą, którą wykonałeś. Dokonałeś istotnego postępu w dziedzinie kryptozoologii, przecież wiesz. Nie cała twoja praca poszła na marne.

– Co innego powiedziałeś dziennikarzowi „Inquirera".

– Przyjdź do mnie. Proszę. Musimy wspólnie ustalić, co z twoich badań można by ocalić z korzyścią dla nauki, i zdecydować, w jakim kierunku powinieneś teraz zmierzać.

Nathan wziął głęboki oddech.

– Obecnie będę zmierzał tylko w jednym kierunku, to jest w kierunku największego baru, i zamówię sobie wielgachną szklankę irlandzkiej whiskey.

– Nathan... – Doktor Burnside chciał zaprotestować, ale Nathan odłożył słuchawkę.

Włożył płaszcz i rozejrzał się po gabinecie.

– Idzie pani ze mną? – zapytał Patti. – Przydałby mi się ktoś, komu mógłbym się wypłakać.

– Jasne – odparła Patti i wzięła z biurka swoją torebkę. – Richard? Napijesz się?

– Nie, dziękuję, profesorze. Dla mnie to trochę za wcześnie. Zostanę i posprzątam tutaj.

Nathan wyszedł z gabinetu i ruszył korytarzem do wyjścia. Patti śmiesznie drobiła, żeby za nim nadążyć.

– Może znajdzie pan kogoś innego, kto będzie chciał finansować badania – zasugerowała. – Jakąś wielką korporację, jak Coca-Cola czy McDonald's... Albo chociażby Pep Boys.

– Czy pani nic nie rozumie? – zapytał Nathan, otwierając drzwi. – Wydałem mnóstwo pieniędzy, straciłem cholernie dużo czasu i to wszystko na nic. Po takim wspaniałym osiągnięciu nikt nie będzie chciał zainwestować we mnie złamanego centa. A już na pewno nikt nie da mi kwoty, która pozwoliłaby na kontynuowanie badań.

Wyszedł na zewnątrz akurat w chwili, gdy za rogiem budynku znikała czerwona laweta z jego samochodem. Robotnik z działu technicznego stał przy schodach i uśmiechał się z satysfakcją.

Nathan gwizdnął i pobiegł za lawetą. Dopadł ją tuż przed bramą wyjazdową.

– Proszę zostawić mój samochód! – zawołał do kierowcy.

– Pięćdziesiąt dolców – powiedział kierowca. Spokojnie żuł gumę. Wyglądał jak mandryl, tyle że miał kręcone siwe włosy.

– Pięćdziesiąt dolców? Do diabła, o czym pan mówi? Ja tutaj pracuję. Jestem profesorem.

– Panie, a co to mnie obchodzi? Może pan być sobie równie dobrze Franciszkiem z Asyżu. Pięćdziesiąt dolców.

Jestem z prywatnej firmy i nie mam z tym zoo nic wspólnego.

– Jeśli pan uważa, że zapłacę za własny samochód, to chyba pan oszalał.

Kierowca lawety wzruszył ramionami. Po chwili wyłączył silnik i wziął do ręki gazetę, która dotąd leżała na fotelu pasażera. Zaczął czytać wiadomości sportowe. *Jedno nieudolne zagranie kosztowało filadelfijczyków zwycięstwo.*

Nathan odwrócił się. Musiał bardzo się starać, żeby nie stracić panowania nad sobą, nie wyrwać znaku ZAKAZ PARKOWANIA i nie rozbić go o lawetę.

Podeszła do niego Patti.

– Hej, zdaje się, że zabierają panu samochód! Co za niewdzięcznicy.

W tym momencie zaterkotał jej telefon komórkowy. Szybko wyciągnęła go z kieszeni, otworzyła klapkę i po chwili już mówiła:

– Tak? Kto? Naprawdę? Żartujesz! Chyba żartujesz! Dobra, oczywiście.

Podeszła do Nathana.

– Ten nasz drink... Muszę to odłożyć na później. Jakaś siedemdziesięcioletnia kobieta w Fishtown została właśnie aresztowana za uduszenie swojego spaniela. Udusiła go, a następnie ugotowała na obiad. Stek ze spaniela, wyobraża pan sobie?

– Dobrze, trudno – odparł Nathan.

Właściwie wcale jej nie słuchał. Wyciągnął z kieszeni portfel i odliczył pięćdziesiąt dolarów. Podszedł do kierowcy lawety i wsunął dłoń z banknotami przez okno. Jego ręka drżała.

– Bierz pan. Pięćdziesiąt dolców. Poddaję się.

Kierowca wyszedł z kabiny. Wziął pieniądze i pośliniwszy kciuk, starannie je przeliczył.

– Wie pan, jaka jest moja dewiza? – zapytał, jednocześnie chowając pieniądze do kieszeni. – Nigdy nie wal głową w mur. A wie pan dlaczego? Bo mury robią z twardych cegieł.

Zamiast się udać do baru Fado, Nathan pojechał do domu. Był przybity, nie zamierzał jednak pić whiskey w samotności, wpatrując się we własne odbicie w lustrze, w hałaśliwym irlandzkim barze. Poza tym znowu padało, i to mocno, a on nie miał ochoty na jeżdżenie w kółko z monotonnie pracującymi wycieraczkami, w niemal beznadziejnym poszukiwaniu miejsca do zaparkowania.

Kiedy stanął przed domem, usłyszał, że z pokoju Denvera dobiega głośna muzyka. Otworzył drzwi wejściowe. Hałas w domu był niemal ogłuszający.

Poszedł na górę i zapukał do pokoju syna. Nikt mu nie odpowiedział, więc po prostu otworzył drzwi. Denver i jego kumpel Stu Wintergreen stali na środku pokoju na ugiętych nogach, z zaciśniętymi oczami i rozwianymi włosami, udając, że intensywnie grają na niewidzialnych gitarach.

Nathan przyglądał się im przez chwilę. Stu pierwszy otworzył oczy. Ujrzawszy go, pchnął Denvera tak mocno, że chłopak stracił równowagę.

Kiedy stanął na nogach, zobaczył ojca i się zaczerwienił.

– Co to jest? – Nathan starał się przekrzyczeć muzykę.

– Co?

– To! Jaki to zespół?

Przez moment Denver sprawiał wrażenie zbitego z tropu. Spodziewał się pytania, dlaczego, do diabła, nie jest teraz w szkole.

– Niszczyciele Świń! – odkrzyknął zachrypniętym głosem.

– Aha, Niszczyciele Świń!

– To zajebisty zespół z Wirginii! Ten utwór nazywa się *Żółta zgnilizna*!

– Rozumiem. Są chyba bardzo dobrzy, co? – Nathan na chwilę umilkł. – A na pewno bardzo głośni!

Stu spojrzał na niego zza okularów w grubych oprawach.

– Są totalnie fantastyczni!

Denver dał mu kuksańca, jakby chciał go napomnieć, żeby nie wdawał się w przyjacielską pogawędkę z jego ojcem. Nathan jednak nie zamierzał kontynuować wrzaskliwej konwersacji.

– Rozumiem. No to tymczasem – powiedział i zamknął drzwi.

A więc Denver postanowił dziś zrobić sobie wolne od szkoły i poskakać we własnej sypialni, udając Niszczyciela Świń? Nagle Nathan uznał, że mało go to obchodzi.

Deszcz przestał padać około trzeciej po południu. Promienie słońca zalśniły na betonowych chodnikach, w związku z czym Denver i Stu włożyli wiatrówki i tenisówki i szykowali się do wyjścia. Nathan siedział w salonie na kanapie z laptopem na kolanach. Na stoliku miał puszkę zimnego piwa. W telewizji leciał kolejny odcinek serialu *Diagnoza: Morderstwo*, jednak Nathan wyłączył dźwięk.

– Tato? Idziemy do Stu, żeby zagrać w *Halo 3*.

– Dobrze.

Denver zawahał się.

– Powiedz mamie, że wrócę około szóstej.

– Jasne.

Jeszcze dłuższe wahanie. Wreszcie chłopak zapytał:

– A właściwie... Właściwie co ty robisz w domu?

– Korzystam z zasłużonego odpoczynku. Masz coś przeciwko temu?

– Nie, oczywiście, że nie mam. Pomyślałem tylko, że w laboratorium wydarzyło się coś nieprzewidywalnego, to wszystko.

Nathan popatrzył na niego. Jak mógł wytłumaczyć Denverowi, że wszystko, co próbował osiągnąć w ciągu minionych pięciu lat, rozpieprzyło mu się w rękach? Na nic się zdały setki testów, tysiące eksperymentów. Godziny garbienia się nad mikroskopem, do momentu, w którym głowa stawała się zbyt ciężka, a wzrok za bardzo zamglony.

Nie obawiał się, że Denver będzie z niego drwił albo że się ucieszy z jego niepowodzenia; nie wierzył, że tak zareaguje. Bał się jednak, iż mógłby dojść do wniosku, że nauka i ciężka praca w ostatecznym rozrachunku na nic się nie zdają, ponieważ zawsze się znajdzie jakiś biurokrata, który odetnie dopływ gotówki, nawet wtedy, kiedy do celu pozostanie już tylko kilka kroków.

– Tylko się nie spóźnij, dobrze? – powiedział do Denvera.

I nawet nie dodał: „Ponieważ jutro musisz iść do szkoły".

Grace przyjechała do domu dwadzieścia minut później. Nathan otworzył drzwi, kiedy parkowała samochód.

– Hej, co ty robisz w domu? – zapytała go, zbierając zakupy z bagażnika.

– Denver zadał mi to samo pytanie.

– Denver tu był?

– Zaskoczyłem go. Jego i jego kumpla, Stu. Urządzili sobie dzień nauki w domu. Myślę, że uczyli się przedmiotu cholernie głośna muzyka.

– Co za chłopak. Przysięgam, że dam mu nauczkę.

– Halo, halo – powiedział Nathan, idąc za Grace do kuchni. – Przecież to ty jesteś tą osobą, która zawsze mówi, że powinniśmy mu dawać większe kieszonkowe.

Grace położyła torby z zakupami na stole kuchennym.

– Co mamy dzisiaj na kolację? – zapytał Nathan, zaglądając do środka.

– Jambalayę – odparła Grace. – Może mi jednak powiesz, dlaczego tak wcześnie wróciłeś do domu?

– Tak prosto z mostu? Jestem wcześniej w domu, ponieważ nie mam już roboty. Henry Burnside postanowił, że zoo nie będzie już finansowało prób wskrzeszania mitycznych stworzeń.

– Żartujesz? Och, Nathan, tak mi przykro.

– Wszystko w porządku. Już od dawna powinienem się spodziewać, że taki moment nastąpi. Zgadzam się z tobą, że przedobrzyłem. Dałem ogrodowi mnóstwo nierealistycznych nadziei. Założę się, że oczekiwano ode mnie, iż już za chwilę będą po nim biegać małe gryfy. Może władze się spodziewały, że przez to wzrośnie frekwencja? Wyobraź sobie tylko: „Świat gryfów" w naszym zoo. Nic dziwnego, że zabrali mi pieniądze.

– I co będziesz robił?

– Prawdę mówiąc, jeszcze się nad tym nie zastanawiałem. Na razie jedynie się nad sobą użalam i to mi zajmuje cały czas.

Grace rozpakowała zakupy: seler, zielony pieprz i wędzone w hikorze kiełbaski wieprzowe.

– Mnie się też coś dzisiaj przydarzyło. Coś naprawdę dziwnego – powiedziała.

– Naprawdę?

Opowiedziała Nathanowi o wizycie w Domu Spokojnej Starości Murdstone, o „Michaelu Dukakisie" i siostrze Bennett.

– Najdziwniejsze jednak było to, że wszystko w pokoju pani Bellman było martwe. Nie tylko ona nie żyła; zresztą zabrali ją już wcześniej. Martwa była jej papuga, jej bluszcz, nawet wszystkie muchy na parapecie okiennym. Wszystko.

Nathan popatrzył na żonę i zmarszczył czoło.

– A ten „Michael Dukakis" twierdzi, że widział dużego czarnego stwora z małymi rogami albo koroną... W każdym razie z czymś takim na głowie?

– Właśnie. Powiedział mi, że stwór był czarny i przygarbiony, z „postrzępionymi wypustkami" na głowie. Z opisu bardzo przypominał twój nocny koszmar. Ale przecież to tylko przypadek, prawda?

– Poczekaj chwilę – poprosił Nathan.

Poszedł do swojego gabinetu na tyłach domu. Już od dawna całe biurko miał zawalone kartonowymi teczkami, stertami gazet i kolorowych czasopism, jednak zawsze wiedział, gdzie co leży. Na półce przy drzwiach znalazł cienkie kieszonkowe wydanie *Historii naturalnej* Pliniusza Starszego i gruby, oprawny w czarną skórę egzemplarz *Czarnej księgi**, autorstwa błogosławionego Wincentego Kadłubka.

Zabrał książki do kuchni.

– Co? – zapytała Grace.

– To stworzenie... uśmierciło wszystko w pokoju, tak? Popatrz, co napisał Pliniusz: „Istnieje wąż, którego zwiemy Bazyliszkiem. Wszelkie stworzenie, na które spojrzą jego oczy, natychmiast umiera". I patrz dalej: „Zabija wszystkie drzewa i krzaki, nie tylko spojrzeniem, lecz też dotykiem, a nawet oddechem. Płoną trawy i łąki, z którymi się zetknie, pękają kamienie, tak jest zjadliwy i śmiercionośny. Wcale nie wije się i nie pełza jak inne węże, lecz chodzi na dwóch nogach, chociaż ugięty. Na głowie nosi koronę lub diadem, lub rogi". Co ci powiedział ten cały „Dukakis"? Stworzenie, które widział, miało rogi lub koronę, prawda?

– Sama już nie wiem – odparła Grace. – Przestraszył mnie. Cała ta historia mnie przestraszyła. Gdybyś nie miał tego koszmarnego snu, czy cokolwiek to było, powiedziałabym, że ten staruszek po prostu cierpi na demencję i tyle. Ale teraz... Naprawdę nie wiem. Być może masz rację. Być może naprawdę widziałeś jakiegoś stwora. Ale skąd on się wziął? To jest nierealne.

Nathan tymczasem otworzył oprawną w skórę księgę i powiedział:

– Musisz tylko to przeczytać. Te słowa napisał Wincenty Kadłubek, który był biskupem krakowskim w Polsce. W roku 1217 niespodziewanie zrezygnował z urzędu i wybrał żywot wśród cystersów, w odizolowanym od świa-

---

* *Czarna księga* Wincentego Kadłubka jest oczywiście wymysłem autora (przyp. red.).

ta klasztorze w Jędrzejowie. Nikt się nie dowiedział, dlaczego zrezygnował z biskupstwa, aż do chwili, w której ukazała się ta księga, około trzydziestu pięciu lat po jego śmierci. Można w niej przeczytać, że pewnego kwietniowego dnia odprawiał o północy mszę w kościele Świętego Andrzeja, gdy „z cienia wyległa najmroczniejsza z mrocznych postaci, otulona w mnóstwo czarnych szmat, z czarną koroną cierniową na głowie". Stwór „tchnął na zgromadzonych wiernych najohydniejszym i najzimniejszym z oddechów i wpił w nich spojrzenie oczu, które świeciły jak straszliwe lampy".

Dalej Kadłubek pisze, że wszyscy zgromadzeni padli na posadzkę kościoła, a było ich około trzydziestu. Biskupa jednak trzej księża szybko pociągnęli za sobą przez boczne drzwi i dzięki temu zdołał ujść śmierci. „Następnego ranka, gdy odważyli się zajrzeć do kościoła, nie natrafili na żaden ślad stwora, ale wszyscy zgromadzeni leżeli w tych samych miejscach, w których padli w nocy, a cały kościół pełen był martwych jaskółek, które miały gniazda pomiędzy krokwiami, a na posadzkach leżały setki martwych much". Ale słuchaj dalej... „Wszystkie kwiaty, które zdobiły kościół, teraz były suche i pomarszczone, jakby strawił je ogień".

Nathan zatrzasnął księgę.

– Zdaje się, że pokój Doris Bellman znalazłaś w takim samym stanie, prawda? Wszystko w środku było martwe. Kwiaty i ptak. Nawet muchy.

– Ale żeby bazyliszek skradał się po Murdstone? Jak to możliwe?

– Czuję się tak samo jak ty, Grace. Nie wiem, w co wierzyć. Ale stwór, który nawiedził mnie w koszmarze, i przygarbione monstrum, które widział „Michael Dukakis", oraz „najmroczniejsza z mrocznych postaci", widziana przez biskupa Kadłubka w Krakowie, są bardzo podobne, nie sądzisz? No i wszystkie pasują do opisu bazyliszka, jaki przekazał nam Pliniusz.

Grace obeszła stół i położyła dłonie na ramionach Nathana.

– Nate, bądźmy poważni. Przecież tobie się to tylko śniło, w rzeczywistości nie widziałeś żadnego stwora. A ten staruszek cierpi na demencję, nie można go więc uważać za wiarygodnego świadka. Naprawdę ma na imię Stavros, lub jakoś tak. A jeśli chodzi o twojego polskiego biskupa, cóż... w średniowieczu wszyscy byli bardzo przesądni, prawda? Weź też pod uwagę, że rzecz miała miejsce w kwietniu. Prawdopodobnie akurat był post, biskup nie jadł od wielu dni, był bardzo osłabiony i wszystko to sobie po prostu wyobraził.

Nathan opuścił głowę. Grace miała z pewnością rację.

– Ale na chwilę załóżmy, że to naprawdę jest bazyliszek – kontynuowała. – Skąd by się tutaj wziął? Przecież jesteś jednym z czołowych światowych ekspertów w dziedzinie zoologii mitycznej, a nie udało ci się wyhodować nawet jednego żywego gryfa.

Nathan popatrzył na książki. Obok tekstu biskupa Kadłubka, opisującego stwora z kościoła Świętego Andrzeja, znajdowała się fotografia trzynastowiecznej rzeźby, przedstawiającej bazyliszka. Stworzenie miało głowę kogucika, ostre jak brzytwa kły w dziobie i łuszczące się ciało, dziwnie nabrzmiałe pośrodku, niczym boa dusiciel, który dopiero co połknął całego kozła.

– No dobrze – powiedział. – Załóżmy jednak, że nie jestem czołowym światowym ekspertem w dziedzinie zoologii mitycznej. Może jest gdzieś jakiś geniusz zoologii, który wie w tej dziedzinie znacznie więcej niż ja?

– Och, daj spokój, Nathan. To jest raczej nieprawdopodobne. Chyba nie ma na tym świecie więcej niż trzech osób, które zajmują się hodowlą mitycznych stworzeń. A jeśli jedna z nich zdołałaby wyhodować bazyliszka, na pewno byłoby o tym głośno.

– A może jest to utrzymywane w głębokiej tajemnicy?

– Niby dlaczego ktoś miałby trzymać takie osiągnięcie

w tajemnicy? Przecież byłby to największy przełom naukowy w historii zoologii. Nikt nie chowałby go wyłącznie dla siebie. Przecież mówimy o wyczynie, który przyniósłby jego autorowi światową sławę. Ogromne bogactwo. Czyli to, czego ty sam się spodziewałeś.

Nathan wzruszył ramionami.

– Skąd mam wiedzieć, dlaczego ktoś mógłby coś takiego robić? Może autor odkrycia nie jest jeszcze gotowy, żeby ujawnić je światu? A jeśli doszło do wypadków śmiertelnych, jak chociażby Doris Bellman, może się boi, że zostanie pociągnięty do odpowiedzialności? – Nathan myślał nad czymś przez chwilę i w końcu powiedział: – A może ma jakiś diabelski plan, żeby za pomocą mitycznych stworzeń zapanować nad światem? Może próbował wyhodować jeszcze z tuzin bazyliszków, ale tylko jeden z nich przetrwał? Może się urodził zdeformowany i dlatego przykrywają go czarnymi kocami?

Grace poklepała go po plecach.

– Brawo, Nate! Brawo! Chcesz wierzyć, że ktoś inny zdołał już wyhodować bazyliszka, a motywy, jakimi się kierował, są nieważne. Ponieważ jeśli on zdołał powołać do życia bazyliszka, jest całkiem realne, że tobie uda się wykluć gryfa, tak?

– Cóż... Dlaczego nie? Przecież to ma sens, prawda?

Grace pocałowała go.

– Kochanie, postarajmy się być rozsądni. Miałeś nocny koszmar, śniła ci się wielka czarna mroczna postać, a „Michaelowi Dukakisowi" zdawało się, że widział jakieś wielkie monstrum z rogami. Zgadzam się, oczywiście, że jest to dość dziwaczna zbieżność. Doris Bellman słyszała, jak ktoś coś ciągnie po podłodze przed jej drzwiami, ale niczego nie widziała. Ale umarła, a wraz z nią jej papuga i bluszcze. Wszystko to brzmi dość przerażająco. Ale raczej nie trzyma się kupy, prawda? Raczej nie możemy jeszcze wysnuć wniosku, że na świecie pojawiło się żywe mityczne stworzenie.

– A więc nie wierzysz, że na wolności biega jakiś bazyliszek?

– Tego nie powiedziałam. Znasz mnie. Staram się być otwarta. Jestem lekarzem, pamiętaj.

– Ale?

– Ale żeby być z tobą kompletnie szczera, muszę powiedzieć, że jest to najmniej wiarygodne wyjaśnienie, jakie można by wysnuć.

– A więc?

– A więc najpierw musimy wypracować jak najprostszą teorię. Ktoś musi dobrze się rozejrzeć po Murdstone. Jeżeli nie policja, to przynajmniej władze Filadelfii, ktoś z Wydziału Zdrowia. W końcu Doris Bellman z całą pewnością coś przeraziło. W przeciwnym wypadku na pewno by do mnie nie telefonowała. I „Michael Dukakis" też widział coś istotnego, nie można wszystkiego zwalić na jego starczą demencję.

– Ale czy to był bazyliszek?

Grace potrząsnęła głową.

– Pamiętasz ten dom dla emerytów w Wirginii, w którym kierownik ostrzegał rezydentów, że wieczorami, po wygaszeniu świateł, po korytarzach szwenda się jakieś monstrum? Chciał jedynie przestraszyć starszych ludzi i sprawić, żeby siedzieli w swoich pokojach, ponieważ zbyt często chodzili bez celu po całym ośrodku, i to w środku nocy. Ale jednej ze starszych pań któregoś dnia wydało się, że widzi potwora na schodach, i zmarła na atak serca. Słyszałam też o jeszcze innym domu starców, chyba w Maine. Członkowie zarządu namówili rezydentów, żeby sporządzili korzystne dla nich testamenty. A kilka miesięcy później wpuścili do ich pokojów tlenek węgla. Zmarli starzy ludzie i zwierzęta, które trzymali w pokojach.

– Jasne. Pamiętam sprawę z Maine – odparł Nathan. – Ale nawet jeśli śmierć Doris Bellman i jej papugi została spowodowana tlenkiem węgla, to przecież tlenek węgla nie spowodowałby zwiędnięcia kwiatów.

– Jasne. Pięknie. To bardzo rozsądne. Ale, jak już powiedziałam, musimy zacząć od poszukiwania najprostszej odpowiedzi.

Nathan przetarł dłońmi twarz.

– Jak zwykle masz rację. Jak to dobrze być mężem doktora medycyny...

Grace pocałowała go.

– Masz przynajmniej szczęście, że w przeciwieństwie do mnie nie poślubiłeś profesora.

Rozdział ósmy

BIAŁA TWARZ

Grace ugotowała swoją słynną jambalayę z wędzonymi kiełbaskami, zielonym pieprzem i marynowanym kurczakiem. Oboje z Nathanem rozsiedli się na kanapie przed telewizorem, z talerzami na kolanach. Nigdy tak nie robili, kiedy w domu był Denver, żeby nie dawać mu złego przykładu.

Nie rozmawiali już więcej o Doris Bellman, chociaż Grace była pewna, że Nathan wciąż myśli o bazyliszku, nawet wtedy, gdy głośno śmiał się z dowcipów Davida Lettermana.

Dwukrotnie zadzwonił telefon, ale za każdym razem chodziło o Denvera. Jako pierwszy zatelefonował młody chłopak. Nawet głos brzmiał tak, jakby jego właściciel miał jeszcze na twarzy trądzik młodzieńczy. Po nim zadzwoniła dziewczyna o lekko chropowatym głosie i silnym akcencie z południowej Filadelfii. Powiedziała, że ma na imię Whimzy („przez zet, Denver będzie wiedział, kto dzwonił").

Nathan odłożył słuchawkę. Spodziewał się telefonu od Richarda z pierwszymi informacjami o wynikach sekcji. Ale miał też skrytą nadzieję, że zadzwoni do niego doktor Burnside z sugestią, że jeśli będzie realizował budżet z większą dyscypliną, to mimo wszystko może kontynuować swoje badania.

– Czy Denver ma przyjaciółkę o imieniu Whimzy, przez zet?

Grace pokręciła głową.

– Nic nie wiem o żadnej przyjaciółce Denvera. Ostatnią, jaką znałam, była Marian Mellenstein.

– Marian Mellenstein nie była jego przyjaciółką. Była leniwym dziewczyniskiem o kudłatych włosach i nosiła brzydkie okulary.

– Och, przestań. Przecież to nie jej wina. Biedactwo.

– Przecież tego nie powiedziałem. Ale nawet jeżeli ja staram się przywołać do życia dziwaczne stwory, to wcale nie znaczy, że mój syn miałby przyjaźnić się z którymś z nich.

Poszli do łóżka mniej więcej pół godziny przed północą, a kilka minut później Denver wrócił do domu. Usłyszeli, jak idzie po schodach. Po chwili zapukał do ich sypialni.

– Tato? – Stanął w progu, trzymając w ręce kartkę, którą Nathan zostawił mu przy telefonie. Miał ochrypły głos. – Czego chciała Whimzy?

– Nie mówiła. Powiedziała tylko swoje imię i to, że ją znasz. Przynajmniej tak to pamiętam.

– Rozumiem.

– W piecyku masz jambalayę. Musisz ją tylko trochę podgrzać – powiedziała Grace.

– Co to za dziewczyna, ta Whimzy? – zapytał Nathan. – Jest ładna? Będziemy mieli szansę ją zobaczyć?

– To po prostu jedna z moich znajomych. Dzięki, mamo.

Denver zamknął drzwi i zszedł na dół. Nathan i Grace popatrzyli po sobie.

– Widziałaś? – zapytał Nathan. – Zaczerwienił się.

– Przynajmniej mamy pewność, że nie jest gejem.

– Nie martwię się tym. Zmartwię się jednak, jeżeli będzie się umawiać z dziewczynami o takim okropnym akcencie.

Grace roześmiała się i wyłączyła lampkę nocną.

Dwie godziny później Nathan jeszcze nie spał. W sypialni było stanowczo za ciepło. Z pewnością wiał silny wiatr z południowego zachodu, ponieważ wszystkie samoloty skręcały i podchodząc do lądowania w Międzynarodowym Porcie Lotniczym w Filadelfii, przelatywały niemal dokładnie nad ich domem. Każdemu przelotowi towarzyszyło niskie dudnienie silników i brzęczenie szyb w oknach.

W jednym z domów po drugiej strony ulicy jakiś mężczyzna zaczął coś krzyczeć ze złością, a po chwili rozległ się stamtąd odgłos akordeonu, śmiech i wreszcie trzaśnięcie drzwiami. Nathan usłyszał, jak jakiś samochód powoli toczy się West Airy Road, z takim hałasem, jakby miał poprzebijane wszystkie opony i poruszał się na samych felgach. Był pewien, że Grace mruknęła przez sen, nie słyszał jednak słów.

– Grace? – szepnął i pochylił się nad nią. – Grace, nie śpisz?

– Nigdy. – Teraz mówiła wyraźnie. – Nigdy nie wygląda tak samo. Nigdy.

– O czym ty mówisz?

Nathan czekał na jakieś wyjaśnienia, ale ona jedynie się odwróciła. Oddychała spokojnie i równomiernie; było jasne, że głęboko śpi. Nathan opadł z powrotem na poduszkę, nie mógł jednak zamknąć oczu. Zegar na nocnym stoliku pokazywał drugą zero siedem.

Pomiędzy zasłonami okiennymi, wysoko, tam gdzie Grace nie mogła ich całkowicie zaciągnąć, powstał mały trójkąt, przez który wpadało światło księżyca, rzucając dziwny wzór na sufit. Tam gdzie biały tynk był nierówny, na suficie widoczne były nieregularne cienie. Wpatrując się w nie, Nathan zaczął odróżniać wzory i kształty. Dostrzegł zaokrąglenie, które wyglądało jak ludzki policzek, i kolejne, które mogło być bokiem nosa. Wreszcie zobaczył zmarszczenie, które przypominało kształt ust.

Nierówności i cienie na suficie ułożyły się w twarz mężczyzny o wysokim czole i włosach zaczesanych do tyłu.

– To niemożliwe – wymamrotała Grace.

– Grace, kochanie, mówisz przez sen.

– Nie obchodzi mnie, co o tym myślisz, to niemożliwe. Po prostu niemożliwe.

Grace mówiła swoje, a tymczasem twarz mężczyzny na suficie robiła się coraz wyraźniejsza. Oczy miał zamknięte, jakby była to maska pośmiertna, ale w miarę jak mijały minuty, ukazywały się wszystkie szczegóły – brwi, kości policzkowe, krzywizna ust. Nathana kusiło, żeby stanąć na łóżku; wtedy mógłby z łatwością dotknąć twarzy czubkami palców, był jednak pewien, że ma do czynienia jedynie z grą światła. Księżyc zmieniał położenie i w miarę jak był niżej na niebie, rzucał dłuższe cienie, a to sprawiało, że twarz mężczyzny wyglądała jak trójwymiarowa.

Wpatrywał się w nią przez ponad dwadzieścia minut. W dziennym świetle pewnie widziałby w tym samym miejscu jedynie lekkie pofałdowania tynku. Przypomniał sobie, że w wieku sześciu lat był przekonany, iż na drzwiach garderoby czai się wilk, a był to jedynie dziwaczny wzór na orzechowej okleinie.

– Nie opuścisz mnie, Nate, prawda? – zapytała Grace i gwałtownie odwróciła się na łóżku. Jej ręka przypadkowo uderzyła w ramię Nathana.

– Nie – uspokoił ją, mimo że przecież głęboko spała. – Nie opuszczę cię, obiecuję.

W końcu i jemu zaczęły się zamykać oczy. Jego umysł wciąż niespokojnie podsuwał wyobraźni nowe wizje, ale stopniowo górę brało zmęczenie. Widział pełne wyrzutu spojrzenie, które skierował na niego dogorywający gryf swoim jedynym pomarańczowym okiem. Słyszał też głos doktora Burnside'a. Był to chrapliwy szept: „Musimy przedyskutować twoją przyszłość w naszym zoo, Nathanie".

– Przyszłość? – rozległ się jakiś gruby, gardłowy głos. – Ty nie masz przyszłości.

Nathan natychmiast otworzył oczy i rozejrzał się po sypialni. Przez ułamek sekundy zdawało mu się, że to mówiła Grace, ale niemal natychmiast skierował wzrok ku zarysowi twarzy na suficie. Twarz także otworzyła oczy – były białe i wyglądały jak ślepe.

Ja śnię, pomyślał Nathan. To jest kolejny nocny koszmar.

– Tak myślisz? Przecież nie można śnić z otwartymi oczami.

Usta mężczyzny poruszyły się, jednak ich ruchy i padające z nich słowa nie były zsynchronizowane, jak w nieudanym dubbingu. Jego oczy otwierały się i zamykały mechanicznie, jak usta lalki brzuchomówcy.

Ja śnię, ponieważ to się nie może dziać naprawdę. Jesteś jedynie cieniem na nierównym suficie.

– Co? Ze wszystkich ludzi na świecie to właśnie ty powinieneś znać różnicę pomiędzy tym, co wyśnione, a tym, co realne. To przecież ty chcesz przywołać na świat gryfy i chimery.

Tak, ale te stworzenia nie są przecież snami. Wszystkie kiedyś istniały, a ja jestem w stanie przywrócić im życie.

– Na przykład bazyliszkowi?

Jeśli istnieje, to tak.

– A wątpisz w jego istnienie? Jak myślisz, dlaczego umarła Doris Bellman? Jak myślisz, co widział Stavrianos na korytarzu? A jakie stworzenie ty widziałeś w swoim koszmarze?

Ja właśnie teraz mam koszmar.

– Tak uważasz? – Mężczyzna drwił z Nathana, a jego powieki trzepotały coraz intensywniej. – Co więc sądzisz o tym?

Nathan skierował spojrzenie ku nogom łóżka. Z podłogi unosiła się czarna postać. Była wielka i pochylona. Na głowie miała skomplikowany wzór z gałązek lub rogów. Tak jak poprzednio, przykryta była kilkoma warstwami postrzępionej tkaniny, a spod nich wyłaniały się dwa pazury lśniące w świetle księżyca.

O cholera, pomyślał Nathan. Teraz to się dzieje naprawdę.

– Może naprawdę, a może nie naprawdę. Jak już powiedziałem, przyjacielu, to ty jesteś ekspertem w kwestii tego, co jest snem, a co rzeczywistością.

Czarny stwór zaczął powoli obchodzić łóżko. Słychać było jego świszczący oddech, jakby płuca miał zapchane flegmą. W nozdrza znów uderzył wywołujący mdłości odór, w którym można było odróżnić jakby zapach kurzu i gnijącego mięsa.

Nathan schylił się, by wymacać pod łóżkiem kij baseballowy. Nagle jednak przyszła mu do głowy myśl: stój, nie rób tego, to się nie dzieje naprawdę. To nie było prawdą poprzednim razem i nie jest prawdziwe również teraz.

– Popatrz na bestię – nakazał głos z sufitu. – Spójrz jej w oczy. Wtedy już będziesz wiedział na pewno.

Wydawszy chrapliwy odgłos, stwór gwałtownie poruszył łbem, odrzucając postrzępione szmaty, które go zakrywały. W sypialni było zbyt ciemno, aby Nathan mógł widzieć wyraźnie, odniósł jednak wrażenie, że dostrzega dziób i dziwnie okrągłe białe policzki. Czy to naprawdę bazyliszek? Jeśli tak, skąd tu się wziął, w jaki sposób zdołał się dostać do domu?

– Popatrz bestii w oczy – powtórzył głos.

Nathan ostrożnie podniósł rękę do twarzy. Jeśli w legendzie o bazyliszku była choćby część prawdy, bazyliszek mógł go zabić jednym spojrzeniem. Czy to się mogło wydarzyć teraz? Szaleństwo. Znów zaczął sobie wmawiać, że to wszystko jest jednak tylko sennym koszmarem.

Oczy stwora początkowo lśniły blado, jak dwa białe światełka widziane przez grube warstwy brudnych firan. Bardzo szybko zaczęły się jednak rozjaśniać, aż wreszcie ich blask stał się oślepiający. Nathan zacisnął powieki i odwrócił głowę.

Poczuł zimno, które powoli, lecz niepowstrzymanie zaczęło pełznąć po jego szyi, ramionach i klatce piersiowej. Było to doznanie bardziej bolesne niż wszystko, czego dotychczas doświadczył w życiu. Odnosił wrażenie, że jednocześnie jest zamrażany i oblewany czymś gorącym. Ból dotarł do żołądka i nieuchronnie zaczął się przesuwać ku genitaliom. Wtedy otworzył usta, żeby wrzasnąć, lecz ból sprawiał, że nie był w stanie nawet złapać oddechu. Czuł się, jakby powoli wylewano na niego płynny azot, który zamrażał mu skórę i przenikał ciało aż do szpiku kości.

– Dość! – krzyknął. – To potwornie boli. Odwołaj to.

– Teraz już wierzysz, że to się dzieje naprawdę?

– Co? Nie rozumiem.

– Powiedz mi, że wierzysz, że to się dzieje naprawdę. Tylko tyle.

– Tak, jeśli tak twierdzisz. Tak, to się dzieje naprawdę. Odwołaj to, na miłość boską, to boli.

– Nathan!

Otworzył oczy. Grace potrząsała jego ramieniem i krzyczała:

– Nathan! Nate! Obudź się. Co się dzieje?

Popatrzył na nią nieprzytomnym wzrokiem. Następnie włączył nocną lampkę. Czarny stwór zniknął, jeśli w ogóle kiedykolwiek był. Popatrzył na sufit. Nie było na nim żadnej twarzy.

– Znów śnił ci się koszmar? – zapytała Grace.

Pokiwał twierdząco głową.

– Ten sam, tylko dziesięć razy gorszy. I cholernie realistyczny.

– Stwór z rogami?

– To bazyliszek, jestem pewien.

– Nathan...

– To był bazyliszek, Grace. Do diabła, naprawdę nie wiem, dlaczego mam nocne koszmary z bazyliszkiem. A właściwie nawet nie jestem pewien, czy to są koszmary. To są raczej... sam nie wiem... wizje. Takie żywe. I ktoś próbuje mi w nich wmówić, że się dzieją naprawdę, że to, co widzę, rzeczywiście istnieje. Jestem pewien, że to zabiło Doris Bellman.

Wyszedł z łóżka i wyciągnął z szafy dżinsy.

– Co robisz? Przecież jest dwadzieścia po trzeciej.

– Jadę do Murdstone. Jeśli ten stwór rzeczywiście tam jest, muszę go znaleźć.

– Nate, ty chyba oszalałeś! Nie możesz kręcić się po Murdstone w środku nocy, bo zostaniesz aresztowany.

– Muszę, Grace, chociażby po to, żeby samego siebie przekonać, iż ten stwór nie istnieje.

– Poczekaj przynajmniej do rana. Pojadę z tobą. I wtedy razem porozmawiamy z doktorem Zauberem.

– Ha, ale jeśli bazyliszek tam jest, rano go już nie znajdziemy. To jest nocny stwór. W ciągu dnia chowa się w mrocznych zakamarkach i śpi.

Grace również wyszła z łóżka. Bezradnie patrzyła, jak Nathan wkłada ciemnoniebieski sweter.

– Nate, miałeś nocny koszmar, i tyle.

– Miałem dwa koszmary.

– Dobrze, niech będą dwa koszmary. Ale powtarzające się koszmary miewa całe mnóstwo ludzi. Ja również je miałam w wieku trzech lat. Śniło mi się, że wilk z *Czerwonego Kapturka* ściga mnie przez cały sklep z meblami. Można mieć tysiąc razy ten sam koszmar, a jednak to, że się powtarza, ani trochę go nie przybliża do rzeczywistości.

Nathan wskazał palcem na sufit.

– Widziałem twarz mężczyzny, tutaj, na suficie.

– Co widziałeś?

– Twarz mężczyzny, wystającą z tynku.

– Nate, na miłość boską! Jesteś zmęczony, zestresowany, właśnie skasowano twój projekt badawczy. Może po prostu podam ci jakiś środek uspokajający i wrócisz do łóżka?

– Jadę do Murdstone. Muszę. Ten mężczyzna ze mną rozmawiał.

– Mężczyzna z sufitu?

– Właśnie. Wiedział, kim jestem, i wiedział wszystko o moich badaniach. Powiedział mi, że Doris Bellman została zabita przez bazyliszka i że twój znajomy starzec w szlafroku naprawdę go widział. Na miłość boską, on mi go nawet pokazał! Bazyliszek zbliżał się do mnie, krocząc wzdłuż łóżka. Był czarny, miał rogi i oczy jak reflektory samochodu.

– Miałeś koszmar z potworem i twarzą mężczyzny przemawiającą do ciebie z sufitu. Przecież to nie jest powód, żeby o wpół do czwartej nad ranem jechać szesnaście kilometrów i włamywać się do budynku, w którym spokojnie śpią starzy ludzie!

– Żaden koszmar. To nie był sen. To była wizja. I owszem, to jest powód, żeby teraz pojechać do Murdstone.

Grace podeszła do niego i pogłaskała go po głowie.

– Daj spokój – poprosiła. – Wracaj do łóżka.

Starała się go uspokoić, jednak Nathan był zbyt podekscytowany.

– Kiedy rozpoczynałem mój program, wszyscy mówili, że postradałem zmysły. Ale przecież udowodniłem, że mam rację, prawda? Naprawdę wyhodowałem gryfa, chociaż zdechł krótko po rozbiciu jajka. I mogę to zrobić jeszcze raz. A następnym razem dopilnuję, żeby pozostał przy życiu.

– Nathan, przecież ja bezgranicznie w ciebie wierzę, i nie tylko ja. Pamiętasz, co o twojej pracy powiedział profesor Jung Choi? Szokująca i śmiała. Odkrywająca nowe horyzonty w zoologii. Tak powiedział, prawda? I właśnie dlatego musisz nad sobą panować. Wielu ludzi darzy cię wielkim szacunkiem. Nawet Henry Burnside.

– Henry? Chyba żartujesz.

– Uwierz mi, Nate, powinieneś był słyszeć, co mówił o tobie i twojej zbiórce pieniędzy w zeszłym miesiącu. Powiedział, że gdyby tylko miał dość funduszy, na pewno by je przeznaczył dla ciebie. Ale on ich po prostu nie ma... Zarząd zoo mu ich nie przydzielił.

Nathan potrząsnął głową.

– Może faktycznie odbiegłem od rzeczywistości. W końcu nie mam żadnych empirycznych dowodów. Ale jestem pewien, że było tutaj coś żywego i że jest to tak bliskie pracy, w którą się bez reszty zaangażowałem, że praktycznie to czułem!

Grace przez chwilę rozmyślała, po czym odezwała się:

– W porządku. Chcesz więc pojechać do Murdstone na przeszpiegi?

– Chcę zobaczyć tego stwora, ciągnącego jakieś worki, o którym mówiła ci Doris Bellman. Chcę zobaczyć przygarbionego potwora, o którym opowiadał „Michael Dukakis".

– A jeśli cię ktoś złapie, co wtedy powiesz?

– Nie wiem – przyznał Nathan. – Jestem jednak pewien, że wymyślę coś prawdopodobnego. Może powiem, że sprawdzam dom przed zawiezieniem do niego mojego ojca, który jest kompletnie ślepy, i dlatego wpadłem na pomysł, żeby zobaczyć, jak ośrodek funkcjonuje w ciemności.

Grace potrząsnęła głową.

– Jesteś szalony, wiesz? Jesteś archetypem szalonego naukowca ze *Strefy mroku*.

– Grace, jeśli komuś udało się wskrzesić bazyliszka... Muszę go zobaczyć. Muszę mieć pewność. To by przecież oznaczało największy przełom w nauce od czasu odkrycia DNA.

– Dobrze, dobrze, jedź. Ale ja jadę z tobą.

– Nie zgadzam się.

– Co to znaczy „nie zgadzam się"? Znam Murdstone jak własną kieszeń, pomogę ci znaleźć pokój Doris Bellman i dokładnie ci wskażę, gdzie ten staruszek widział przygarbioną sylwetkę.

– Czy ty naprawdę nie zdajesz sobie sprawy, jakie to niebezpieczne? – zapytał Nathan. – Przecież bazyliszek jest w stanie jednym spojrzeniem zabić każdą żywą istotę.

– Dlaczego więc ty możesz na niego popatrzeć, a ja nie?

– Bo ja zastosuję pewne środki ostrożności.

Nathan podszedł do szafki nocnej, otworzył szufladę i wyciągnął z niej czarny pistolet, automatyczny SK. Jeszcze nigdy go nie użył, ani razu.

– Zamierzasz wtargnąć w środku nocy do domu spokojnej starości, i to na dodatek z bronią?

– To nie wszystko.

Nathan wszedł do łazienki i po chwili wrócił z niej z okrągłym lusterkiem, przed którym zawsze się golił.

– Z pistoletem i lusterkiem do golenia?

– Według starych polskich legend bazyliszka można pokonać, pokazując mu w lusterku jego własne odbicie.

Podszedł do szafy i wyciągnął z niej czarny krawat, który zakładał jedynie na pogrzeby. Krawat zawiązał na uchwycie lusterka, które powiesił na szyi i schował pod koszulę.

– Chyba jednak powinniśmy zadzwonić po policję – stwierdziła Grace.

– I co im powiemy? Że jakiś średniowieczny potwór szwenda się po Domu Spokojnej Starości Murdstone? I że wiadomo ci o tym dlatego, że twój mąż widział go w dwóch nocnych koszmarach?

– Nie. Powiem, że mój mąż zamierza się włamać do domu starców. Że jest uzbrojony i pomieszało mu się w głowie.

Nathan popatrzył na nią.

– Grace, wiem, że to brzmi idiotycznie. Ale przecież chodzi o dzieło mojego życia. Idea wskrzeszenia tych stworzeń to wszystko, co mi pozostało. I właśnie tego będzie dotyczyć napis na moim nagrobku. Na nowo powołał do życia mityczne stworzenia.

Grace podeszła i pocałowała go.

– Dobrze, Nate. Ale nie pojedziesz sam. Jesteśmy małżeństwem, pamiętasz? Na śmierć i życie. Jeśli ty stanowczo nalegasz, że chcesz to zrobić, ja stanowczo nalegam, żeby pojechać z tobą i chronić twój tyłek w razie czego, ponieważ twój tyłek jest dla mnie bardzo cenny. Tak jak i cała reszta twojej osoby.

Dotarli do Millbourne po niecałych dziesięciu minutach. Droga była praktycznie pusta, jeśli nie liczyć jednej zamiatarki ulicznej i trzech autobusów wypełnionych przysypiającymi robotnikami, którzy właśnie udawali się do fabryki na pierwszą zmianę.

– Taka zamiatarka to rzadki widok w Filadelfii – powiedziała Grace, kiedy ją wymijali. – Pewnie rzadszy niż bazyliszek.

– Przestań ze mnie drwić, dobrze? – odparł Nathan. – Jeśli tam naprawdę nie ma nic niezwykłego, dobrowolnie przyznam, że nadaję się jedynie do domu wariatów. Ale na razie przynajmniej to sprawdzę.

– Wcale z ciebie nie drwię, Nate. Chciałam jedynie, żebyś się trochę odprężył, to wszystko.

Przejechali mostem nad rzeką Schuylkill. Księżyc wisiał już nisko nad horyzontem i szare, zwykle zasnute smogiem niebo, miało teraz kolor krwistoczerwony. Drugi, zabarwiony na czerwono, księżyc odbijał się w rzece i powoli wychodził z niej na spotkanie temu pierwszemu.

Kiedy dojechali do Murdstone, zaparkowali samochód po przeciwnej stronie ulicy, pod wiązem. Nathan zabrał ze skrytki w samochodzie latarkę i zapalił ją na moment, kierując światło na swój podbródek. Chciał sprawdzić, czy działa.

– Przez chwilę wyglądałeś jak wampir – zauważyła Grace.

– Mam nadzieję, że mi wierzysz – powiedział Nathan. – To znaczy, w tę twarz na suficie. Naprawdę odnoszę wrażenie, jakby ktoś chciał się ze mną skontaktować. Nie wiem, czy to ma być ostrzeżenie, czy próba przestraszenia mnie. Ostatnio tak się czułem, kiedy byłem mniej więcej dziesięcioletnim chłopakiem i umarł mój dziadek. Po jego śmierci przez wiele dni miałem wrażenie, jakbym go słyszał: „Nathan, idź pobawić się latawcem". Wyraźnie słyszałem te słowa w głowie.

Grace uścisnęła jego rękę.

– Chodźmy już i sprawdźmy to, co mamy sprawdzić. Wkrótce wszystko się wyjaśni. – Założyła na głowę kaptur czarnej budrysówki. – Może powinnam jeszcze założyć na głowę pończochę, co? – zapytała.

Wysiedli z samochodu i razem przeszli przez ulicę. Niebo powoli się rozjaśniało, widać już było na nim postrzępione szare chmury.

– Główne wejście zamykają chyba na noc na klucz – powiedziała Grace. – Ale tylne drzwi są zawsze otwarte na wypadek jakiejś sytuacji awaryjnej.

Obeszli budynek z lewej strony, kryjąc się w głębokim cieniu, który rzucał wysoki cisowy żywopłot oddzielający dom starców od sąsiadującej z nim posiadłości. Nathan zobaczył światło w kilku pokojach na piętrze, oświetlona była też główna klatka schodowa, ale cały parter pogrążony był w ciemnościach.

Kiedy znaleźli się przy bloku kuchennym, Grace pociągnęła rękaw Nathana i powiedziała:

– Ostrożnie, tuż za rogiem są mieszkania pracowników, a tam zawsze ktoś pełni dyżur, dwadzieścia cztery godziny na dobę, przez siedem dni w tygodniu.

Niemal przylgnąwszy do muru porośniętego bujnym bluszczem, Nathan dotarł do załomu budynku i ostrożnie wyjrzał. Natychmiast podniósł do góry rękę i powiedział:

– Cii…

Przed tylnymi drzwiami stały dwie pielęgniarki. Rozmawiały półgłosem i paliły papierosy. Nathan czuł zapach dymu z odległości dwudziestu metrów. Jedna z pielęgniarek była potężnej budowy Murzynką w purpurowym fartuchu. Druga, Koreanka, miała na sobie bluzkę w czerwono-czarne paski. Takie bluzki nosiły tutaj wszystkie opiekunki.

– Może jednak spróbujemy jutro? – odezwała się Grace. – Przecież za chwilę i tak zrobi się jasno.

Nathan popatrzył na niebo. Był niemal gotów się z nią zgodzić. We wszystkich źródłach na temat bazyliszków, z jakimi się zetknął, mowa była o tym, że nigdy nie udało się go zobaczyć w ciągu dnia. Światło dzienne nie czyniło bazyliszkom żadnej krzywdy, w przeciwieństwie do wampirów, dla których światło słoneczne było zabójcze. Tyle że oczy bazyliszka były niezwykle czułe na światło i blask słońca po prostu go oślepiał. To dlatego bazyliszki ukrywały się w ciemnych celach i grotach albo mrocznych szczelinach i wynurzały się z nich dopiero po zachodzie słońca. Aż do połowy dziewiętnastego wieku można było spotkać we Francji winiarzy, którzy za dnia nigdy nie schodzili do swoich piwniczek, właśnie dlatego, żeby nie zakłócać snu bazyliszkom, które mogły kryć się w ich ciemnościach.

– Co robimy? – zapytała Grace. – Możemy przyjechać jutro, gdybyś chciał.

Jednak w tym momencie jedna z pielęgniarek odrzuciła w krzaki niedopałek papierosa, a druga rzuciła swój pod nogi i go przydeptała. Koreanka powiedziała coś i obie głośno się roześmiały. Po chwili wróciły do budynku i zamknęły za sobą drzwi.

– Chodź – powiedział Nathan. – Jeśli się pośpieszymy, będziemy mieli dość czasu.

– Nie jestem pewna...

– Proszę, przecież to ty znasz plan budynku.

Grace zawahała się, na moment zakryła usta dłonią. Wreszcie powiedziała:

– No dobrze. Ale kiedy tylko zacznie się robić jasno, spadamy stąd.

Ruszyli wzdłuż ściany kuchni w kierunku pomieszczeń dla pracowników. W pierwszym oknie na parterze zasłoniętym żółtą bawełnianą kotarą zapaliło się światło. Za zasłoną widoczna była sylwetka pielęgniarki, niczym postać z teatru cieni. Druga kobieta stała znacznie dalej od okna i dlatego jej postać była bardzo niewyraźna.

Nathan dotarł do tylnych drzwi. W ich górnej połowie znajdowały się dwa panele ze szkła zbrojonego drutem, tak że mógł zajrzeć do środka. Pierwszym pomieszczeniem był niewielki hol. Po jego lewej stronie wisiało kilkanaście fartuchów ciasno stłoczonych na wieszakach. Światło w holu było zgaszone, jednak drzwi do pomieszczeń pracowników znajdowały się dokładnie naprzeciwko, a jedne z nich były uchylone. Nathan zobaczył oparcie kanapy z czerwonym obiciem oraz część stolika do kawy i półkę pełną tanich, mocno podniszczonych książek. Na ścianie wisiał oprawiony plakat przedstawiający kwitnące drzewo tulipanowca.

Lekko nacisnął klamkę. Zaskrzypiała cicho, lecz drzwi się otworzyły. Nathan odwrócił się do Grace.

– W porządku? W którą stronę powinniśmy pójść?

– Prosto do końca korytarza, a potem w lewo. I zaraz w prawo, cztery albo pięć stopni w górę.

– Jesteś gotowa?

– Nigdy nie byłam bardziej gotowa.

Weszli do środka. Mijając uchylone drzwi do kwater pracowników, usłyszeli odgłosy z telewizora, chociaż dźwięk był mocno przyciszony. Jedna z pielęgniarek narzekała na godziny pracy:

– Nigdy mnie nie uprzedza, myśli, że będę codziennie przychodzić na inną zmianę, zależnie od jego widzimisię, a ja mam przecież dzieci i muszę je odbierać ze szkoły.

– Masz rację, Newton, i nie powinnaś tego tolerować – przytakiwała jej koleżanka.

Mówiąc to, zbliżyła się do drzwi i jej głos rozbrzmiał bardzo wyraźnie. Przez jeden straszny moment, krótki jak uderzenie serca, Nathan i Grace bali się, że kobieta otworzy drzwi i wpadnie prosto na nich. Na szczęście ona je zamknęła, pozostawiając ich w niemal całkowitej ciemności.

Nathan włączył latarkę. Kiedy oświetliła korytarz przed nimi, Grace powiedziała:

– Chodźmy szybciej. Wiesz, że starsi ludzie sypiają tylko po kilka godzin na dobę, a przecież nie chcesz, żeby ktoś nas zobaczył i wszczął alarm?

Pośpieszyli korytarzem. Skręcili w lewo, potem w prawo i weszli po schodach.

– Tutaj – powiedziała po chwili Grace. – To był pokój

Doris Bellman. A jeśli pójdziemy jeszcze dalej, dotrzemy do miejsca, w którym spotkałam „Michaela Dukakisa".

– Powiedział ci, gdzie dokładnie widział to przygarbione monstrum?

– Mniej więcej tam. – Grace wskazała palcem. – Wyszło zza tamtego rogu i zmierzało w tym kierunku.

– A więc mogło się przygotowywać do ataku na Doris Bellman?

Nathan poświecił latarką wzdłuż korytarza. Bladobrązowy dywan był miejscami wytarty i pomarszczony od energicznego używania odkurzacza, jednak z pewnością nie można było na nim dostrzec żadnych śladów.

A jednak kiedy Nathan oświetlił latarką sufit, dostrzegł coś interesującego: kilka równoległych wyżłobień, głębokich na kilka milimetrów. Biegły od załomu, gdzie staruszek dostrzegł potwora, a kończyły się gwałtownie jakimś dziwnym wzorem mniej więcej półtora metra od drzwi Doris Bellman.

– Popatrz na to – powiedział Nathan do Grace chrapliwym głosem. – Jak myślisz, co mogło wyżłobić te pasy w suficie?

Stanął na palcach i wyciągnął lewą rękę do góry, jednak nie mógł dosięgnąć sufitu.

– Ta rzecz, którą widziałem w koszmarze... – zaczął.

Grace natychmiast mu przerwała.

– Posłuchaj – wyszeptała i uniosła do góry palec wskazujący. – Tam – dodała. – Słyszałeś to?

Nathan wytężył słuch. Gdzieś z górnych pięter dotarł do niego bardzo słaby krzyk starego człowieka, ostatkiem sił wołającego o pomoc.

– Siostro! Siostro!

Jednak poza tym w budynku panowała cisza, którą zakłócał jedynie irytujący szum bardzo starego systemu klimatyzacyjnego.

– Dziwne – powiedziała Grace. – Usłyszałam jakby odgłosy drapania.

– Drapania?

– Właściwie sama nie wiem. Trudno to jednoznacznie opisać.

– Ja niczego nie słyszałem.

Przez chwilę jeszcze oboje nasłuchiwali, jednak bez powodzenia. Ucichło nawet wołanie o pomoc. Nathan skierował światło latarki na drzwi pokoju Doris Bellman.

– Zajrzyjmy do środka, dobrze? Mam nadzieję, że nikogo tam nie będzie.

– Na pewno nie. Siostra Bennett powiedziała, że kolejny mieszkaniec zjawi się dopiero jutro... Właściwie to już dzisiaj, ale później.

Nathan nacisnął klamkę. Drzwi nie były zamknięte na klucz. Otworzył je i poświecił do środka. Łóżko było starannie zasłane i gotowe do przyjęcia nowego gościa. W pokoju nie było już ani klatki, ani donic z bluszczem. Zniknęły wszystkie fotografie Doris Bellman, nie było także jej krucyfiksu. Tylko jaśniejsze plamy na ścianach świadczyły, że coś wisiało w jednym miejscu przez długi czas.

W powietrzu unosił się silny zapach środków dezynfekujących.

– Nic tu nie ma – powiedział Nathan.

Przyklęknął jednak, po czym poświecił latarką po kątach i zajrzał pod łóżko.

– Czego jeszcze szukasz? – zapytała Grace. – Chodź, uważam, że powinniśmy się stąd wynosić.

– Wiadomo, że bazyliszki traciły łuski. Miałem nadzieję, że może jakąś znajdę.

– Pośpiesz się – nalegała Grace. – Jestem pewna, że słyszę kroki.

Nathan już miał wyjść z pokoju, kiedy zobaczył coś, co wyglądało jak czarny patyk wystający na kilka centymetrów spod nocnego stolika. Podniósł to i uważnie obejrzał. Nie był to patyk, lecz jakiś czarny twardy materiał, jakby fragment rogu. Pokazał to Grace i zapytał:

– No i co o tym sądzisz?

Grace popatrzyła z bliska na znalezisko, jednak go nawet nie dotknęła.

– Przecież to może być cokolwiek. Nie wiem.

Nathan wrzucił znalezisko do kieszeni i cicho zamknął za sobą drzwi pokoju Doris Bellman. I w tym samym momencie dosłyszał odgłos drapania, tym razem głośny i ostry. Towarzyszył temu dźwięk jakby szurania po podłodze.

– Co to jest? – zapytała Grace. Była nie na żarty przestraszona.

– Cokolwiek to jest, zmierza w naszym kierunku.

– Nate, naprawdę powinniśmy stąd iść.

Znów usłyszeli drapanie, a potem jakiś chrapliwy, wysoki skowyt, jakby ktoś walczył o oddech. Grace ruszyła w kierunku schodów, jednak Nathan złapał ją za ramię.

– Grace, poczekaj. To chyba jest za rogiem. Poczekaj, kochanie, jeśli to tutaj naprawdę jest, muszę to zobaczyć.

– Nie. Uciekajmy. To szaleństwo.

Wyrwała się Nathanowi i w tym samym momencie zza załomu korytarza wysunęła się jakaś mroczna sylwetka. Stanęła, lekko się kołysząc. Była przygarbiona i miała na głowie jakieś wypustki, ale nie wyglądała nawet w połowie na tak ogromną, jak Nathan się spodziewał. W końcu cokolwiek zaatakowało Doris Bellman, było na tyle wysokie, by wyżłobić głębokie bruzdy na suficie.

Oświetlił sylwetkę latarką i natychmiast zobaczył, że to po prostu starszy mężczyzna w luźnym brązowym szlafroku, z mocno potarganymi włosami. Jedna z soczewek jego okularów zasłonięta była srebrną taśmą samoprzylepną. Starzec podniósł rękę, żeby osłonić przed światłem drugie oko.

– Co się dzieje? – zapytał. – Która godzina? Dlaczego samochód jeszcze nie przyjechał?

– Michael? – zapytała Grace. – Michael Dukakis?

– Tak. A wy kim jesteście? I przestańcie mnie oślepiać.

– W porządku, Michael. Chcieliśmy się tylko upewnić, że jest pan bezpieczny.

Mężczyzna zbliżył się do nich, szurając nogami w znoszonych brązowych kapciach.

– Nikt z nas nie jest bezpieczny. Nikt. Jesteśmy w niebezpieczeństwie, dopóki krąży wśród nas ten stwór. Zabrał Doris i zabierze pozostałych, jeżeli mu na to pozwolimy.

– Znowu go pan widział?

Mężczyzna pokręcił przecząco głową.

– Nie widziałem, ale jestem pewien, że go słyszałem. Poprzedniej nocy, bardzo późno, znowu był na korytarzu. Minął mój pokój i zatrzymał się na chwilę. Przysięgam, że słyszałem jego oddech. Leżałem w łóżku i byłem już pewien, że po mnie przyjdzie, ale w końcu odszedł. Ale kto wie, być może następnym razem będzie moja kolej?

– O której godzinie to było? – zapytał Nathan. – Pamięta pan?

– Bardzo dokładnie. Akurat czekałem na mój samochód. Byłem już spóźniony. Uwertura miała się zacząć o ósmej, a spóźnienie wynosiło już pięć godzin i jedenaście minut.

– A więc o pierwszej jedenaście?

– Miałem dokładnie pięć godzin i jedenaście minut spóźnienia. Obserwowałem wskazówki budzika

Niebo za oknami robiło się z każdą chwilą coraz bledsze.

– Musimy iść, zanim ktoś nas zauważy – powiedział Nathan. – I tak jest już za późno, żebyśmy mogli cokolwiek zobaczyć. Jest zbyt jasno.

– O której godzinie przyjedzie mój samochód? – zapytał „Michael Dukakis".

– Po śniadaniu, obiecuję – odparła Grace. – Tymczasem byłoby dobrze, gdyby pan wrócił do pokoju i spróbował zasnąć.

Staruszek przez chwilę zastanawiał się nad propozycją, po czym skinął głową.

– Jesteś dobrą kobietą, Belindo. Zawsze twierdziłem, że jesteś dobrą kobietą. Zawsze troszczyłaś się o mnie, prawda? Szczególnie po śmierci Ruby, zlituj się, Boże, nad jej szaloną duszą.

Nathan i Grace zostawili staruszka, który wciąż mówił coś sam do siebie. Zeszli po schodach na korytarz, który prowadził do tylnego wyjścia. Drzwi do kwater pracowników wciąż były zamknięte, ale z telewizora dobiegały teraz odgłosy *Gilligan's Island.*

– Te włosy, mógłbym zanurzyć w nich ręce aż po łokcie... – mówił głos z ekranu, po czym następował wybuch śmiechu, nagranego w studio.

Nathan i Grace wybiegli z budynku. Do życia budził się kolejny dzień.

Rozdział dziewiąty

TEST LOJALNOŚCI

Kiedy wrócili do domu, Nathan wziął długi prysznic. Stał pod silnym strumieniem wody z opuszczoną głową i starał się zmyć z siebie szaleństwo. Nie mógł się jednak pozbyć z wyobraźni wizerunku twarzy mężczyzny, która ukazała mu się na suficie, ani obrazu potężnego czarnego stwora, którego spojrzenie go po prostu zamroziło.

Patrz na bestię. Patrz jej w oczy. Wtedy będziesz wiedział na pewno.

Wytarł się i poszedł do kuchni. Grace przygotowała już kawę w ekspresie i tosty z chleba razowego.

Nathan wyrwał z rolki papierowy ręcznik i położył na nim czarny patyk.

– To jest wstrętne – powiedziała Grace z odrazą. – Lepiej zabierz to coś ze stołu. Dalej, Nate, przecież nawet nie wiesz, co to jest. Równie dobrze może to być nawet wyschnięty kał.

Nathan wziął patyk do ręki i zaczął go dokładnie oglądać. Miał trochę ponad dwanaście centymetrów długości i mniej więcej dwa centymetry średnicy. Był suchy i kruchy, ważył jedynie kilka gramów.

– Możesz być pewna, że to nie są odchody. Wystarczająco długo jestem zoologiem, żeby je rozpoznać. To z całą pewnością jest kość, najprawdopodobniej pochodząca ze zwierzęcego poroża, o ile się nie mylę.

– Mamy więc do czynienia z jeleniem albo z czymś w tym rodzaju?

– Nie uzyskam pewności, dopóki tego nie zabiorę do laboratorium i nie zbadam. Poroże ma tę ciekawą cechę, że to jedyna część ciała u ssaków, która odrasta.

– Może to będzie dla ciebie niespodzianką, ale doskonale o tym wiem – powiedziała Grace. – Tymczasem, cokolwiek to jest, zabierz to stąd.

Nathan poskrobał znalezisko ostrzem noża i znowu na nie popatrzył.

– Z całą pewnością to jest kość. I niemal na pewno fragment poroża.

– Nate...

– Problem w tym, że aż do ubiegłego roku nikt nie wiedział, dlaczego właściwie poroża się regenerują. Jelenie i łosie zrzucają poroża regularnie co dwanaście miesięcy. Jak to się jednak dzieje, że one im odrastają zupełnie identyczne i tak cholernie szybko? Czasami aż jeden centymetr dziennie. Hans Rolf z uniwersytetu w Getyndze niedawno odkrył, że odrastanie porożу powodowane jest aktywacją komórek piennych danego osobnika.

– Cóż, tego nie wiedziałam – przyznała Grace.

– Ani ja, aż do ubiegłego roku. A to dlatego, że badania są jeszcze w powijakach. Lecz jeśli teraz mam przed sobą poroże bazyliszka, zawierające jego komórki pienne, wtedy być może te komórki można by aktywować, aby sprawić, że ludziom będą odrastały amputowane palce u rąk i nóg, a nawet całe kończyny. Grace, czy nadal uważasz mnie za szalonego naukowca?

Grace popatrzyła na czarny patyk bez wielkiego entuzjazmu.

– Nadal uważasz, że to pochodzi od bazyliszka?

– A od czego innego? Na pewno nie od żadnego ssaka, bobym to rozpoznał. Jeśli już dywagować, może to trochę przypominać fragment poroża jelonka, ale jest za duże.

– Sama nie wiem. Nie chodzi o to, że ci nie wierzę, Nate. Nawet nie o to, że nie chciałabym ci wierzyć. Ale chyba zbyt pochopnie wyciągasz wnioski.

Nathan położył patyk na parapecie. Umył ręce i wrócił do stołu. Grace nalała mu filiżankę kawy, a on tymczasem posmarował swój tost grubą warstwą dżemu i przekroił na połowę.

– Grace, przysięgam ci, nie zamierzam rozbudzać w sobie żadnych nadziei, dopóki nie znajdę się w laboratorium i nie przeprowadzę na tym znalezisku podstawowych testów. Jednak coś przecież grasuje w Murdstone, prawda? I nieważne, czy to jest pochodzenia ludzkiego, zwierzęcego czy Bóg wie jakiego. To coś pozostawiło po sobie ten mały kawałek.

Grace przez chwilę milczała. Wreszcie wyciągnęła rękę i położyła dłoń na ramieniu Nathana.

– Nate... A jeśli ci nie pozwolą?

– Nie pozwolą mi? Na co?

– Nie pozwolą ci wejść do laboratorium, żeby zrobić badania.

– Przecież jeszcze mnie nie wyrzucono z pracy, kochanie. Odebrali mi jedynie fundusze na badania. Wciąż jeszcze wiąże mnie z tymi draniami kontrakt, a dopóki tak jest, dopóty mam zamiar korzystać z należących do nich urządzeń.

W drzwiach stanął Denver. Miał bladą twarz i podkrążone oczy, a włosy sterczały mu na głowie jak grzebień papugi. Miał na sobie pogniecioną bawełnianą koszulkę z napisem „Odpier...cie się od Iraku" na piersiach i obwisłe bokserki w kolorze musztardowym.

– Dzień dobry, mój ulubiony i jedyny synu – powiedział Nathan. – Jak ci się spało?

Denver otworzył lodówkę i chyba z minutę wpatrywał się w jej wnętrze. Wreszcie wyciągnął karton soku pomarańczowego i nalał sobie pełną szklankę. Gdyby nie obecność Nathana i Grace, pewnie piłby prosto z kartonu, wiedział jednak, jak by na to zareagowali, a przecież jego nieświeży umysł nie mógł znieść głośnych połajanek, tym bardziej że była godzina ósma piętnaście rano.

– Zjesz tosta? – zapytała Grace.

Denver usiadł na jednym z wysokich stołków i potrząsnął przecząco głową.

– Co będziesz dzisiaj robił? – zapytał go Nathan. – Masz jakieś szczególne plany? Próbę zespołu?

Denver znowu potrząsnął głową. Przez długą chwilę milczał, starając się koncentrować wzrok na szklance z sokiem pomarańczowym, ale wreszcie odezwał się:

– Czy wy dzisiaj w nocy gdzieś wychodziliście?

Grace popatrzyła na Nathana.

– Prawdę mówiąc, tak, wychodziliśmy – odparł Nathan.

– Właściwie po co? Jeśli się nie mylę, było chyba wpół do czwartej.

– Po nic. Nie mogliśmy spać, i tyle. Udaliśmy się na przejażdżkę. Obejrzeliśmy zachód księżyca.

Denver popatrzył na rodziców i zmarszczył czoło.

– Zrobiliście sobie przejażdżkę o wpół do czwartej nad ranem? Ja rozumiem, że nie jesteście taką normalną i przeciętną parą jak inni rodzice, ale przecież nawet wam nigdy wcześniej nic takiego się nie zdarzało.

– Wczoraj w nocy był pierwszy raz – powiedział Nathan.

Nie mógł inaczej zareagować. Bo właściwie co mógłby powiedzieć Denverowi? Że razem z jego matką polował na bazyliszka w domu starców?

– Rozumiem – powiedział Denver. – Jesteście na tyle dorośli, że możecie robić, co chcecie. Ale kiedy was nie było, miałem wrażenie, że ktoś kręci się po naszym domu.

– Musiało ci się przyśnić.

– Aha... Absolutnie nie. Akurat nie spałem i usłyszałem, jak ktoś wchodzi po schodach, idzie korytarzem i zatrzymuje się przed drzwiami mojego pokoju. Myślałem, że to wy, ale to nie mogliście być wy, bo słyszałem, jak wróciliście do domu znacznie później.

– Na pewno to był sen – powtórzył Nathan. – Kiedy wyszliśmy, na wszelki wypadek włączyłem alarm i na pewno nikt nie mógł wejść do domu, nie uruchamiając go.

Denver wzruszył ramionami.

– Słyszałem, co słyszałem, tyle wam mogę powiedzieć. Ktokolwiek był w naszym domu, przystanął przed drzwiami mojego pokoju, jakby nasłuchiwał, czekał na coś albo spodziewał się nie wiadomo czego. Słyszałem, jak skrzypiały deski w podłodze. Słyszałem, jak ten ktoś oddycha, głośno, jakby miał katar albo astmę.

Grace popatrzyła na zegar kuchenny.

– Wezmę prysznic – powiedziała. – O dziewiątej trzydzieści mam spotkanie w przychodni.

– Podwieziesz mnie do szkoły, mamo? – zapytał Denver.

– Jasne. A ty zjesz coś na śniadanie?

– Oczywiście. Kiedy tylko obudzą się moje zęby.

Nathan patrzył, jak Denver wsypuje płatki do miski, a późnej zalewa je mlekiem.

– Denver... Jeśli kiedykolwiek w przyszłości usłyszysz coś podobnego, natychmiast mnie zawiadom, dobrze? Nie otwieraj drzwi, tylko mnie zawołaj. A jeśli nie będzie mnie w domu, zadzwoń na moją komórkę.

W oczach Denvera malowało się zdumienie.

– Dlaczego? Co to było?

– Dokładnie nie wiem. Ale ostatnio dzieją się jakieś dziwne rzeczy. Pewnie nic nam w związku z tym nie grozi, ale do końca nie jestem tego pewien.

– Dziwne? Co masz na myśli?

– No cóż, to przecież dziwaczne, gdy słyszysz kogoś przed drzwiami swojego pokoju, a tam nikogo nie ma. To takie...

Nathan zawahał się. Nie był pewien, czy powinien opowiedzieć synowi o swoich nocnych koszmarach, wizjach czy cokolwiek to było. Teraz, gdy Denver również coś słyszał, być może należało go ostrzec, że coś wkrada się do ich świadomości, a może nawet wałęsa po domu. Ale przecież sam nie rozumiał, co właściwie widział albo co sobie wyobrażał, a nie chciał niepokoić Denvera bez konkretnego powodu.

– Dziwaczne? Na przykład co, tato? – Denver czekał na odpowiedź, a mleko kapało mu z łyżki.

– Do końca nie jestem pewien. Zapewne powinniśmy to określić słowem „zjawisko".

– Zjawisko? Co to takiego?

– Zjawisko to rzecz, którą widzisz albo słyszysz, a ona w rzeczywistości nie istnieje.

– Tak jakby się było na haju? Chyba ty i mama nie popalacie trawki ani niczego takiego, co?

Nathan zdobył się na krzywy uśmiech.

– Ostatnio nie. Ale w swoim czasie owszem, trochę popalaliśmy.

– Rozumiem – powiedział Denver i długo kiwał głową. – Nie martw się, tato. Obiecuję, nikomu nie powiem. Zwłaszcza glinom.

Gdy Grace i Denver wyjechali z domu, Nathan nalał sobie jeszcze jedną pełną filiżankę kawy i przeszedł na oszkloną werandę. Wziął ze sobą poranne wydanie „Philadelphia Inquirer" i już miał usiąść, żeby poczytać, kiedy dostrzegł na tarasie, tuż pod oknami werandy, trzy ptaki.

Podszedł do szyby i przyjrzał im się uważniej. W odległości zaledwie kilkunastu centymetrów od siebie leżały dwie sójki i wrona. Nie było widać żadnych ran ani mechanicznych obrażeń, ale nie było też wątpliwości, że wszystkie trzy ptaki są martwe. Oczy miały zamknięte, a poranny wiatr rozwiewał im pióra.

Nathan otworzył drzwi werandy i wyszedł na zewnątrz. Dopiero wtedy dostrzegł, że cały ogród za domem zasłany jest martwymi ptakami. Zobaczył jeszcze co najmniej pół tuzina sójek, mnóstwo gajówek i jeszcze dwie wrony. Wyglądały tak, jakby po prostu spadły z nieba i znieruchomiały na ziemi. Nathan się zdenerwował. Poczuł się tak, jakby w jednej chwili wszedł na plan jakiegoś filmu science fiction z lat sześćdziesiątych.

Szturchnął kijem jedną z sójek. Ptak z całą pewnością nie miał złamanego skrzydła ani żadnych innych widocznych obrażeń.

Nathan słyszał o wypadkach, gdy piorun albo nagły prąd zstępujący strącał z nieba całe klucze ptaków. Lecz przecież ostatnia noc była spokojna, i chociaż od świtu wiatr się wzmógł, i w tej chwili wiał całkiem mocno, na niebie nad głową wciąż widział mnóstwo latających ptaków i żaden z nich nie spadał na ziemię.

Może ptaki ktoś otruł? Nathan nie potrafił jednak wymyślić, kto mógł to zrobić, jak i czym. Przecież wrony, sójki i gajówki nie żywią się tym samym. Sójki znano z zuchwałości: często trzymały się blisko gospodarstw ludzkich w poszukiwaniu resztek. Wrony często je przeganiały, a gajówek właściwie nigdy nie widywano ani wśród sójek, ani wśród wron.

Wszedł do domu po aparat fotograficzny. Obszedł podwórko, fotografując martwe ptaki; zrobił około dwudziestu, trzydziestu różnych ujęć. Następnie włożył parę gumowych rękawiczek i zaczął ostrożnie składać martwe ptaki do tekturowego pudełka, wyłożonego gazetami.

Rozejrzał się. Nie mógł przestać myśleć o *Czarnej księdze* Wincentego Kadłubka. „Kościelna posadzka wymoszczona była dziesiątkami martwych jaskółek, które miały gniazda na krokwiach, oraz setkami martwych much".

Może Denver naprawdę w nocy słyszał, jak coś buszuje po domu? Może do tego świata przedostało się coś, co miało za nic zamknięte drzwi i wszelkie alarmy, coś, co potrafiło wzrokiem zabijać inne stworzenia – jak chociażby te ptaki.

Resztę padłych ptaków wyrzucił do śmietnika. Nie chciał, żeby znalazła je Grace, gdyby wróciła do domu przed nim, i żeby zajęły się nimi miejscowe koty, zwłaszcza jeżeli zostały otrute.

Nathan przyjechał do zoo krótko po dziesiątej. Wciąż wiał porywisty wiatr, a chmury na niebie kłębiły się niczym ścigające się kundle.

Kiedy przejechał przez bramę, zobaczył srebrny prywatny autobus, przy którym stała pogrążona w rozmowie grupa ludzi. Zobaczył wśród nich także Henry'ego Burnside'a, wysokiego i dumnego, z lwią grzywą, wydatnym nosem, w szylkretowych okularach, ubranego w płaszcz w czerwono-zieloną kratę. Dopiero teraz przypomniał sobie, że właśnie dzisiaj doktor Burnside zamierzał pokazać ogród najważniejszym inwestorom.

Doktor Burnside był w tej chwili ostatnią osobą na świecie, z którą chciałby rozmawiać, zatrzymał więc samochód, wycofał się i szerokim łukiem pojechał ku miejscu, gdzie ostatnio parkował. Zostawił wóz niemal pod samym murem, tuż przy schodach, dokładnie przed znakiem zakazu parkowania.

Kiedy wszedł do laboratorium ze swoim kartonem, Richard i Keira byli pochłonięci pracą. Z głośników docierała głośna muzyka *Bat Out of Hell*, Richard spokojnie przygotowywał do obserwacji pod mikroskopem próbki tkanek martwego gryfa, a Keira pisała coś szybko na laptopie.

– Uaktualniam wszystkie wyniki – powiedziała do Nathana, zanim zdążył zadać jakieś pytanie.

Pochylił się nad nią i ponad kolumnami cyfr, które wprowadzała do komputera, zobaczył tytuł „Krążenie płodowe drugi etap".

– Jeszcze nie jesteśmy pokonani, Keiro – odezwał się. – Być może przegraliśmy jedną bitwę, ale wojna trwa nadal. A poza tym podoba mi się zapach twoich perfum.

– Gucci Rush. – Keira uśmiechnęła się do niego.

Położył pudełko na blacie obok niej.

– Chciałbym, żebyś coś dla mnie zrobiła. W środku znajdują się trzy martwe ptaki. Znalazłem je dziś rano na podwórku za domem; było ich zresztą znacznie więcej. Chcę się dowiedzieć, jaka była przyczyna ich śmierci.

Keira zajrzała do pudełka i zapytała:

– Czy to ma coś wspólnego z naszym programem kryptozoologicznym?

– Nie wiem. Nie jestem pewien. Być może. Na razie proszę cię jedynie o przysługę.

– Jasne. Zrobię wszystko, co jest choć trochę bardziej ekscytujące niż statystyka ciśnienia krwi.

– Dzięki, Keiro. Nie zapomnę o tym, kiedy będę odbierać Nagrodę Nobla.

Podszedł do Richarda.

– Richard, jak się ma nasz świętej pamięci gryf?

– Dzisiaj powinienem zakończyć sekcję, pozostaną mi jedynie badania szpiku kostnego.

– Dzisiaj? Przecież nie mówiłem, że masz się śpieszyć. Miałeś także zrobić badania na obecność gronkowca, pamiętasz?

Richard sprawiał wrażenie zakłopotanego.

– Był tutaj doktor Burnside. Powiedział, żebym dokończył wszystko jak najszybciej i posłał wyniki doktorowi Breamowi. Powiedział też, że program kryptozoologiczny oficjalnie został zakończony.

– Rozumiem. Burnside próbuje znaleźć dla ciebie następny projekt badawczy.

Richard miał na nosie brzydki czerwony pryszcz. Nathan starał się na niego nie patrzeć.

– Prawdę mówiąc, negocjuję już kwestię objęcia stanowiska badawczego z kimś innym – powiedział, unikając wzroku Nathana.

– Naprawdę? Z kim? Z kimś, kto ci lepiej zapłaci? Powinien ci lepiej płacić.

– Tak. Płacą dobrze. Całkiem dobrze.

– Co to za badania? Założę się, że nic tak skrajnego jak to, nad czym pracowałeś ze mną. A przynajmniej nic równie szurniętego.

Richard niepewnie wzruszył ramionami. Milczał.

– Cóż, powodzenia, Richardzie – powiedział Nathan. –

Niezależnie od wszystkiego, wykonałeś dla mnie tutaj kawał wspaniałej roboty. Może nie zdołaliśmy dokończyć dzieła, ale osiągnęliśmy istotny postęp, prawda? Jakkolwiek by było, dokonaliśmy w nauce pewnego przełomu. – Rozejrzał się po laboratorium. – A tak przy okazji, gdzie jest Tim?

– Ma rozmowę w sprawie pracy – odparła Keira. – Będzie tu jutro z samego rana, żeby uporządkować wszystkie notatki.

– Mam nadzieję, że nie zrezygnuje z zoologii.

– Pewnie nie. Chce się zatrudnić w Wistar Institute. Będzie asystentem naukowym doktora Hui Hu.

– No cóż, przynajmniej nie marnuje czasu.

Nathan nie chciał wygłaszać żadnych uwag na temat „szczurów" i „tonącego okrętu", mimo że same cisnęły mu się na usta. Z drugiej strony nie mógł mieć przecież pretensji ani do Richarda, ani do Tima, że szukają nowej, lepiej płatnej pracy. Asystenci laboratoryjni niemal we wszystkich programach badawczych związanych ze światem zwierząt zarabiali więcej niż oni przez ostatnie lata u niego. Ba! Lepiej płacono nawet technikom, którzy pracowali w Leola, w fabryce Super-Dog Foods. Krążyły nawet żarty: dwa razy bardziej opłaca się karmić zwierzęta, niż je rozmnażać.

Przeszedł do swojego gabinetu, zdjął brązową kurtkę w stylu Indiany Jonesa i przebrał się w fartuch laboratoryjny. Na biurku zobaczył długą wiadomość od Normana Berlinera, który w zoo zajmował się kadrami.

„W sytuacji, gdy twój projekt kryptozoologiczny został zakończony, bądź uprzejmy przekazać dyrekcji aktualny spis wszystkich niewykorzystanych odczynników, jak również stan zapasów papieru do pisania, kopert, tonera do drukarek oraz spinaczy".

Nathan zwinął kartkę w kulkę i rzucił ją w kierunku kosza na śmieci, stojącego w rogu pokoju, jednak nie trafił. Norman Berliner mógł sobie prosić. I właściwie dlaczego wszyscy specjaliści od zasobów ludzkich zawsze muszą mieć na imię Norman?

Znalazł również kartkę od Patti Laquelle. Dziewczyna napisała po prostu:

Przykro mi z powodu tego, co się stało, muchacho! *Zadzwoń do mnie, profesorze, kiedy tylko zechcesz. Pójdziemy do baru Fado i postawię ci wielką irlandzką whiskey.*

Wyciągnął z kieszeni fragment czarnego poroża znalezionego w pokoju pani Bellman i zaniósł go do laboratorium.

– Co o tym sądzisz? – zapytał Richarda.

Ten przez chwilę uważnie przyglądał się znalezisku.

– Według mnie to fragment jakiegoś rogu. Skąd pan to ma?

– Powiedzmy, że natknąłem się na to przez przypadek.

Richard popatrzył przez szkło powiększające.

– Na czubku widzę jakieś otarcie. Wygląda na naturalne. Powiedziałbym, że mamy do czynienia z odłamanym kłem albo fragmentem poroża. Nie kusiłbym się jednak o stwierdzenie, jakiego gatunku zwierzę to zgubiło.

– Ja też. Zamierzam jednak dokładnie to zbadać.

Nathan przeniósł kawałek rogu na stół laboratoryjny. Na początek wyciągnął z szuflady małą piłę chirurgiczną i pociął go na kilka części o długości dwóch i pół centymetra, żeby sprawdzić, czy od czubka do miejsca, w którym został odłamany, są jakieś różnice w składzie chemicznym. Z porożami jeleni zwykle tak bywało.

Do wczesnego popołudnia Nathan zbadał poroże pod kątem zawartości suchej materii: kolagenu, wapna, fosforu i magnezu oraz białek i tłuszczów. Wyizolował kwas moczowy i glikoproteiny oraz siarczany.

Skład chemiczny – jak od początku podejrzewał – był bardzo podobny do składu poroża jelenia. Nathan zaczął dopuszczać do siebie myśl, że Grace miała rację i że jego „bazyliszek” jest rzeczywiście tylko nocnym koszmarem. Zapewne fragment rogu rzeczywiście był tym, za co Grace od razu go uważała: odłamanym koniuszkiem poroża łosia, czyli materiałem, z którego produkowano laski ułatwiające chodzenie starszym ludziom. Za oknem znowu zaczął padać deszcz; początkowo był lekki, lecz z każdą chwilą przybierał na sile. W pewnej chwili rozległy się nawet głuche grzmoty.

Krótko po wpół do czwartej przyszła Keira. Rozpuszczone włosy luźno opadały jej na kark.

– Profesorze, przeprowadziłam wstępne badania tych trzech ptaków. Żaden z nich z pewnością nie miał fizycznych obrażeń. To znaczy, żaden nie uderzył w przeszkodę, nie dostał się pomiędzy łopaty wiatraka czy też śmigła samolotu.

– A kwestie toksykologiczne?

– Jeszcze ich dokładnie nie sprawdziłam. Nie znalazłam jednak ani avitrolu, ani żadnego innego środka służącego do trucia ptaków. Nikt ich nie zagazował ani nie zadusił, nie wdychały też żadnych środków trujących, unoszących się czasami w powietrzu.

– Co je więc zabiło?

Keira wzruszyła ramionami.

– Prawie na pewno zginęły z powodu nagłego ustania czynności narządów wewnętrznych. Nastąpił krwotok wewnętrzny, najpierw w sercu, następnie w płucach i wątrobie. Krótko później w mózgu.

– Wygląda, jakby doznały jakiegoś szoku.

Keira pokiwała głową.

– Zgadzam się. Objawy są typowe.

– No ale... Jakiego rodzaju mógł to być szok? Masz jakieś pomysły?

– Na razie nie. Tak jak mówiłam, ptaki nie miały obrażeń fizycznych i nie zostały też otrute. Powiedziałabym raczej, że coś je przestraszyło, i to tak mocno, że po prostu padły martwe. To się czasami zdarza, szczególnie z wrażliwymi ptakami. Trochę stresu i umierają. Czy któryś z pana sąsiadów nie ma czasem groźnego kota?

– Mój sąsiad ma kota, owszem. Ale żeby był groźny? Przecież ta kula futra nie przestraszyłaby nawet komara, a co dopiero tyle ptaków.

– Przeprowadzę jeszcze kilka badań, jeśli pan chce, ale na dziewięćdziesiąt dziewięć procent przyczynę śmierci tych ptaków uważam za wyjaśnioną. Ustanie czynności narządów wewnętrznych, spowodowane szokiem nerwowym.

– Dziękuję, Keiro. Doceniam to, co zrobiłaś. Jeśli chcesz, możesz już iść do domu.

– Nie śpieszę się, profesorze. Poza tym nie dokończyłam jeszcze wprowadzania statystyk.

– Tym się już nie martw. Możesz je zostawić. Jeśli doktor Bream życzy sobie mieć informacje o skurczowym ciśnieniu krwi z ostatnich pięciu lat, niech sam je sobie ułoży. Cóż, jest mi naprawdę bardzo przykro, że nasz projekt tak się zakończył. Masz już jakieś perspektywy na przyszłość?

– W dłuższej perspektywie, nie mam. Na razie wezmę sobie trochę wolnego i pojadę do siostry do San Francisco. – Keira zerknęła na ekran spektrometru. – Co pan robi? Mogłabym w czymś pomóc?

– Analizuję coś, co, jestem głęboko przekonany, stanowi fragment poroża jakiegoś zwierzęcia.

– Poroża? Na przykład jelenia? Wie pan, że poroża jeleni używa się w chińskiej medycynie? Sproszkowane podobno działa na potencję.

– Sprawdza się?

– Nie wiem. – Keira się zaczerwieniła. – Żaden z moich chłopaków nigdy tego nie próbował.

– Cóż, jeśli to działa, słowo „rogacz" mogłoby zyskać nowe znaczenie, prawda?

Rozdział dziesiąty

UKRYTA WIADOMOŚĆ

W miarę jak mijały godziny, dzień robił się coraz ciemniejszy i bardziej ponury i jednocześnie rosły frustracja i rozczarowanie Nathana. Miał nadzieję, że szybko udowodni, iż poroże należy do jakiegoś mitycznego stwora. Wtedy zyskałby przynajmniej jakąś amunicję, która pozwoliłaby mu pójść do Henry'ego Burnside'a i podjąć ostatni heroiczny wysiłek uratowania programu badawczego.

Keira podeszła do niego i uściskała go.

– Muszę już iść, profesorze. Ale dzięki za wszystko. Spędziłam przy panu cudowne chwile.

– Dziękuję – odparł Nathan. – Jeśli w przyszłości znów dostanę pieniądze na badania, będziesz pierwszą osobą, którą zaproszę do współpracy.

Keira się uśmiechnęła. Nathan z przejęciem dostrzegł, że w jej oczach błyszczą łzy. Dziewczyna pociągnęła nosem i powiedziała:

– Jestem zbyt sentymentalna. Ale tak mi żal tego wszystkiego... Wykonaliśmy przecież mnóstwo ciężkiej pracy.

Za oknem błysnął piorun i po chwili laboratorium zadrżało od kolejnego grzmotu. W tym samym momencie ożyła drukarka i zaczęła drukować pierwsze wyniki badań DNA.

Nathan szybko wyciągnął pierwszy zadrukowany papier i poszedł z nim do ekspresu do kawy. Lewą ręką nalał wody do ekspresu, nie odrywając wzroku od wydruku. Nie spodziewał się niczego nadzwyczajnego. Na pewno miał do czynienia z porożem jelenia, no bo co innego mogłoby to być?

Woda w ekspresie coraz głośniej bulgotała, wczytywał się w wydruk i zaczynał odczuwać pod skórą na głowie coraz mocniejsze mrowienie. Było to takie same uczucie, jakiego zaznał, kiedy gryf po raz pierwszy poruszył się w jajku. Skóra na głowie zaczęła mu się marszczyć. Na całym ciele wyskoczyła mu gęsia skórka. Poczuł, że w porównaniu z tym, co właśnie przed chwilą odkrył, wszystko, co dotychczas osiągnął, ma niewielkie znaczenie.

Zostawił ekspres do kawy swojemu losowi i podszedł do stołu laboratoryjnego. Usiadłszy na krześle, wydrukował wyniki DNA po raz drugi, żeby uzyskać absolutną pewność, iż nie ma do czynienia z żadnym błędem. Nie mógł mieć jednak wątpliwości.

Wynik badania chemicznego wykazał, że kawałek kości ma podobny skład chemiczny jak poroże jelenia. Test DNA pokazywał jednak, że fragment tkanki kostnej pochodzi od stworzenia, które nie tylko było w części ssakiem, a w części ptakiem – jak jego gryf – ale częściowo także gadem. W jednym stworzeniu pomieściły się i splątały wszystkie trzy kody genetyczne.

Nathan wstał. Keira już wyszła, ale Richard wciąż był na miejscu.

– Richard! Popatrz na to!

Richard odwrócił się na krześle i pokazał na słuchawkę telefonu, którą trzymał w ręce.

– Chwileczkę, profesorze.

Nathan znowu zaczął oglądać wydruk. Był swoim odkryciem tak przejęty, że aż drżała mu ręka. Czuł się tak, jakby nagle zrozumiał, jak to się stało, że Bóg stworzył świat i wszystko, co się na nim znajduje.

Richard odłożył słuchawkę na widełki i podszedł do Nathana.

– Profesorze, dowiedział się pan, co to jest?

– Tak – odparł Nathan i nagle umilkł.

Zdał sobie sprawę, że wcale nie chce się z nikim dzielić swoim odkryciem, przynajmniej nie teraz. Było zbyt poważne, niosło za sobą zbyt wiele implikacji, by mógł w jednej chwili je wszystkie ogarnąć. Odkrycie to mogło w sposób zasadniczy wpłynąć na życie wielu milionów ludzi. Z pewnością musiało zmienić jego własne życie. Czuł się teraz tak samo jak w dniu, w którym urodził się Denver. Musiał odczekać wiele godzin, zanim zatelefonował z dobrą wiadomością do swoich rodziców i do rodziny Grace. Chciał ją zatrzymać dla siebie, tylko dla siebie, chociaż na kilka godzin.

A poza tym Richard zdecydował się go opuścić, zmienić pracę i jeszcze mu nawet nie powiedział, gdzie się zatrudni. Nathan nie miał żadnego powodu, żeby mu nie ufać, ale skoro chłopak już nie pracował przy projekcie kryptozoologicznym, nie musiał już być o niczym informowany.

Postarał się więc, żeby jego głos zabrzmiał jak najbardziej zdawkowo.

– Wychodzi na to, że mamy do czynienia z tym, na co to wygląda – powiedział. – To jest kawałek poroża jelenia.

– Rozumiem. A już myślałem, że za chwilę pan powie, iż to fragment tkanki jakiegoś naprawdę rzadkiego stworzenia. Mimo wszystko poroże jelenia to zawsze rzecz bardzo interesująca.

– Jasne. Niestety, nie uratuje naszego programu.

– Chyba nie – przytaknął Richard. – Wielka szkoda. – Wyciągnął z kieszeni pogniecioną chusteczkę i wytarł nos. – Już prawie skończyłem. Jeszcze przeprowadzę drugą próbę na paciorkowce. Jestem jednak przekonany, że zasadniczą przyczyną śmierci nie była infekcja bakteryjna.

– A więc co?

– Sam chciałbym to wiedzieć. Przekażę panu wszystkie dotychczasowe wyniki badań, wciąż jednak trudno mi jest powiedzieć, dlaczego ten malec nie dał rady. Być może powinien pan jeszcze raz zbadać jego DNA? Jest strasznie poplątane, o wiele bardziej niż u jakiegokolwiek zwierzęcia, które do tej pory badałem.

– Jasne – powiedział Nathan. – Bardzo ci dziękuję. Zabiorę wszystko do domu i dokładnie przeanalizuję.

„Poplątane" – tak mówili w laboratorium o kodach DNA, które zdawały się nie odgrywać widocznej roli w rozwoju badanych zwierząt. Była to faktycznie genetyczna plątanina i każdy stwór posiadał jej pewną ilość. Te poplątane kody czasami jednak zawierały ukryte wiadomości, które potrafiły dokładnie wskazać, dlaczego poszczególne gatunki rozwijały się właśnie w taki sposób, w jaki się rozwijały.

– Chciałbym panu bardzo podziękować za wszelką pomoc, jakiej mi pan udzielił, profesorze – powiedział Richard. – Bez pana, bez tego projektu... Prawdopodobnie nadal tkwiłbym w Kutztown i badał świńską spermę dla ferm hodowlanych.

– Jeszcze mi nie powiedziałeś, gdzie chcesz teraz pracować.

Richard wyglądał na zakłopotanego.

– Bo nadal nie jestem w stu procentach pewien, czy przyjmę tę pracę. Przyszły pracodawca powiedział mi, że dzisiaj się ze mną skontaktuje.

– Cóż, powodzenia, Richardzie. Bądź ze mną w kontakcie, dobrze? Jeszcze nie skończyliśmy z kryptozoologią. I odnoszę wrażenie, że do końca jest jeszcze daleka droga.

W chwili gdy Nathan odwieszał swój fartuch laboratoryjny, w drzwiach jego gabinetu stanął George, dozorca.

– A więc opuszcza nas pan, profesorze?

– Widzę, że wiadomości szybko się roznoszą.

– Słyszałem, że mają zamiar wynająć to laboratorium jakiejś firmie, opracowującej żywność dla kotów. Mam je wysprzątać na błysk do poniedziałku rano.

– Będę za tobą tęsknić, George.

– Nie mogę tego samego powiedzieć o sobie, panie profesorze. I mam nadzieję, że kolejna osoba, która zasiądzie w tym gabinecie, nie będzie wyrzucała do kosza na śmieci plastikowych kubków z niewypitą zimną kawą.

– Przepraszam cię za to, George. Cóż jeszcze mogę powiedzieć?

Nathan wyszedł z gabinetu, a po chwili opuścił budynek. Wiatr znacznie osłabł, wciąż jednak padał deszcz – spokojny, ale natarczywy kapuśniaczek, który potrafi przemoczyć człowieka do suchej nitki w ciągu minuty. Wyciągnął z kieszeni kluczyki do samochodu, jednak gdy dotarł na miejsce, w którym go zostawił, auta nie było.

Przez kilka sekund stał w miejscu i głęboko oddychał. A to drań, rozmyślał. Pieprzony sukinsyn o mordzie mandryla. Jestem pewien, że obserwował mnie przez okno, gdy parkowałem.

Dział techniczny był już zamknięty, w żadnym oknie nie paliło się światło. W tej sytuacji Nathan nie mógł się nawet dowiedzieć, która firma odholowała jego samochód.

Wyciągnął z kieszeni telefon komórkowy i zadzwonił po taksówkę. W firmie All City Taxi dowiedział się, że z powodu wzmożonego ruchu na ulicach taksówka przyjedzie nie wcześniej niż za czterdzieści minut. Miał już dzwonić do Star Taxi, kiedy zaterkotał jego telefon. Grace.

– Co wolisz na kolację? – zapytała. – Kurczaka po meksykańsku czy chili?

– Gdzie jesteś?

– Na zakupach u Genuardiego. A ty?

Powiedział jej, co się stało. Użył czterech przekleństw: po jednym w odniesieniu do samochodu i kierowcy lawety oraz dwóch na określenie faceta z działu technicznego.

– Spokojnie, spokojnie, Nate. Zabiorę cię stamtąd, jadąc do domu. Już prawie skończyłam zakupy.

Nathan wrócił do swojego gabinetu, otworzył zniszczoną brązową teczkę i wydobył z niej kartki z opisem sekcji, którą przeprowadził Richard.

W gabinecie zjawił się też George, z mopem i pustym koszem na śmieci.

– Co, nie może się pan pożegnać z tym miejscem?

– Zabrano mi samochód. Chyba doniósł na mnie ten goryl z technicznego.

– Hej, spokojnie, profesorze. Facet, którego pan nazywa gorylem, to mój kuzyn Teddy.

– W taki razie bardzo ci współczuję, skoro masz te same geny co ten zacofany zwierz.

– Mam własne geny. Pod tym względem nie mam z nim nic wspólnego.

Nathan zmarszczył czoło i popatrzył na George'a, chcąc się zorientować, czy ten z niego drwi. George zaczął jednak sprzątać podłogę, gwiżdżąc przy tym przez zęby. Nathan postanowił więc nie kontynuować rozmowy.

Grace zjawiła się po półgodzinie. Kiedy weszła do laboratorium, miała potargane włosy i wyglądała na zmęczoną. Pod jej oczyma Nathan dostrzegł cienie.

– Co za ruch na ulicach! – rzuciła zdenerwowana. – Normalnie koszmar!

– Przecież mogłem wziąć taksówkę.

– Nie, po co? Przecież i tak bym tędy przejeżdżała.

Kiedy wyszli z budynku, Grace rozejrzała się dookoła i powiedziała:

– Och, już ich nie ma. A miałam zamiar do nich podejść i się przywitać.

– Do kogo?

– Do Richarda i doktora Zaubera.

– Richarda Scrymana?

– Tak. Siedzieli obaj w samochodzie doktora Zaubera, o tutaj. – Pokazała. – Jestem pewna, że to był samochód doktora Zaubera, ponieważ poznałam jego tablicę rejestracyjną z literami: DOKZ.

Wsiedli do suv-a Grace.

– Wiedziałaś, że oni się znają? – zapytał Nathan.

Grace potrząsnęła przecząco głową.

– Nie miałam pojęcia. Tak na oko to raczej nie powinni mieć ze sobą wiele wspólnego, prawda?

Opuścili teren zoo i skierowali się na północny wschód. Autostrada wyglądała jak rzeka czerwonych światełek, skręcili więc w West Girard Avenue i chociaż ona także była zakorkowana, przynajmniej mozolnie się posuwali, metr po metrze. Deszcz tak się rozpadał, że wycieraczki na szybie musiały pracować bez przerwy; co jakiś czas spod ich piór rozlegał się nieprzyjemny zgrzyt.

– Richard powiedział mi dziś rano, że znalazł nową pracę – odezwał się Nathan. – Twierdził, że nie jest pewien, czy na pewno ją dostanie, ale raczej był o to dość spokojny. Powiedział mi też, że dostanie dobrą pensję. Może będzie pracował z doktorem Zauberem?

– A co on by z nim robił? Jest przecież biologiem, a nie pielęgniarzem.

Nathan przez chwilę milczał, czekając, aż Grace skręci w 33 Ulicę. Wtedy zapytał:

– Jaki on jest, ten doktor Zauber? Wiesz coś o nim?

Grace wzruszyła ramionami.

– Jest Niemcem. Mówi z bardzo silnym niemieckim akcentem. Nie wiem, od jak dawna zarządza Murdstone. Może trzy, cztery lata. W każdym razie odkąd ja tam jeżdżę.

– Pomyśl o jednym: doktor Zauber zna Richarda, a Richard wie o projekcie kryptozoologicznym tyle co ja, no i po Murdstone grasuje bazyliszek.

– Daj spokój, Nate. To ty podejrzewasz, że tam grasuje bazyliszek. Niczego nie wiesz na pewno.

Nathan sięgnął do wewnętrznej kieszeni kurtki i wyciągnął z niej celofanowy woreczek z fragmentami poroża.

– Teraz już jestem pewien, kochanie. A oto dowód.

Grace popatrzyła na niego z ukosa.

– Zbadałeś to?

– Tak. Mamy do czynienia z kawałkiem poroża o budowie podobnej do budowy poroża jelenia. Ale zbadałem także DNA i wiesz, co mi wyszło? W komórkach są trzy typy DNA. Ssaka, ptaka i gada, kompletnie pomieszane.

– Co to więc był za stwór? Latający jeleń o kończynach żaby?

Nathan uśmiechnął się wesoło, ale też z triumfem.

– Istnieje tylko jedno żywe stworzenie, które ma jednocześnie wszystkie te trzy typy DNA, i wszyscy wiedzą, że to jest dziobak. Dziobak ma futro, wysiaduje jaja, a samce dziobaka mają także jad, jak węże. Jego pochodzenie genetyczne sięga siedemdziesięciu milionów lat wstecz, do czasów, kiedy niemal każde stworzenie na naszej planecie było jakąś odmianą gada.

– Ale przecież dziobaki nie mają rogów, prawda? A może nie mają ich tylko samice?

– Nie, żaden dziobak nie ma rogów. Ale istniały stwory posiadające zarówno trzy typy DNA, jak i rogi. Były to bazyliszki.

Grace zmieniła pas ruchu tuż przed maską ciężarówki. Jej kierowca zatrąbił i pokazał jej wyciągnięty palec. Grace odpowiedziała mu promiennym, słodkim uśmiechem.

– Ktoś to już zrobił, Grace – powiedział Nathan. – Ktoś stworzył kryptozoologiczną hybrydę i ona żyje.

– A ty myślisz…

– Oczywiście, że tak myślę. To musi być doktor Zauber. Bo któż by inny?

– Ale doktor Zauber nie jest biologiem.

– Skąd wiesz? Przecież nie wiesz o nim zupełnie nic, poza tym że jest dyrektorem Domu Spokojnej Starości Murdstone.

– Jakoś nie mogę tego wszystkiego ogarnąć.

– Nie ma innego wyjaśnienia, a przynajmniej ja nie potrafię nic innego wymyślić. Być może Zauber wykorzystuje dom spokojnej starości jako przykrywkę dla swoich prac. Do tego typu badań potrzebna jest licencja, chyba że nikt nie wie, czym się zajmujesz.

– Naprawdę w to wierzysz?

– Przecież wszystko pasuje do dowodów, prawda? Może Murdstone jest nawet czymś więcej niż tylko przykrywką? Może właśnie za pośrednictwem Murdstone doktor zbiera fundusze na badania? W domach spokojnej starości marnuje się mnóstwo pieniędzy, a dysponują nimi ludzie, których można odesłać przedwcześnie do Stwórcy bez wzbudzania czyichkolwiek podejrzeń, jak na przykład Doris Bellman. W grę wchodzą darowizny, testamenty, ukrywane w skarpetach kosztowności, co tylko sobie wymyślisz.

– To się wydaje takie nieprawdopodobne...

– Wiem, ale pierwszy biolog, który przywoła do życia autentyczną mityczną istotę, zdobędzie sławę i pieniądze. Przejdzie na zawsze do historii.

Grace przez chwilę prowadziła w milczeniu.

– Naprawdę uważasz, że Richard przekazał teraz doktorowi Zauberowi rezultaty twoich badań? – zapytała.

– Nie wiem. Mam nadzieję, że nie. Nie byłby to jednak pierwszy przypadek, gdy technik laboratoryjny sprzedaje swoją duszę, prawda? Kilka miesięcy temu kupił sobie nowy samochód, pamiętasz, mówiłem ci. Saturna sky. Auto nie było zupełnie nowe, ale ciągle się zastanawiam, w jaki sposób uzbierał na nie pieniądze. Przecież u mnie zarabiał naprawdę niewiele.

– Nate, to są tylko twoje przypuszczenia. Nie powinieneś nikogo o nic oskarżać, dopóki nie będziesz pewien, że masz rację.

– A potrafisz wymyślić inną przyczynę, dla której Richard miałby się spotykać z doktorem Zauberem? W ogóle dlaczego doktor Zauber tak po prostu przyjechał sobie do zoo? Wiemy o tym tylko przypadkiem, ponieważ odholowano mój samochód i ty przyjechałaś, żeby mnie stamtąd zabrać. Richard pewnie myślał, że już dawno wyjechałem. A przecież nawet gdybym zobaczył go razem z doktorem Zauberem, niczego bym nie podejrzewał, bo przecież go nie znam, prawda?

Grace przez chwilę zastanawiała się nad słowami Nathana. Wreszcie odezwała się:

– Muszę przyznać, że to wszystko brzmi cholernie przekonująco. Co więc twoim zdaniem powinniśmy teraz zrobić?

– Pojechać jeszcze raz do Murdstone. Znaleźć bazyliszka. Skonfrontować doktora Zaubera z żywym dowodem na to, że ukradł wyniki moich badań.

– A co potem?

– Nie wiem. Myślę, że powinniśmy zawiadomić policję. Oskarżyć go o popełnienie przestępstwa. Jest przecież złodziejem, ukradł wyniki cudzych badań. Jest winien szpiegostwa zoologicznego, tak to chyba można nazwać.

Ruch na ulicach słabł z każdą chwilą i po dziesięciu minutach Grace zatrzymała samochód na podjeździe przed ich domem. Wyłączyła silnik, ale jeszcze przez chwilę pozostała na miejscu.

– O co chodzi? – zapytał Nathan.

– Nie wiem. Mam jakieś złe przeczucia, i tyle. Uważam, że przede wszystkim powinniśmy porozmawiać z policją, nie możemy zaczynać od samodzielnych poszukiwań bazyliszka. Jeśli on nie istnieje, wyjdziemy na parę idiotów. A jeśli istnieje i potrafi zabijać wzrokiem, to znaczy że jest bardzo niebezpieczny.

Nathan ujął jej dłoń.

– Grace, ja sam muszę go zobaczyć.

– Dobrze, oczywiście – odparła, chociaż nie wyglądała na zadowoloną. – Jednak nie miej do mnie pretensji, jeśli Denver skończy jako sierota.

– Poza tym... – zaczął Nathan. Chciał powiedzieć żonie o martwych ptakach, które znalazł na podwórzu.

– Tak?

– Właściwie nic. Zastanawiałem się, co zrobisz na kolację.

– Chcesz dzisiaj pojechać do Murdstone?

– Im szybciej, tym lepiej.

– W takim razie zamów sobie pizzę. Ja wezmę prysznic, przebiorę się i wypiję kieliszek wina. W obliczu tej wizyty jakoś nie mam ochoty na jedzenie.

Dotarli do Murdstone niemal dokładnie o północy. Niebo się rozpogodziło i księżyc w pełni świecił niepokojąco jasno, a ulice wyglądały jak dekoracje teatralne. Idąc na tył budynku, musieli się trzymać blisko żywopłotów, ponieważ był to jedyny cień, w którym mogli się ukryć.

Zasłona w oknie pomieszczenia dla pracowników zaciągnięta była tylko do połowy. W pokoju siedziała przed telewizorem koreańska pielęgniarka. Popatrywała w ekran, jednocześnie coś szyjąc, a biały pielęgniarz o ogolonej głowie leżał wygodnie na kanapie z paczką chipsów serowych na kolanach.

Nathan schylił się poniżej poziomu parapetu i ruszył ku drzwiom. Grace postępowała za nim. Na głowie miała czarną wełnianą czapkę, a na sobie czarny golf i obcisłe czarne dżinsy. Nathan powiedział jej przed wyjazdem, że wygląda bardziej jak James Bond niż jak lekarz rodzinny. Odpowiedziała, że on za to wygląda jak Brad Pitt w *Podziemnym kręgu*, tyle że jest jeszcze bardziej niechlujny.

– Tym razem zaczniemy od góry – postanowił Nathan.

– Dobrze. Korytarze na górze mają kształt litery H. Dwa dłuższe są połączone w środku jednym krótszym. Ale u szczytu litery H jest też przedłużenie, zakręt w prawo, pojedynczy długi korytarz, prowadzący do magazynu bielizny i izolatki. Są tam też inne pokoje, ale nie znam ich przeznaczenia. Zapewne przechowują w nich jakieś zapasy.

Nathan dotknął klamki, nacisnął ją i pchnął w dół.

– Pamiętaj, co ci powiedziałem... Jeżeli zobaczysz coś, co wyda ci się podejrzane, pod żadnym pozorem na to nie patrz. Odwróć głowę, podnieś do góry lustro skierowane ku zjawie i uciekaj co sił w nogach.

Otworzył drzwi i weszli do środka. Przez chwilę nasłuchiwali, a potem ruszyli, mijając kitle wiszące na haczykach. Z pokoju personelu dobiegały z telewizora głośne dźwięki *Koła fortuny*. Drzwi wejściowe cicho się zamknęły, a w tym samym momencie pielęgniarz głośno wrzasnął:

– To musi być „zwyczaj"! Taka jest odpowiedź! „Zwyczaj", ty tumanie!

Nathan i Grace na moment zamarli w bezruchu, jednak nic się nie działo. Nawet jeśli usłyszał, jak zatrzasnęły się drzwi, najprawdopodobniej nie chciało mu się ruszać z kanapy, by sprawdzić, co spowodowało ten odgłos.

Minąwszy pokój personelu, włączyli latarki. Grace poprowadziła Nathana korytarzem w kierunku schodów. W budynku unosił się silny zapach gotowanej ryby, którą zapewne podano pensjonariuszom na kolację.

Dotarli do schodów. Na półpiętrze znajdowało się wysokie okno, dlatego klatka schodowa była zalana światłem księżyca. Zatrzymali się, nasłuchując. Z pierwszego piętra niosło się zawodzenie kobiety, niezbyt głośne, jednak wyraźne, beznadziejne. Zawodzenie osoby, która wie, że wszystko, co w życiu dobre, jest już dawno za nią.

– Nadal jesteś pewien, że chcesz to zrobić? – wyszeptała Grace.

Nathan pokiwał głową.

– Muszę, kochanie. W tej chwili nic nie ma dla mnie większego znaczenia. To taki mój święty Graal.

– No dobrze. Ale Bóg jeden wie, jak się wytłumaczę, jeśli nas złapią.

– Doktor Mark Sloan nigdy nie daje się złapać.

– Doktor Mark Sloan z *Diagnoza: Morderstwo*? Dick van Dyke? Jesteś szalony. Wiesz o tym?

Nathan ruszył po schodach, a Grace szła za nim. Blask księżyca był tak jasny, że nie potrzebowali latarek, dlatego Nathan swoją wyłączył. Prawie dotarł na pierwsze półpiętro, kiedy usłyszał trzask desek podłogowych, a potem jakby krótkie drapanie. Zatrzymał się. Od półpiętra dzieliły go zaledwie trzy stopnie.

– Słyszałaś?

Grace pokiwała głową. W świetle księżyca jej twarz wyglądała niezwykle blado, jakby była duchem.

Nathan zawahał się. Nasłuchiwał długą chwilę, lecz do jego uszu docierał jedynie szum wody w rurach kanalizacyjnych. Prawdopodobnie ktoś spuścił wodę w którejś z toalet albo się kąpał. Zawodząca kobiety umilkła, za to słychać było przytłumiony kaszel mężczyzny.

– Chodź.

Zatrzymał się dopiero na piętrze, znowu włączył latarkę i oświetlił cały korytarz. Dostrzegł, że otwierają się drzwi na samym końcu, i zobaczył w nich niepozorną sylwetkę. Grace jęknęła, ale to był tylko jakiś staruszek. Stary człowiek uniósł rękę, żeby osłonić oczy przed snopem światła. Potem schował się w swoim pokoju i starannie zamknął za sobą drzwi.

Grace odetchnęła z ulgą.

– Przez krótką chwilę...

Nathan złapał ją za rękę.

– Rozejrzyjmy się najpierw tutaj. Jeżeli Zauber prowadzi jakieś prace laboratoryjne, podejrzewam, że wykorzystuje do nich izolatkę i najbliższe pomieszczenia magazynowe.

– Bylebyśmy się nie natknęli na więcej niespodzianek podobnych do tej sprzed chwili. Moje serce mogłoby tego nie wytrzymać.

Idąc najciszej, jak tylko potrafili, doszli do rozgałęzienia korytarza. Nathan szybko wyjrzał za róg, lecz nikogo nie zauważył. Widział jedynie jasny księżyc za oknami.

Pierwsze drzwi, przed jakimi stanęli, oznaczone były napisem „Środki czystości". Nathan nacisnął klamkę, drzwi były jednak zamknięte na klucz. Na kolejnych widniała tabliczka „Pralnia" i te dały się otworzyć, lecz w środku nie było ani pralek, ani prania, a jedynie stara maszyna do froterowania podłóg i jakaś lampa z przypalonym tekturowym abażurem.

Na końcu korytarza, po prawej stronie, natrafili na podwójne szare drzwi z okienkami ze szkła zbrojonego drutem. Drzwi były zamknięte na klucz, a dodatkowo klamki połączono łańcuchem, spiętym kłódką. W pomieszczeniu za drzwiami panowała całkowita ciemność, dlatego Nathan zaświecił latarką do środka przez jedno z okienek. Bez wątpienia pomieszczenie w zamyśle służyło jako izolatka, w środku stało jednak tylko jedno łóżko bez pościeli, a jedynym elementem wyposażenia szpitalnego był tu pojedynczy stojak do kroplówki i przewrócony balkonik do rehabilitacji chorych.

– No cóż, musiało się tutaj stać coś, o czym doktor Zauber nie chciałby nikomu mówić i o czym nie chciałby, żeby ktokolwiek się przypadkowo dowiedział. W przeciwnym wypadku po co te łańcuchy? Przecież w środku nie ma niczego, co można by ukraść, prawda? I popatrz tylko na okna.

Wszystkie okna w izolatce zasłonięte były czarną kotarą, niczym w ciemni fotograficznej, a zasłony te dodatkowo były przylepione do ściany szeroką taśmą.

– Gdzie byś trzymała w ciągu dnia istotę, która nie znosi światła? – zapytał Nathan.

Grace stanęła na palcach i również zajrzała do wnętrza.

– Mój Boże – powiedziała. – To jednak może być prawda. Popatrz, założę się, że on tam śpi.

Nathan skierował światło latarki w kąt pomieszczenia. Leżały tam, jeden obok drugiego, dwa duże materace. Były wygniecione, nierówne i mocno zabrudzone czymś brązowym.

– Masz rację – powiedział Nathan. Odwrócił się i znowu popatrzył wzdłuż korytarza. – Problem polega na tym, że nie wiemy, gdzie ten stwór jest teraz.

– Mam nadzieję, że zabrałeś pistolet.

Nathan wyciągnął broń zza paska.

– Mam pistolet. I lusterko.

– Skoro masz pistolet, zupełnie mnie nie obchodzi lusterko.

– Przecież ja nie chcę go zabić, Grace. To by nie miało sensu.

– To co teraz robimy?

– Będziemy go szukać. Myślę, że powinien być w miarę posłuszny, w przeciwnym wypadku Zauber przecież nie mógłby go codziennie zamykać w izolatce, prawda? – Nathan urwał na chwilę. – Gdyby mój gryf przeżył, też bym go wyszkolił. Myślałem nawet nad wynajęciem profesjonalnego sokolnika.

– A może na dzisiaj zakończymy? – zapytała Grace. – Teraz, skoro się dowiedzieliśmy, że twój bazyliszek naprawdę istnieje… Czy to nam nie wystarczy?

– Grace, jeśli on istnieje, muszę go zobaczyć na własne oczy.

Nagle na korytarzu zrobiło się ciemno. Księżyc zasłoniła wielka chmura, niczym teatralna kurtyna, i w ciągu niecałej minuty w budynku zapanowała nieprzenikniona ciemność.

– Chodź, Nathan – powiedziała Grace. – Zadzwonimy po policję. Zawiadomimy Departament Zdrowia Publicznego. Oni się wszystkim zajmą…

– Grace…

– Boję się, Nate. Nie wstydzę się tego.

– Dobrze. Może masz rację. Może to rzeczywiście był szalony pomysł.

Nathan czuł się sfrustrowany, musiał jednak przyznać, że i jego oblatuje strach. Przypomniał sobie dzień, kiedy próbował skoczyć z mostu Clarks Mills do rzeki Shenango, żeby stać się pełnoprawnym członkiem lokalnego gangu. Niczego na świecie tak nie pragnął, jak wstąpić do tego gangu, jednak zanim zdążył skoczyć, na moście zjawił się jego wujek i ściągnął go z barierki. Nathan głośno protestował, dąsał się, jednak w głębi duszy był wujowi głęboko wdzięczny. Rzeka Shenango była płytka, miała skaliste dno i na dodatek była bardzo zimna.

Objął Grace ramieniem i ruszyli w drogę powrotną. Zanim jednak doszli do rogu, za którym rozciągał się główny korytarz, znowu usłyszeli drapanie. Potem nastąpiła chwila ciszy. I znowu odgłos drapania, a potem rozległ się dźwięk, jakby ktoś ciągnął po korytarzu bardzo ciężki pakunek.

Nathan znowu wyciągnął pistolet i go odbezpieczył. Wyjął też z kieszeni lusterko do golenia i trzymał je w wyciągniętej ręce.

– Nate! – odezwała się Grace. W jej głosie brzmiało przerażenie.

– Wszystko w porządku. W porządku. Musimy być tylko bardzo ostrożni.

Przystanął przed zakrętem, z pistoletem w prawej ręce i z lusterkiem w lewej. W tej chwili odgłosy były już bardzo głośne. Oboje z Grace słyszeli nawet oddech: ciężki i świszczący. Tak jakby zbliżała się do nich wielka lokomotywa.

– Matko Boska – jęknęła Grace.

Nathan wziął głęboki oddech. Czuł przerażenie, ale zarazem był w niemal euforycznym nastroju. Za chwilę miał stanąć twarzą w twarz z żywym mitem.

Wyszedł za róg i zobaczył go. Był dokładnie taki sam jak w jego koszmarze. Wysoki, zwalisty i przygarbiony, czarne rogi sięgały sufitu. Istota była opatulona grubą warstwą czarnych szmat, spod których wystawały szpony i pokryte łuskami czarne stopy. Jego oczy były małe i blade, identyczne jak w koszmarze.

Stwór zobaczył Nathana, a może go wyczuł, ponieważ wydał z siebie gniewny, niemal ogłuszający syk, przypominający syk węży. Smród był wszechogarniający i tak obrzydliwy, że łzy stanęły mu w oczach.

– Nate! – krzyknęła Grace.

Nathan jeszcze nigdy nie słyszał takiego przerażenia

w głosie żony. Wycelował broń między oczy stwora i zaczął mówić gorączkowo do siebie: zastrzel go. Zastrzel go natychmiast, ponieważ jeśli tego nie zrobisz, rozerwie cię na strzępy, a potem dobierze się do Grace.

Nagle usłyszał jakiś głos:

– Doktor Underhill! Proszę pana! Na pańskim miejscu bym tego nie robił.

Rozdział jedenasty

CZARNE ULTIMATUM

Z cienia wyszła nagle jakaś drobniejsza postać i Grace natychmiast skierowała na nią światło latarki. Był to mężczyzna o dużej głowie, ubrany w czarną jedwabną koszulę, zapiętą pod szyję, i w czarne spodnie. Jego stalowosiwe włosy zaczesane były z przedziałkiem. Oczy miał ukryte za szkłami okularów. W ręce trzymał szpicrutę.

– Doktor Zauber! – zawołała Grace.

– Tak, oczywiście – odparł doktor Zauber z bardzo wyraźnym niemieckim akcentem. – A kogo się spodziewaliście? – Wykonał gest w kierunku Nathana i powiedział: – Proszę… proszę opuścić pistolet. Obiecuję, że mój bazyliszek nie uczyni wam żadnej krzywdy, dopóki pozostaje pod moją kontrolą.

Stwór zaszurał nogami i zachwiał się. Oddychał głośno i zdawało się, że z każdą chwilą przychodzi mu to coraz trudniej.

– A więc udało się panu – powiedział Nathan. – Wyhodował pan bazyliszka, który przeżył.

– Tak. Ale tylko dzięki panu, profesorze Underhill! Dobrowolnie przyznaję, że mam dług u pana i pańskiego zespołu badawczego. Bez pańskiej wspaniałej i godnej najwyższego szacunku pracy ten bazyliszek nigdy by się nie narodził. – Doktor Zauber odwrócił się i popatrzył na swoje dzieło. – Przykro mi, ale jeszcze wiele mu brakuje do perfekcji. Sam pan słyszy, że ma problemy z oddychaniem, no i doskwiera mu poważna wada kręgosłupa. Przeżył poród, prawda, ale właściwie nie wiem, jak długo jeszcze pożyje. Dlatego proszę pana o pomoc.

– O czym pan mówi, do diabła? Ukradł pan z mojego zespołu badawczego Richarda Scrymana, a teraz domaga się pan czegoś jeszcze?

– Niech pan schowa broń – poprosił doktor Zauber. – Bazyliszek wyczuwa nieprzyjazne intencje.

– Przed chwilą pan mówił, że go kontroluje – zauważyła Grace.

– Oczywiście. Ale tylko na takiej samej zasadzie, na jakiej treser psów panuje nad zachowaniem pitbulla. Jeśli ktoś ujawni nieprzyjazne zamiary wobec jego pana, pitbull od razu zaatakuje, *nicht war*? A wtedy nikt już nie może nic na to poradzić.

Nathan niechętnie wsunął pistolet za pasek. Uczyniwszy to, włączył latarkę i oświetlił nią nędzne czarne cielsko bazyliszka. Stwór miał duży niekształtny łeb i diadem z poszarpanych rogów. Na światło latarki zareagował czujnym błyśnięciem ślepiów, jakby nie podobało mu się wnikliwe badanie Nathana.

– Współpracujemy ze sobą już od trzech lat – powiedział doktor Zauber. – Oczywiście było to partnerstwo, z którego pan sobie w ogóle nie zdawał sprawy, ale nie sądzę, żeby dobrowolnie chciał się pan ze mną podzielić wynikami swoich badań.

– Cóż, ma pan rację. Ile mu pan zapłacił za podkradanie moich notatek? Mam na myśli Richarda Scrymana.

– Niezbyt wiele. Richard nie był szczególnie zainteresowany pieniędzmi, chociaż czasem się skarżył, że płaci mu pan bardzo marnie. Ja również nie byłem szczodry, tym bardziej że Richard ponad wszystko pragnął doprowadzić do ożywienia mitycznego stwora, a bardzo szybko zdał sobie sprawę, że ani ja, ani pan nie możemy tego osiągnąć, działając w pojedynkę.

Nathan był zdumiony, pełen niedowierzania i zły jednocześnie.

– Cholera jasna, przecież wyhodowałem gryfa, i to zupełnie bez pańskiej pomocy.

– Oczywiście – zgodził się doktor Zauber. – I muszę powiedzieć, że pańskie osiągnięcie jest *unglaublich*. Niewiarygodne. Niestety, trzeba też pamiętać, że pański gryf wyzionął ducha jeszcze w jajku. Zabrakło panu jednego składnika, niezbędnego aby odnieść sukces. Ale ja tym składnikiem dysponuję. Tylko ja.

– Naprawdę? A co to takiego?

Bazyliszek niespodziewanie spróbował zaatakować Nathana, a jego oddech przeszedł w wysoki skowyt. Nathan dotknął rękojeści pistoletu, ale doktor Zauber głośno klasnął i krzyknął groźnie:

– *Aufenthalt dort! Erinnern Sie sich die an Bestrafung!*

Z gardła bazyliszka wydobyło się chrapanie. Tymczasem doktor Zauber powiedział spokojnie:

– Nie jest to zbyt cierpliwy stwór, jak zresztą sami państwo widzicie. Czasami trzeba mu przypominać, skąd się tu wziął, kto go stworzył i kto może zachować go przy życiu.

– Jasne – powiedział niecierpliwie Nathan. – Ale chciałbym wiedzieć, cóż to jest za magiczny składnik, do którego pan dotarł, a ja nie. I skoro tak panu zależało na mojej współpracy, dlaczego po prostu nie przyszedł pan do mnie wcześniej? Przecież mogliśmy współpracować, prawda? Gdybyśmy razem pracowali, może mój gryf by nie umarł, a ogród zoologiczny nie odciąłby mi środków i nie przerwał badań.

Doktor Zauber potrząsnął głową.

– Nawet gdybym do pana przyszedł, profesorze Underhill, nie zgodziłby się pan ze mną współpracować. Nie miałem innego wyjścia, jak tylko ożywić bazyliszka samodzielnie, korzystając z wyników pańskich badań, tyle że bez pana wiedzy. Teraz jednak, kiedy pański program zamknięto, mogę zapytać pana wprost: jest pan gotowy do asystowania w moich pracach? Razem możemy na przykład wskrzesić kolejnego bazyliszka, o wiele silniejszego i zdrowszego niż ten marny okaz. Możemy także wyhodować pańskiego gryfa, chimerę, a nawet ptaka benu. A potem moglibyśmy otworzyć klinikę w Szwajcarii i przyjmować w niej ludzi z całego świata, lecząc nieuleczalne choroby. Czy widział pan, co robi z komórkami macierzystymi doktor Geeta Shroff z Indii? Leczy nawet tak poważne przypadki paraliżu, na jaki cierpiał Christopher Reeve. Będziemy, profesorze Underhill, żywymi świętymi. Pan i ja zmienimy na zawsze oblicze medycyny. No i, oczywiście, będziemy bardzo, bardzo bogaci.

– Ale jaki jest ten magiczny składnik? – chciała wiedzieć Grace. – No i dlaczego przypuszcza pan, że wcześniej Nathan nie chciałby z panem współpracować?

Doktor Zauber przywołał na twarz smutny uśmiech.

– A dlaczego przyjechaliście tutaj minionej nocy? I dlaczego jesteście tu dzisiaj?

– Przyjechaliśmy, ponieważ Grace opowiedziała mi o śmierci Doris Bellman – odparł Nathan. – I o śmierci jej papugi. I jej roślin. Powiedziała mi też, że jeden z mieszkańców Murdstone widział wielkiego stwora z rogami. Przyjechaliśmy tutaj, ponieważ miałem dwa nocne koszmary, w których pojawiał się mniej więcej taki sam stwór.

– Ale nie mieliście pewności, prawda? Na przykład nie zatelefonowaliście na policję. A może byliście pewni, ale myśleliście: w Domu Spokojnej Starości Murdstone może być sobie żywy bazyliszek, a jeśli tak, to bez względu na ryzyko koniecznie musicie się o tym przekonać na własne oczy.

– Rzeczywiście – przyznał niechętnie Nathan. – Ale poprzedniej nocy znalazłem w pokoju Doris Bellman oderwany kawałek rogu. Zabrałem go do laboratorium i przebadałem, a potem już miałem pewność. Bazyliszek. Przez miliony lat jedynie on miał wszystkie trzy rodzaje DNA.

Doktor Zauber aprobująco przytaknął głową.

– Cóż, podjęliście spore ryzyko, wchodząc na moje terytorium – powiedział. – Naraził pan żonę, która jest doktorem medycyny i ryzykuje swoją opinię zawodową. Za coś takiego mógłbym ją po prostu, nikomu niczego nie wyjaśniając, odsunąć od obowiązków.

– Pan wie, że byliśmy tutaj poprzedniej nocy? – zdziwiła się Grace.

– Oczywiście. Sądzi pani, że zarządzam domem spokojnej starości, w którym zamieszkuje trzydziestu ośmiu seniorów, i nie wiem o wszystkim, co się tutaj dzieje, przez dwadzieścia cztery godziny na dobę?

Urwał. Oczywiście to ostatnie pytanie było retoryczne. A jednak zabrzmiało tak, jakby doktor Zauber mimo wszystko spodziewał się odpowiedzi.

Nathan milczał. Po chwili Zauber znowu się odezwał:

– Niestety, minionej nocy przybyliście za późno, żeby spotkać bazyliszka. Już prawie dniało, a jak wiecie, w ciągu dnia bazyliszek musi się kryć w całkowitej ciemności. No ale nie wszystko było stracone. Znaleźliście kawałek rogu, który dla was zostawiłem, a to już w zupełności wystarczyło, żeby was przekonać, iż bazyliszek tutaj naprawdę jest. Mój drobny plan nie zadziałał w całości, zdarza się, ale ta jego część wypaliła.

– A więc pan c h c i a ł, żebyśmy tu przyjechali?

– *Natürlich.* Chciałem się z wami spotkać, porozmawiać i pokazać wam bazyliszka. Chciałem też zapytać, czy jesteście skłonni rozważyć możliwość współpracy ze mną. Okoliczności nam sprzyjają, ponieważ pański projekt, profesorze, został właśnie przerwany.

– Do diabła, dlaczego po prostu pan do mnie nie zatelefonował? Albo nie przesłał mi wiadomości za pośrednictwem Richarda? Przecież to by było dużo prostsze, prawda?

– Prostsze, profesorze, rzeczywiście prostsze, ma pan rację. Ja jednak jestem bardzo ostrożnym człowiekiem, który pilnuje swoich interesów. Z ożywianiem mitycznych stworów łączą się pewne aspekty, które przekraczają granice etyczne współczesnej medycyny. Dlatego właśnie przez cały czas nie wierzyłem, że zgodzi się pan ze mną współpracować.

– Co chce pan przez to powiedzieć? Robi pan coś niezgodnego z prawem?

– Nie całkowicie. Ale właśnie z tego powodu dopilnowałem, żeby znalazł się pan na terenie Murdstone jako nieproszony nocny gość. Albo, kto wie, może jest pan tutaj kimś więcej niż nieproszonym gościem? Może, przychodząc tutaj w nocy, miał pan zamiar coś ukraść? Przebywa tutaj wiele osób w podeszłym wieku, posiadających wartościową biżuterię, że nie wspomnę już o obrazach, książkach czy cennej porcelanie. Pańska żona mogła panu wiele o tym opowiedzieć, przecież często bywa w ich pokojach. A pan... Pan przecież właśnie stracił pracę.

– Naprawdę sądzi pan, że włamałem się do domu spokojnej starości, żeby kraść starszym paniom naszyjniki? Mógłby pan sobie darować.

– Zdesperowani ludzie robią znacznie gorsze rzeczy. Poza tym fakt, że przyjechał pan tutaj razem z żoną, jest dla mnie swego rodzaju bonusem. Co powiedzą jej współpracownicy z przychodni w Chestnut Hill, jeżeli zostanie aresztowana jako osoba podejrzana o włamanie? Wystarczy, że teraz zatelefonuję na policję.

– Chyba nie mówi pan poważnie – odezwał się Nathan. – Nie może nam pan grozić w taki sposób.

– Oczywiście, że nie. Po prostu sobie z was żartuję. Ale powinien pan wiedzieć, że każdy żart ma swoją tragiczną stronę, tak jak każdy sen może z łatwością przerodzić się w koszmar. Niech pan sobie tylko przypomni własne koszmary, profesorze.

– Co?

– Jak pan myśli, skąd się nagle wziął ten bazyliszek przed pańskim łóżkiem? Albo ta twarz na suficie?

– Co? Skąd pan o tym wie?

Doktor Zauber podszedł do Nathana. Złapał go za przegub ręki i wykręcił ją w taki sposób, że światło latarki oświetlało teraz jego własną twarz. Zdjął z nosa okulary i wywrócił oczy w taki sposób, że widać było tylko białka.

Nathan wyszarpnął rękę. Zrozumiał, że twarz, którą widział na suficie, należała do doktora Zaubera. To Zauber go prześladował, to on z niego drwił.

Jak już powiedziałem, przyjacielu, jesteś ekspertem w odróżnianiu tego, co jest snem, od tego, co należy do realnego świata.

– Jak pan to zrobił? Widziałem pana! Widziałem pana na suficie w mojej sypialni! Mówił pan do mnie! I był tam również bazyliszek! Omal mnie nie zabił!

Doktor Zauber cmoknął, jakby przywoływał konia, i bazyliszek przysunął się do niego trochę. Grace się cofnęła. Nie mogła znieść jego odoru.

– Mam nadzwyczajne umiejętności – powiedział doktor Zauber. – Zawsze je miałem, przez całe życie. Z tym się trzeba urodzić. To się w waszym języku nazywa psychicznym przeniesieniem. Muszę jednak powiedzieć, że nie miałem najmniejszego zamiaru pana skrzywdzić, profesorze. Chciałem wziąć pana na haczyk, to wszystko. Chciałem wywołać w panu ciekawość, przyciągnąć pana tutaj. No i proszę! Oto widzimy się w Murdstone! – Położył dłoń na przygarbionych plecach bazyliszka. – W czasach średniowiecznych, w czasach magii, żyło wiele stworów. Smoki! Gryfy! Nigdy poważnie nie marzyłem, że któregoś z nich przywołam z powrotem do życia. Śniłem o tym, oczywiście, lecz pomimo moich nadzwyczajnych umiejętności ożywienie ich wymagało znacznie więcej niż tylko pobożnych życzeń czy nawet wiedzy o obrzędach reinkarnacyjnych, przekazywanych sobie na przestrzeni wieków przez kolejnych nekromantów. O tych stworach praktycznie zapomniano. Były martwe od wieków, nie miały już racji bytu. Pozamieniały się w kamienie, a któż może wycisnąć krew z kamienia? – Znów włożył okulary i zmierzył Nathana smutnym spojrzeniem. – Żeby mogły znów ożyć, potrzebna była rozległa wiedza, profesorze. Ktoś taki jak pan.

Nathan zaczynał odczuwać coraz większą irytację. Bazyliszek z każdą chwilą się do niego przybliżał, a jego ślepia świeciły coraz jaśniej, mimo osłaniających je warstw tkaniny.

– Dobrze – powiedział. – Potrzebowały kogoś takiego jak ja. Ale w takim razie kim pan jest? Osobą o zdolnościach parapsychicznych czy kimś w tym rodzaju? A może jakimś prestidigitatorem?

– Dowie się pan, profesorze, jeśli naprawdę będzie pan tego chciał. Ale jeżeli mamy współpracować, będę oczekiwał od pana szacunku dla mnie i moich umiejętności. Być może nie jestem naukowcem w pańskim rozumieniu, ale to, co potrafię, jest równie potężne jak nauka. Bez mojego udziału i wsparcia pański projekt nie jest w stanie do niczego doprowadzić. Nigdy.

– Niech pan posłucha, doktorze, na razie nie mam zielonego pojęcia, jakie są te pańskie umiejętności, poza tym, że skutecznie wywołał pan u mnie koszmary nocne i pojawił się pan na moim suficie jak jakaś cholerna maska w Mardi Gras.

Doktor Zauber potrząsnął głową.

– Kiedy po raz pierwszy przyjechałem do Filadelfii, nie miałem najmniejszego pojęcia o pana istnieniu i pańskiej pracy – powiedział. – O tym projekcie kryptozoologicznym dowiedziałem się dopiero trzy lata temu, kiedy poznałem pańską żonę, która przyjechała do Murdstone, do jednego z moich podopiecznych. Zaczęliśmy rozmawiać. Udawałem przed pańską żoną grzeczne zainteresowanie opowieściami o pańskiej pracy, lecz tak naprawdę byłem nimi wstrząśnięty. Nagle odkryłem, w jaki sposób będę mógł zrealizować mój cel. Odniosłem wrażenie, że rozstępują się ciężkie chmury, które dotychczas zasłaniały mi niebo, i ukazuje mi się sam Bóg Wszechmogący w całej swojej chwale.

Nathan i Grace wymienili krótkie spojrzenia, jednak oboje milczeli. Odnosili wrażenie, że doktor Zauber jest na najlepszej drodze, by zdradzić im to, co dotąd umykało uwagi Nathana i czego brak spowodował śmierć gryfa. Równocześnie Nathan widział, że ślepia bazyliszka stają się z każdą chwilą jaśniejsze i bije z nich dziwny blask, jakby dwa promienie światła, tańczące po podłodze i ścianach korytarza.

– Niech pan posłucha – powiedział. – Zaczynam się czuć nieswojo. Może o wszystkim porozmawiamy jutro, bez zbędnego towarzystwa?

– Bazyliszek wyczuwa, że czekam na odpowiedź – oświadczył doktor Zauber. – On również czuje własną śmiertelność.

– Niech mi pan więc powie, w którym momencie się myliłem? Cóż takiego, czego nie mogę zrobić sam, powinniśmy zrobić razem?

– Chodzi o energię życia – odparł doktor Zauber. – Wszystkie te stwory żywią się energią życia. Mają mityczne pochodzenie, musi pan to zrozumieć. Są legendami, egzystującymi w połowie drogi pomiędzy światem realnym i nierealnym. Ich pożywieniem nie może być mięso z uboju, zwyczajna padlina czy jakieś ziarna. Są zdolne trwać tylko dzięki duszom ludzi, którzy w nie wierzą, i dzięki wszelkim innym formom życia.

– Żywią się duszami? – zapytała Grace. – Co to dokładnie znaczy?

– Dokładnie to. Weźmy za przykład Doris Bellman. Fizycznie była bardzo blisko kresu swego naturalnego życia, jednak jej dusza była tak pełna energii jak u nastoletniej dziewczyny.

– Doprowadził pan więc do tego, że bazyliszek zabrał jej duszę? Tak mam to rozumieć?

– Bazyliszek potrzebuje pożywienia. Jeśli go nie otrzyma, umrze. A gdyby on umarł, umarłyby wraz z nim wszystkie komórki macierzyste. Niech pani tylko na niego popatrzy. Mimo że jest egzemplarzem bardzo nieudanym, on sam jeden może uratować życie tysięcy ludzi, którzy cierpią na poważne choroby degeneracyjne. Stwardnienie rozsiane, porażenie mózgowe. Czy nie sądzi panie, że w tej sytuacji dusza jednej starszej kobiety jest warta poświęcenia?

– Na miłość boską! – zawołała Grace. – Przecież nie może pan zabijać ludzi, żeby prowadzić badania medyczne. Tak postępowali jedynie naziści i Japończycy. Wiele osób jest nawet przekonanych, że w imię postępu medycyny nie można zabijać także zwierząt.

– Tak czy inaczej – odezwał się Nathan. – Jak się to odbywa? W jaki sposób można komuś odebrać duszę?

Bazyliszek zaczął się ślinić i skowyczeć i Nathan patrzył na niego z coraz większą niepewnością. Jego ślepia lśniły już jak reflektory samochodu; gdyby nie były zakryte, błyszczałyby oślepiająco. Nathan wziął do ręki lusterko.

– Jeśli zgodzi się pan przyjść tutaj i pracować ze mną, profesorze – powiedział doktor Zauber – zademonstruję to panu. Niełatwo byłoby to wyjaśnić słowami. W grę wchodzą bowiem, hmm... procedury, pamiętające czasy średniowiecza, czasy wielkich szamanów, głównie *táltos* z Węgier.

– *Táltos*? Do diabła, kim oni byli?

– Byli kimś w rodzaju przewodników po świecie duchów. Ludźmi, którzy odnajdywali dusze innych żywych ludzi, które przypadkowo błądziły do świata umarłych, oraz dusze martwych, które plątały się po świecie żywych.

– Przecież to nonsens – powiedział Natan. – Nawet gdybym panu uwierzył, nie mógłbym się zgodzić na uśmiercanie ludzi, i to niezależnie od tego, ile osób można by dzięki temu uratować.

– A dlaczego miałby mi pan nie wierzyć? I to tutaj, przy bazyliszku, żywym, oddychającym dowodzie, że wszystko, o czym mówię, jest prawdą? Niech pan pamięta, że choć nieświadomie, uczestniczył pan jednak w jego tworzeniu. Bez pana, bez pańskich badań, ten bazyliszek nigdy by nie powstał. – Doktor Zauber klasnął w dłonie i dodał: – Brawo, profesorze. Pański gryf zdechł, ale bazyliszek wciąż żyje!

Nathan znowu wyciągnął pistolet.

– Dość tego, doktorze Zauber. Jeżeli to jest jedyny sposób, by uratować mój program badawczy, nie chcę mieć z tym nic wspólnego.

– Ostrzegam pana, profesorze, niech pan odłoży broń. To naprawdę nie jest konieczne.

Nathan trochę się cofnął i wycelował pistolet w głowę bazyliszka. Objął Grace ramieniem i przyciągnął do siebie.

– Idziemy stąd, doktorze Zauber.

– Naprawdę? A jak już stąd wyjdziecie, co zrobicie?

– Dowie się pan w swoim czasie.

Doktor Zauber niespodziewanie się przesunął, tak że broń była teraz wymierzona prosto w jego serce.

– Nie wyjdziecie stąd, profesorze. Nie wyjdziecie, dopóki nie zgodzi się pan mi pomóc. Nie ma takiej możliwości.

– Brednie. Idziemy stąd.

– Istota, która stoi za mną, to całe życie, pańskie i moje. Jest ucieleśnieniem sensu pańskich studiów, pracy, walki o fundusze. Bazyliszek to pan, profesorze. Dlaczego więc chce go pan opuścić? Przecież to niemożliwe, żeby pan sobie spokojnie od niego odszedł. *Das ist total unmöglich*.

– A w jaki sposób pan mnie powstrzyma? Zadzwoni pan na policję, każe nas aresztować?

– Być może. Ale możliwe też, że stanie się coś prostszego i straszniejszego. Być może stwór pożre swojego stwórcę.

– Tak? I co wtedy panu zostanie? Jeden zdeformowany bazyliszek i żadnych pomysłów, co począć dalej.

– *Sie können nicht mit mir wie dem sprachen! Ohne mich würde es kein Geschöpf geben! Vor ohne mich würden Sie Jahren, vor Ihnen begannen sogar beendet worden sein!* – Doktor Zauber aż się trząsł ze złości. – Beze mnie będzie pan nikim. Wybór należy jednak do pana. Sława i dobrobyt, i miejsce w historii biologii. Albo zapomnienie – przetłumaczył.

– Chodź, Nate – powiedziała Grace. – Idziemy już.

– Nie! – krzyknął doktor Zauber. Postąpił krok do przodu, by ją chwycić.

Nathan odepchnął go, tak mocno, że doktor padł na ścianę i niemal się przewrócił.

– Nie słyszałeś, co powiedziała moja żona? Idziemy.

– Nie możecie! Nie możecie! Musicie ze mną współpracować.

Nathan pchnął go po raz kolejny, jeszcze mocniej.

– Doktorze Zauber, czy jest pan tak tępy, że nie rozumie po angielsku? Odpowiedź jest odmowna. Nigdy!

– Żądacie nigdy! Prosicie o nigdy?

Doktor Zauber uniósł szpicrutę i z furią trzasnął nią w warstwę tkanin okrywających głowę bazyliszka. Bazyliszek syknął i warknął. Zaczął energicznie kręcić łbem, tak że tkaniny opadły mu na ramiona. Światło z jego oczu natychmiast zalało cały korytarz. W tym oślepiającym blasku Nathan nie widział nic poza jaskrawą bielą, jakby patrzył prosto w lampę łukową.

Natychmiast pomyślał o Grace. Miał nadzieję, że w porę odwróciła wzrok, że nic się jej nie stało. Uniósł lusterko na wysokość oczu, aby je osłonić, rzucił się w bok, złapał żonę za ramię i mocno przyciągnął do siebie. Przycisnął jej twarz do swojej klatki piersiowej i trzykrotnie wystrzelił w kierunku światła. Broń miała o wiele mocniejszy odrzut, niż przypuszczał. Odniósł wrażenie, że ktoś trzykrotnie uderzył go w rękę młotkiem. Ale trafił w bazyliszka przynajmniej jednym pociskiem, ponieważ usłyszał gardłowy wrzask i niemal natychmiast blask bijący z oczu potwora zaczął przygasać.

– Co pan zrobił?! – krzyknął doktor Zauber. – Co pan zrobił! Czy pan oszalał? *Ein verrücktes!*

Nathan już się jednak nie interesował doktorem Zauberem. Teraz obchodziła go jedynie Grace. Przywarła do niego i wisiała na jego ramionach bezwładnie jak marionetka.

– Grace! – krzyknął. – Grace!

– Mój bazyliszek jest ranny! Postrzelił go pan! – wrzasnął z kolei Zauber.

W krzyżujących się promieniach latarek Nathan zobaczył, że doktor klęczy na podłodze. W pośpiechu, chaotycznie rozsuwał szmaty okrywające ciało stwora. Na ścianie za bazyliszkiem widoczna była ogromna plama krwi w kształcie znaku zapytania.

– Grace – powiedział nagląco do żony. – Grace, kochanie, chodź, musimy uciekać. – Zaświecił jej latarką w twarz i stwierdził, że jest trupio blada. Jej zielonoszare oczy były szeroko otwarte, ale patrzyły w pustkę. Odwrócił się do Zaubera. – Zabiłeś ją! – krzyknął. – Zabiłeś moją żonę! Ty i to twoje pieprzone monstrum! Zabiłeś ją!

Zauber wyprostował się. Dłonie miał czerwone od krwi.

– Czyje monstrum? Moje? Nasze monstrum, profesorze, twoje i moje!

Nathan nie miał czasu na kłótnie. Podniósł Grace i wyminąwszy doktora Zaubera, zaczął się wycofywać.

– Musi pan wrócić, profesorze! Musi pan wrócić! Bazyliszek jest ciężko ranny!

Nathan jednak nawet się nie obejrzał. Biegł korytarzem, choć kolana uginały mu się pod ciężarem Grace.

– Grace, nic ci nie będzie, kochanie, nie umrzesz. Nikt nie odbierze ci duszy, na pewno nie dzisiejszej nocy.

Tuż przy schodach spotkał pielęgniarza o ogolonej czaszce i siostrę, którzy zmierzali w przeciwnym kierunku.

– Zadzwońcie na dziewięćset jedenaście! – zawołał do nich.

– Hej, co się dzieje? – chciał wiedzieć pielęgniarz. – Słyszeliśmy strzały! Kim ty jesteś, facet, i co tutaj robisz? A to kto?

– Dzwoń na dziewięćset jedenaście! – powtórzył Nathan.

– Ale...

– Dziewięćset jedenaście!

Pielęgniarz sięgnął do kieszeni fartucha, jednak po chwili wyciągnął z niej pustą rękę.

– Moja komórka... Zostawiłem ją w biurze.

– Weź moją. Mam ją w lewej kieszeni. Pośpiesz się, na miłość boską!

Pielęgniarz ruszył po schodach w kierunku Nathana, jednak za jego plecami na półpiętrze ukazał się doktor Zauber. Na jego widok pielęgniarz zawahał się i zrobił kilka kroków do tyłu.

– Nie, nie – powiedział doktor Zauber. – Dzwoń na telefon alarmowy, ale proś o policję, nie o pomoc medyczną! Tych dwoje włamało się do nas. To złodzieje!

Nathan odwrócił się. Doktor Zauber patrzył na niego z wściekłością, czoło miał zmarszczone, jego ciemne oczy lśniły. Można było odnieść wrażenie, że on również pragnie wzrokiem odbierać ludziom dusze.

Nathan mógł teraz zrobić tylko jedno. I to właśnie zrobił. Natarł na pielęgniarza i siostrę, wyminął ich i zbiegł po schodach tak szybko, jak tylko mógł. Potknął się, jednak w porę zdołał się chwycić poręczy. Na dole mocniej chwycił bezwładne ciało Grace. Dzięki Bogu nie była bardzo ciężka.

Ciężko dysząc, ruszył korytarzem na parterze. Kiedy wybiegł zza rogu, niespodziewanie zobaczył w drzwiach „Michaela Dukakisa". Jego włosy sterczały na wszystkie strony, jakby był zjawą w gabinecie strachów.

– Co się dzieje? – zapytał. – Czy mój samochód już przyjechał? Nie możemy się spóźnić.

Nathan zignorował go i biegł dalej. Kiedy dotarł do tylnych drzwi, z trudem je otworzył i wybiegł z budynku, nie zatrzymując się, mimo że się potykał ze zmęczenia, a serce biło mu jak oszalałe. Zanim przebiegł przez ulicę, odwrócił głowę, żeby zobaczyć, czy nikt go nie ściga. Było pusto.

Gorączkowo zaczął szukać w kieszeni kluczyków do samochodu, jednocześnie przemawiając do Grace błagalnym tonem:

– Grace! Grace, czy mnie słyszysz? Zaraz zabiorę cię do szpitala. Trzymaj się, kochanie, na pewno z tego wyjdziesz.

Otworzył samochód i ułożył Grace na tylnym siedzeniu. Była zupełnie bezwładna, jak po zażyciu wielkiej porcji narkotyków, oczy miała szeroko otwarte i w ogóle nie mrugała powiekami. Wyczuł tętnicę na jej szyi. Puls miała bardzo słaby, nie było jednak wątpliwości, że jej serce wciąż bije. Nathan pochylił się nad nią i poczuł na policzku jej oddech, jednak nawet gdy nią mocno potrząsnął, nie zareagowała.

– Tylko nie umieraj, zrób to dla mnie – powiedział do niej. – Jeżeli teraz umrzesz, przysięgam na Boga, że nigdy ci tego nie wybaczę.

Ani Zauberowi, pomyślał, wskakując na fotel kierowcy. Z piskiem opon ruszył spod budynku. W tym samym momencie zobaczył, że ogolony na łyso pielęgniarz staje w bramie i patrzy za odjeżdżającym samochodem, jakby chciał się upewnić, że na pewno ucieka, było jednak jasne, że nie zamierza go ścigać.

Należało jednak przyjąć, że doktor Zauber nie jest głupcem. Powinien wiedzieć, że Nathan z pewnością nie zadzwoni na policję. No bo co by im powiedział? Że doktor Zauber wyhodował mitycznego stwora, stwora, który nie istniał już od setek lat, i że ten stwór jednym spojrzeniem wywołał u Grace głęboki szok? Nawet gdyby ktoś mu uwierzył, doktor Zauber miał jeszcze dość czasu, żeby bazyliszka dobrze ukryć: na strychu, w piwnicy, a nawet w kanale ściekowym. No i zgodnie z prawem wolno mu było podejmować wszelkie środki, także drastyczne, żeby bronić siebie i swoich podopiecznych przed intruzami.

Nathan jechał do centrum miasta. Na skrzyżowaniu North Broad Street i Vine Expressway skręcił w kierunku

Hahnemann University Hospital. W nocy mógł dojechać do szpitala w niecałe dziesięć minut, a właśnie tam znajdował się najlepszy oddział ratunkowy w całej Filadelfii.

Od czasu do czasu odwracał głowę i spoglądał na Grace. Kobieta leżała na tylnym siedzeniu tak, jak ją ułożył. Szeroko otwartymi oczyma martwo spoglądała w przestrzeń.

Rozdział trzynasty

ŚPIĄCZKA

Jak w transie zaniósł Grace do szpitala. W izbie przyjęć paliło się mocne światło, wszystkie podłogi były wymalowane na biało i panowała niezwykła cisza. Przypominając sobie później te chwile, nie był w stanie dociec, czy rozmawiał z recepcjonistką normalnym tonem i co właściwie powiedział dwóm siostrom w lawendowych fartuchach, które ułożyły Grace na noszach i powiozły na Oddział Intensywnej Opieki Medycznej. Pamiętał jedynie, że powtarzał słowo „wstrząs".

– Wstrząs elektryczny? – zapytała go jedna z sióstr. Była bardzo spokojna, miała czarną skórę, skośne oczy i długi nos. Wyglądała właściwie jak Egipcjanka, przypominała mu wizerunek Nefretete.

– Nie, nie. Nic z tych rzeczy.

– Szok anafilaktyczny? Chodzi o jakąś alergię? Uczulenie na orzeszki?

– Nie. To raczej wstrząs neurologiczny. Uraz psychiczny.

– Co go spowodowało? Może nam pan powiedzieć?

– Stres. Nie wiem. Ona się po prostu przewróciła.

– Niech się pan postara zachować spokój. Proszę się nie martwić – powiedziała druga siostra. – Musimy przeprowadzić badania. Zmierzymy ciśnienie krwi i tętno. Zawołamy pana, kiedy będzie mógł ją pan zobaczyć.

– Tylko bądźcie ze mną szczerzy. Ona nie umrze, prawda?

Siostra o wyglądzie Egipcjanki położyła dłoń na jego ramieniu.

– Dobrze się nią zaopiekujemy. Obiecuję panu.

Przez kilka minut Nathan siedział pod drzwiami OIOM-u, ale był zbyt zdenerwowany, żeby tkwić w jednym miejscu. Popatrzył przez małe okienko w drzwiach i zobaczył, że siostry zajmują się Grace. Jedna z nich go zobaczyła i uniosła rękę, chcąc go upewnić, że wszystko jest pod kontrolą. Nathan wycofał się i usiadł. Po chwili jednak znowu wstał.

Minęło ponad dwadzieścia minut. W końcu na korytarz wyszła lekarka. Jej buty skrzypiały na wypolerowanej podłodze. Była to drobna kobieta o azjatyckiej urodzie. Włosy miała spięte z tyłu głowy dużą czerwoną emaliowaną spinką.

– Pan Underhill? Jestem doktor Ishikawa. Muszę panu zadać kilka pytań w związku ze stanem zdrowia pańskiej żony.

– Oczywiście.

– Może mi pan powiedzieć, co się właściwie stało? Czy był pan z żoną, kiedy doznała wstrząsu?

– Jechaliśmy do domu. Grace jęknęła, zachłysnęła się powietrzem i głowa jej opadła do przodu.

– Czym to mogło być spowodowane? Może pan podać jakiś prawdopodobny powód?

Nathan potrząsnął przecząco głową. Nienawidził kłamać, jednak nawet gdyby powiedział prawdę, w żaden sposób nie pomógłby Grace. W żadnym szpitalu na świecie, na żadnym oddziale nie pracował lekarz, który byłby przygotowany do leczenia urazu wywołanego spojrzeniem bazyliszka.

– Pana żona ma bardzo niskie ciśnienie krwi i wszystkie objawy arytmii serca – powiedziała doktor Ishikawa. – Czy już wcześniej miała kłopoty z sercem?

– Nie. Absolutnie nie. Grace jest okazem zdrowia. W końcu sama jest lekarzem. Pracuje w Cherry Hill.

– Cierpi na jakieś alergie?

– Jest uczulona na małże. A ostatnio na pewno ich nie jadła.

– Cóż, panie Underhill, będziemy musieli przeprowadzić jeszcze dodatkowe badania, w tym EKG. Jeśli chce pan zostać przez ten czas w szpitalu, proszę przejść do poczekalni po drugiej stronie holu. Jest tam ekspres do kawy i można używać telefonów komórkowych. Zawołamy pana, jak tylko będziemy dysponowali jakimiś nowymi informacjami.

– Dziękuję. Błagam, niech pani ratuje moją żonę!

Nathan musiał wyjść na świeże powietrze, mimo że na zewnątrz było cieplej niż w pomieszczeniach szpitala. Musiał patrzeć na niebo, pójść tam, gdzie panuje hałas, gdzie jego uszy wypełnią głośne dźwięki. Wyszedł na North Broad Street i postanowił zatelefonować do Denvera.

Znowu zaczęło padać, lekko, łagodnie, ale to wystarczyło, by chodniki błyszczały wilgocią. Światła ulicznych lamp odbijały się w nich jaskrawo. Można było odnieść wrażenie, że pod powierzchnią ulicy kryje się jakieś zatopione miasto, które już nigdy nie wypłynie na wierzch.

Nathan zadzwonił do domu i czekał ze słuchawką przy uchu przez ponad trzy minuty, jednak Denver nie odpowiadał. Pewnie znowu wypił o jedno piwo za dużo i zasnął. Spróbował połączyć się z jego telefonem komórkowym; w końcu Denver mógł się obudzić, zauważyć, że rodzice gdzieś wyjechali, i wyjść z domu. Jego telefon był jednak wyłączony.

Wrócił do szpitala. W poczekalni przy oddziale ratunkowym siedziała siedemnastoletnia dziewczyna w ubraniu zbryzganym krwią i z opatrunkiem nad lewym okiem. Siedziała w kącie i drżała niczym mały piesek, który właśnie dostał lanie od swojego pana.

Kiedy doktor Ishikawa pojawiła się w poczekalni, na dworze od dawna było już jasno. Drżąca dziewczyna zniknęła. Nathan wstał. Czuł się jak ofiara ciężkiego wypadku samochodowego – zdezorientowany i poobijany.

– Co z nią? – zapytał. – Obudziła się?

– Wciąż jest nieprzytomna – odpowiedziała doktor Ishikawa. – Niedługo zabierzemy ją na inny oddział, na dalszą obserwację. Nadal występują zaburzenia w pracy serca, skurcze są zbyt długie i zbyt silne. Do tej pory jednak nie zdołaliśmy poznać ich przyczyny.

– Mogę ją zobaczyć?

– Oczywiście. Proszę za mną.

Lekarka poprowadziła Nathana na Oddział Intensywnej Opieki Medycznej. Grace leżała z zamkniętymi oczami, podłączona do urządzenia monitorującego pracę serca. Jeszcze nigdy nie widział jej takiej bladej. Wyglądała jak trup albo jak figura z wosku. Nathan dotknął jej dłoni. Była przeraźliwie zimna.

– Bardzo mi przykro, panie Underhill – powiedziała doktor Ishikawa – ale nie potrafię określić jak długo pańska małżonka będzie w śpiączce. Możliwe, że odzyska świadomość w ciągu kilku godzin. W każdym razie, cokolwiek się wydarzy, może pan być pewien, że zapewnimy jej najlepszą opiekę.

Nathan pochylił się i pocałował zimne usta żony.

– Grace – wyszeptał.

Czuł się winien tego, co się z nią stało. Przecież wiedział, że bazyliszek jest potwornie niebezpieczny. Dlaczego nalegał, by go zobaczyć, dlaczego się zgodził, żeby Grace pojechała do Murdstone razem z nim? Przecież to tak, jakby wrzucił ją do dołu pełnego czarnych mamb i przyjmował zakłady, że żadna z nich jej nie ukąsi.

– Jest pan absolutnie pewien, że nie może nam udzielić żadnych dodatkowych informacji? – zapytała lekarka. – Nawet najdrobniejsza wskazówka może się dla nas okazać bardzo ważna. Czy pańska żona nie skarżyła się na coś? Nie narzekała na przykład na ból w klatce piersiowej?

– Nie – powtórzył po raz kolejny Nathan, mimo że zdawał sobie sprawę, iż kobieta patrzy na niego tak, jakby podejrzewała, że coś ukrywa. W końcu była lekarką na oddziale ratunkowym i z pewnością spotkała się już z setkami przypadków przemocy, z wieloma tragediami i zwykłymi aktami głupoty.

Po chwili do pomieszczenia wszedł pielęgniarz i zaczął pchać łóżko z Grace w kierunku drzwi, a potem do windy, która miała ją zawieźć na oddział diagnostyczny piętro wyżej. Nathan chciał ruszyć za nim, gdy niespodziewanie zadzwonił jego telefon.

– Tato? Tato? Tu Denver. Do diabła, gdzie jesteś?

– W mieście, w szpitalu Hahnemanna, na oddziale ratunkowym. Mama miała wypadek.

– Co? Jaki wypadek? Coś poważnego?

– Lekarze nie są pewni. Możliwe, że doszło do ataku serca. Teraz przechodzi badania.

– Ale wyzdrowieje, prawda?

– Modlę się o to. Jest nieprzytomna. Dzwoniłem do ciebie przez większość nocy, ale nie odbierałeś telefonu.

– Nie miałem głowy do telefonów. Bryce Evans poczęstował mnie jakąś tanią tequilą. Ale wypiłem bardzo mało, przysięgam.

– Nic mnie to teraz nie obchodzi, Denver. Martwię się o mamę. Może byś tu przyjechał? Weź taksówkę.

– Jasne, tato.

Po chwili Nathan zadzwonił do Richarda Scrymana, ale ten nie odbierał telefonu. Może było zbyt wcześnie, a może Richard rozmawiał już z doktorem Zauberem i wiedział, co się wydarzyło w nocy w Murdstone? A może się ukrywał?

Zadzwonił do Murdstone. Czekał dobrą minutę, zanim ktoś podniósł słuchawkę. Usłyszał podejrzliwy głos kobiety.

– Dom Spokojnej Starości Murdstone. O co chodzi?

– Muszę rozmawiać z doktorem Zauberem.

– Doktora Zaubera nie ma.

– A gdzie mógłbym go złapać?

– Nie wiem. Tu go nie ma.

– Rozumiem. Ma pani numer jego telefonu komórkowego?

– Nie.

– A może wie pani, kiedy doktor wróci?

– Nie.

– Proszę pani... to jest bardzo ważne. To może być sprawa życia i śmierci.

– Doktora Zaubera nie ma.

Nathan zrezygnował i przerwał połączenie. Musiał jednak porozmawiać z doktorem Zauberem. Nie obchodziło go, czy Zauber stanie przed sądem za to, co się stało z Doris Bellman, za kradzież wyników jego badań czy za coś innego. Musiał się tylko dowiedzieć, co powinien zrobić, żeby uratować Grace. Była w śpiączce, owszem. Jednak w przeciwieństwie do Doris Bellman i jej papugi, Grace nie umarła. W każdym razie jeszcze nie teraz.

Bazyliszek patrzył na nią jedynie przez ułamek sekundy. Grace to wytrzymała, nadal oddychała, nadal wyczuwalny był jej puls. Musiał istnieć jakiś sposób, żeby przywrócić ją do normalnego życia. Ten sposób prawdopodobnie znał doktor Zauber.

Po raz pierwszy od dnia, w którym rozpoczął realizację programu kryptozoologicznego Nathan z przerażeniem czuł, że sytuacja go przerasta, że jego wiedza jest niewystarczająca. Od czasu do czasu zdarzało mu się to na konferencjach naukowych, kiedy spotykał światowej sławy naukowców i podziwiał ich wybitny intelekt. Tacy ludzie potrafili całymi godzinami mówić językiem czystej nauki. Rozprawiali o adaptacji genetycznej, o nowych sposobach produkowania żywności, o perspektywie rozwoju planety i jej szansach na przetrwanie. Jego własna praca nad odrodzeniem mitycznych stworów mieściła się, owszem, w granicach biologii, a jednak Nathanowi zdarzały się chwile, gdy odnosił wrażenie, iż to towarzystwo właściwie go nie akceptuje.

Na korytarzu pojawiła się pielęgniarka.

– Stan pańskiej żony jest stabilny, panie Underhill. Na razie ani się nie poprawia, ani nie pogarsza. Doktor Ishikawa jest jednak optymistką co do możliwości jej wyzdrowienia.

– Zrobiliście tomografię komputerową?

– Tak... i wyniki są całkowicie w normie. Nie stwierdziliśmy guzów mózgu, żadnych obrzęków ani uszkodzeń mózgu.

– A serce?

– Wciąż nas niepokoi. Podajemy leki, które mają unormować tętno.

– Rozumiem.

Nathan złapał się na tym, że zaczął myśleć o Grace raczej jako o układzie mięśni, nerwów i naczyń krwionośnych, które należało usprawnić, niż jako o kobiecie, którą przecież kochał ponad wszystko.

Czterdzieści pięć minut później przyjechał Denver w czarnej bluzie z kapturem. Miał napuchnięte oczy i wyglądał na bardzo zmęczonego.

Na moment padli sobie w ramiona. Coś takiego nie zdarzyło im się od pięciu lat, od dnia śmierci ojca Nathana.

– Co z mamą? – zapytał Denver. – Jest już przytomna?

– Nie, jeszcze nie. Jej serce bije bardzo nieregularnie i spadło ciśnienie krwi. Wszystkie inne wyniki są w normie.

– Co się więc stało? Dokąd wy właściwie pojechaliście? I tylko mi nie mów, że znowu chcieliście oglądać księżyc, bo ci nie uwierzę.

Nathan ciężko westchnął.

– Nie, nie oglądaliśmy księżyca. Obiecuję, że powiem ci prawdę, ale ty mi obiecaj, że nie zaczniesz szaleć.

Denver popatrzył na ojca przymrużonymi oczyma.

– Inaczej mówiąc, zamierzasz mi powiedzieć coś bardzo, bardzo dziwacznego, w co pewnie ci nie uwierzę.

– Jeśli zamierzasz mi nie wierzyć, niczego ci nie powiem.

– Musisz. Teraz jest już za późno, żebyś mógł milczeć. Nie możesz wymagać ode mnie obietnicy, że nie będę wariować, a potem się ze wszystkiego wycofywać. Przez to mogę się okazać jeszcze większym niedowiarkiem.

– Dajmy temu spokój. Teraz potrzebna mi twoja pomoc i dojrzałość. Nic mi po aroganckim, zapatrzonym w siebie dzieciaku, któremu się zdaje, że pozjadał wszystkie rozumy.

Denver wskazał na drzwi oddziału diagnostycznego.

– Tam jest moja mama, jeśli umknęło to twojej uwagi. Moja mama! Zadzwoniłeś do mnie i powiedziałeś, że miała atak serca, a teraz nie chcesz mi powiedzieć, jak do tego doszło, bo się boisz, że się zdenerwuję. Przecież już jestem dostatecznie zdenerwowany!

– Nerwy i złość nic tu nie pomogą, Denver. Jeśli zamierzasz się nad sobą rozczulać, to dopiero wtedy, kiedy twoja matka wyzdrowieje. Wtedy będziesz mógł dać swoim nerwom upust, nawet w jej obecności. Możesz łazić na czworakach i gryźć dywan, jeżeli będziesz miał na to ochotę. W tej chwili jednak musisz się opanować, ponieważ tego, co się wydarzyło ostatniej nocy, już nie da się cofnąć. Możemy zminimalizować tego skutki, jeśli podejdziemy do sprawy spokojnie, racjonalnie i będziemy współpracować. Jak ojciec i syn. Zrozumiałeś?

Denver ściągnął z głowy kaptur i przetarł dłonią twarz. Boże, pomyślał Nathan, jaki on jest podobny do Grace.

– Dobrze, tato – powiedział. – Wygrałeś. Powiedz mi wreszcie to, co powinienem usłyszeć.

Powoli, ostrożnie, przyciszonym głosem, Nathan wszystko mu opowiedział. Powiedział mu o śmierci Doris Bellman, o swoich dwóch nocnych koszmarach z bazyliszkiem i o potajemnych wizytach, jakie razem z Grace złożyli w Murdstone. Kiedy skończył, Denver wyprostował się na krześle i przez chwilę siedział bez ruchu, zasłaniając dłonią usta.

– No i to wszystko – dodał Nathan. – Oto, co się wydarzyło. Możliwe, że powinienem był opowiedzieć ci o tym wcześniej, ale odnosiłem wrażenie, że w najmniejszym stopniu nie jesteś zainteresowany moimi badaniami. W gruncie rzeczy byłeś do nich wrogo nastawiony.

– Jezu, wiedziałeś, jak niebezpieczny jest ten potwór z Murdstone, i mimo wszystko zgodziłeś się, żeby mama poszła tam z tobą?

– Mama zna Murdstone jak własną kieszeń, a poza tym upierała się, by pójść tam ze mną. Za nic w świecie nie chciała się zgodzić, żebym poszedł sam. Czasami ludzie podejmują ryzyko dla spraw, w które wierzą, a twoja mama zawsze wierzyła we mnie i w to, co robię, z całego serca.

– Naprawdę? A miała kiedykolwiek jakiś wybór?

– Ona jest lekarzem, Denver. Przez siedem dni w tygodniu stara się leczyć ludzi chorych na Alzheimera, stwardnienie rozsiane i mnóstwo innych chorób, na które do dnia dzisiejszego nikt nie wynalazł lekarstwa. Czasami płacze z bezsilności. Ona naprawdę wie, jak ważny dla medycyny jest mój projekt.

– Jezu – powtórzył Denver. – Jeżeli mama umrze, to i tak będzie twoja wina. I nigdy ci tego nie wybaczę. Przenigdy. Musisz to wiedzieć.

– Cóż, uczynię wszystko, co w mojej mocy, żeby nie umarła. Na razie jednak muszę porozmawiać z doktorem Zauberem. Proszę cię, żebyś został w szpitalu, i na bieżąco informował mnie o stanie mamy. Ja tymczasem będę go szukał.

– Naprawdę sądzisz, że mamie pomoże jakieś magiczne lekarstwo?

– Uważam, że doktor Zauber doskonale wie, co się stało mamie, a skoro wie, być może potrafi to cofnąć. W tym cała nasza nadzieja.

Denver przez długą chwilę milczał. Wreszcie pokiwał głową.

– Dobrze. Zrobimy to dla mamy. Ale ty też będziesz do mnie dzwonił i informował mnie, co robisz. Taki jest mój warunek.

– Dobrze. Obiecuję.

Nathan wyszedł ze szpitala i pojechał na zachód Vine Street, w kierunku ogrodu zoologicznego. Na drodze panował duży ruch, ale przynajmniej przestał padać deszcz i na niebie niespodziewanie pojawiło się słońce. Rzeka Schuylkill błyszczała jak tafla porozbijanego szkła.

W laboratorium zastał Keirę i Tima. Sprzątali swoje stanowiska, pakowali książki, notatki i roślinki w doniczkach do kartonów.

– Uzupełniłam wszystkie statystyki, profesorze – powiedziała Keira. – Skopiowałam je dla pana na płytę DVD.

– Bardzo mi przykro z powodu wczorajszej nieusprawiedliwionej nieobecności – dodał Tim. – Zadzwonili do mnie z Wistar Institute i powiedzieli, że ktoś, kogo mieli przesłuchiwać w sprawie pracy przede mną, wycofał zgłoszenie, i mam się tam natychmiast stawić.

– W tych okolicznościach wybaczam ci – powiedział Nathan. – W każdym innym wypadku skopałbym ci tyłek. Czy któreś z was widziało już dzisiaj Richarda?

Oboje potrząsnęli przecząco głowami.

– Dobrze się pan czuje, profesorze? – zapytała Keira z niepokojem. – Odnoszę wrażenie, że ledwie się pan trzyma na nogach.

– Muszę porozmawiać z Richardem, i tyle.

Rano już kilka razy próbował dzwonić do Richarda na jego telefon komórkowy. Richard nie odbierał. Dzwonił także do Murdstone, jednak za każdym razem ze słuchawki słyszał tylko nagranie powitalne i jakąś spokojną muzykę kwartetu smyczkowego.

– No cóż, dobrze – dodał. – Prawdopodobnie dzisiaj już

tu nie wrócę. Ale w tygodniu skontaktuję się z wami. Może się umówimy na jakiegoś pożegnalnego drinka?

– Czy stało się coś złego, profesorze? – zapytała Keira.

– Prawdę mówiąc, tak. Chodzi o Grace. Miała wypadek i jest w szpitalu.

– Niemożliwe! Jaki wypadek? Czy to coś poważnego?

– Zemdlała i aż do tej chwili jest nieprzytomna. Przechodzi teraz szczegółowe badania.

– Ale wyzdrowieje?

– Oczywiście. Osobiście tego dopilnuję.

Keira podeszła do Nathana i objęła go.

– Gdyby pan czegoś potrzebował, czegokolwiek, proszę mi tylko powiedzieć.

– Dzięki, Keiro. Poinformuję cię, kiedy stan Grace się poprawi. – Nathan rozejrzał się po laboratorium. Większość drogiego sprzętu była już zdemontowana, poznikały notatki poprzypinane do tablic korkowych. – Teraz, kiedy się to wszystko skończyło, możecie mówić do mnie Nathan.

Pomyślał o tym, żeby wrócić do domu i wziąć prysznic, jednak bliżej miał do Millbourne. Dotarł do Domu Spokojnej Starości Murdstone i tym razem zatrzymał samochód przed główną bramą. Jeszcze raz zadzwonił na numer centrali, chcąc się upewnić, czy doktora Zaubera na pewno nie ma na miejscu, ale usłyszał jedynie nagranie: „Dom Spokojnej Starości Murdstone. Żałujemy, ale w tej chwili nikt z nas nie może osobiście podnieść słuchawki, uprzejmie prosimy zatem o pozostawienie wiadomości. Państwa telefon wiele dla nas znaczy".

– Zauber – wycedził Nathan. – Mówi Nathan Underhill. Zadzwoń do mnie, ty draniu.

Wszedł przez bramę na teren posiadłości. Wciągnął nosem powietrze. Był pewien, że czuje w powietrzu zapach spalenizny. Być może ktoś w okolicy palił suche liście. Sąsiedzi Nathana często to robili i wtedy czuć było dym, szczególnie wtedy, kiedy wiatr wiał w kierunku jego domu.

Wyszedłszy za róg budynku, zobaczył wóz Richarda Scrymana, zaparkowany na tyłach, niedaleko pomieszczeń dla personelu. Za kierownicą siedział nie kto inny, jak Richard, we własnej osobie. Rozmawiał przez telefon komórkowy i kiwał głową.

Richard nie zauważył Nathana do chwili, aż stanął przy drzwiach auta i mocno zapukał w szybę. Wtedy Richard aż podskoczył i upuścił telefon. Nathan otworzył drzwi i chwyciwszy Richarda za klapy marynarki, wywlókł go z samochodu.

– Wiesz, co się stało z moją żoną? – zapytał.

Richard dość niezdarnie próbował się uwolnić. Nie miał jednak szans, bo Nathan, trzymając go mocno, przybliżył twarz do jego twarzy tak, że dzieliło ich zaledwie kilka centymetrów.

– Wiesz, co się stało z moją żoną? – powtórzył. – Jest w szpitalu, w śpiączce, przez ciebie, doktora Zaubera i waszego cholernego bazyliszka!

– Bardzo mi przykro – wyjąkał Richard. – Naprawdę bardzo mi przykro.

– Sprzedałeś mnie, ty mały gnoju. Przez te wszystkie lata ufałem ci, a ty co? Za plecami mnie sprzedawałeś.

– Przepraszam! Ale pan by się nigdy nie zgodził na współpracę z doktorem Zauberem.

– Masz cholerną rację, nigdy bym się nie zgodził. W którym to rozdziale etyki lekarskiej zezwala się na zabijanie starszych ludzi? To niedozwolone, niezależnie od tego, jakie można by dzięki temu leczyć choroby!

– Ale to jest jedyny sposób! Każde mityczne stworzenie trzeba karmić ludzką energią życiową, bo w przeciwnym wypadku zginie! A my wykorzystywaliśmy tylko ludzi, którzy najlepsze lata mieli już za sobą.

– To bardzo szlachetne z waszej strony, że nie zabijaliście młodych.

– To był jedyny sposób! Na miłość boską! Czy pan myśli, że dla nas to nie był problem?

Nathan pchnął go na samochód z taką siłą, że aż wgniótł blachę w drzwiach.

– Problem, powiadasz? Jestem pewien, że Doris Bellman byłaby teraz znacznie spokojniejsza, gdyby wiedziała, że mieliście z tym problem.

– Profesorze, niech pan posłucha...

– Niczego nie będę słuchał, Richard. Jesteś śmierdzącym szczurem i brzydzę się tobą. Właściwie jesteś czymś gorszym niż szczur, jesteś gnojem niespełna rozumu. Myślisz, że ty i doktor Zauber macie jakieś boskie prawo, żeby decydować o tym, kto będzie żył, a kto będzie stanowił pokarm dla bazyliszka?

– Być może nie – odparł Richard. – Ale być może też próbujemy postępować jak istoty ludzkie. Gdyby z jednej strony miał pan pięcioletnie dziecko z porażeniem mózgowym, a z drugiej strony dziewięćdziesięciodziewięcioletnią kobietę, która nie odróżnia gruszek od bananów, czyje życie by pan wybrał?

– Szczęśliwie dla mnie, nie mam pięcioletniego dziecka z porażeniem mózgowym. Ale mam żonę, która z powodu tego waszego potwora jest teraz w śpiączce, i jestem bardzo ciekaw, kto i w jaki sposób ją z niej wybudzi.

– Nie wiem. Przepraszam. Po prostu nie wiem. Gdybym wiedział, niech mi pan wierzy, powiedziałbym panu. Ale może doktor Zauber to wie?

– A gdzie on jest?

– Tego też nie wiem. Dziś w nocy zadzwonił do mnie i powiedział, co się wydarzyło. Potem już nie miałem z nim żadnego kontaktu. To dlatego tutaj przyjechałem.

– Wiesz co, Richard? Powiem ci to wprost. Jeszcze nikt mnie tak nie zdradził jak ty.

– Nie rozumie pan, że sam nie miał pan żadnej szansy? Nigdy by pan nie osiągnął sukcesu. Żadne ze stworzeń, które usiłował pan wskrzesić, nie mogło żyć! Nie rozumie pan tego?

– Dlaczego, do diabła, nie powiedziałeś mi wcześniej?

– Bo nie mogłem. Boby mnie pan w ogóle nie słuchał. Jeden Bóg wie, profesorze, jak bardzo chciałem, żeby ten gryf wykluł się z jaja. Zrobiłem wszystko, co było w mojej mocy. Nawet pan sobie nie wyobraża, jak bardzo pragnąłem pojechać do doktora Zaubera i mu powiedzieć: zapomnij o wszystkim, człowieku, profesor Underhill właśnie wyhodował żywego gryfa. Już nie musimy zabijać ludzi.

Nathan odwrócił się. Nie wiedział, co powiedzieć. Niemal wszyscy wielcy naukowcy w historii musieli przecież podejmować decyzje na granicy życia i śmierci. Taki Oppenheimer i bomba atomowa. Wtedy trzeba było zabić dwieście tysięcy osób, po to żeby nieporównanie większa liczba ludzi mogła żyć w pokoju. Czy jedno życie warte jest innego? A jeśli tak, to czyjego?

– Przepraszam – powiedział Richard. – Wszystko poszło w złą stronę. Powinienem być z panem szczery, profesorze, a nie byłem. W zamian za informacje o pańskich badaniach kryptozoologicznych doktor Zauber dawał mi pieniądze, ale musi mi pan uwierzyć, to wcale nie chodziło o forsę. Ponad wszystko chciałem, żeby któryś z tych stworów przeżył. I tak się stało. Zobaczyłem to na własne oczy.

– No dobrze – westchnął Nathan. – Ale teraz znajdźmy razem doktora Zaubera. Nie ucieknie nam.

– To raczej nie wchodzi w grę. Ja mam zamiar stąd wyjechać i o tym wszystkim zapomnieć.

Nathan wyciągnął zza paska pistolet i wycelował prosto w nos Richarda. Wylot lufy znalazł się tak blisko, że mógł poczuć zapach oleju do czyszczenia broni.

– Nic z tego, Richardzie. Teraz pójdziesz ze mną. Wejdziemy do budynku, a jeśli doktora Zaubera naprawdę tam nie ma, wyśledzimy go razem, gdziekolwiek jest.

– Profesorze... – Richard podniósł ręce.

– Co?

– Przestraszył mnie pan. Boję się.

– To wspaniale, Richardzie. O to mi właśnie chodziło.

Szarpnął Scrymana za ramię i pchnął go w kierunku tylnych drzwi budynku.

– Otwieraj.

W tym momencie Richard powiedział:

– Dym, profesorze. Czuje pan dym?

– Otwieraj te cholerne drzwi, jasne?

Richard jednak nie ustępował.

– Czuję dym, profesorze. Przysięgam. I co to za hałas?

Nathan kilkakrotnie pociągnął nosem. Richard miał rację. W powietrzu unosił się odór spalenizny. Z pewnością nie był to zapach dymu z palonych liści. Nie był to też zapach dymu z ogniska, rozwiewanego nad ulicami przez poranny wiatr. To był ciężki, trujący dym, tak jakby ktoś palił plastik. Towarzyszył mu świst, jakby ktoś wciągał powietrze przez zęby.

– Na miłość boską – powiedział Richard. – Ten budynek się pali!

Rozdział trzynasty

PIEKŁO

Ledwie Richard umilkł, obaj z Nathanem usłyszeli jakby ostrą kanonadę, coś pękło tuż nad ich głowami i poleciały na nich kawałki szkła. Cofnęli się i popatrzyli w górę. We wszystkich oknach na pierwszym piętrze szyby pękały z głośnym hukiem. Minęło kilka sekund i sześć czy siedem okien w prawej części budynku po prostu eksplodowało. Leciały z nich fragmenty framug i podarte firanki. Z otworów zaczął się wydobywać dym

Nathan szybko wystukał na komórce numer telefonu alarmowego.

– Straż pożarna? W Millbourne, w Domu Spokojnej Starości Murdstone wybuchł poważny pożar. Będzie potrzebna pomoc medyczna. W środku znajdują się starsi ludzie, przynajmniej trzydzieści osób.

– Niech pan patrzy, co się dzieje! – zawołał Richard.

Na drugim piętrze eksplodowały kolejne okna, po chwili wybuch nastąpił na trzecim. Kłęby szarego dymu unosiły się także z siedmiu kominów budynku. Dom Spokojnej Starości Murdstone wyglądał w tej chwili jak płonący sterowiec *Hindenburg*.

– Richard! – zawołał Nathan przy akompaniamencie kolejnych eksplozji. Na murach widać już było pomarańczowe jęzory ognia. – Wchodzę do środka!

– Co?

– Wchodzę do środka! Muszę sprawdzić, czy jest tam Zauber!

– Pan jest szalony! Przecież tam jest aż gęsto od dymu!

– Ale Zauber to jedyna osoba, która może wybudzić Grace ze śpiączki!

– To wcale nie jest takie pewne! Jezu... prawdopodobnie pan wie znacznie więcej o bazyliszkach niż on.

– Muszę zaryzykować.

Nathan otworzył tylne drzwi budynku. Korytarz wypełniony był dymem, jednak był on jeszcze na tyle rzadki, że nie musiał iść zupełnie po omacku. Zdjął z wieszaka jeden z białych fartuchów i włożył go na siebie. W kieszeni znalazł jakąś chustę, którą zasłonił nos i usta.

Richard złapał go za rękaw.

– Nie może pan tam wchodzić, profesorze! To zbyt niebezpieczne!

– Nie mam wyboru!

– A kto będzie kontynuował badania, jeśli pan zginie?

– Myślisz, że mnie to teraz obchodzi? Cholera, Richard, masz na tym punkcie jeszcze większą obsesję niż ja!

Nathan wyrwał się i ruszył korytarzem.

– Bardzo pana przepraszam, profesorze! Naprawdę bardzo przepraszam! – wołał za nim Richard, rozkładając bezradnie ręce.

Otworzył drzwi do pokoju personelu. Nikogo tam nie było, chociaż telewizor był włączony. Idąc korytarzem, otwierał drzwi każdego pomieszczenia. Minął magazyn z pościelą, pusty pokój, bez zasłon na oknach, z jednym jedynym pustym łóżkiem na środku, toaletę dla personelu.

Dym z każdą chwilą stawał się gęściejszy – oczy Nathana zaczęły łzawić, nie przestawał kaszleć. Na moment zsunął chustę z twarzy i zawołał:

– Zauber! Doktorze Zauber! Jest pan tam?

Nikt mu nie odpowiedział. Słyszał jedynie trzask ognia z wyższych pięter i odgłosy szyb pękających od gorąca.

Dotarł do pokoju, w którym jeszcze niedawno mieszkała Doris Bellman, i otworzył drzwi. Najwyraźniej wprowadził się już do niego nowy pensjonariusz – na stoliku, który wcześniej zajmowała klatka z kakadu, stały teraz porcelanowe figurki. Na ścianie wisiała duża fotografia rodzinna. Ludzie na zdjęciu uśmiechali się do Nathana przez dym.

W pierwszej chwili pomyślał, że łóżko jest puste, ponieważ widział jedynie skłębioną różową pościel. Zaraz jednak dostrzegł na poduszce siwe włosy. Szybko odrzucił kołdrę i zawołał:

– Proszę pani! Proszę pani! Musi się pani obudzić! Wybuchł pożar!

Kobieta w łóżku nawet się nie poruszyła. Miała dobrze ponad osiemdziesiąt lat, wysokie kości policzkowe, haczykowaty nos i skórę upstrzoną wielkimi pieprzykami w kolorze kawy. Ubrana była w zielony sweterek robiony na drutach.

– Proszę pani! – powtórzył Nathan. Złapał kobietę za kościste ramię i potrząsnął. Kobieta mogła być odurzona lekarstwami, głucha, martwa albo wszystko naraz. – Proszę pani, musi się pani stąd wydostać. Cały budynek się pali. – Pochylił się nad nią i przysunął policzek blisko jej ust. Nie wyczuł jej oddechu. – Kobieto, wstawaj!

Kaszląc, przytknął palce do szyi kobiety i trzymał przez chwilę, ale nie wyczuł tętna. Teraz był już zupełnie pewien, że kobieta nie żyje.

Wyprostował się. Nie miał wyboru, musiał ją zostawić. Wybiegł z pokoju i zamknął za sobą drzwi.

– Doktorze Zauber! – krzyknął. – Niech się pan odezwie!

Wciąż nie słyszał odpowiedzi, a tymczasem pożar rozszalał się na dobre, niczym wielka bestia o nieposkromionym apetycie, która pożera wszystko, co stanie jej na drodze. W korytarzu unosiło się coraz więcej gryzącego dymu.

Nathan otworzył kolejne drzwi i zapalił światło. Na łóżku leżał wychudzony starszy mężczyzna, ubrany w nocną koszulę w niebieskie paski. Obie dłonie miał złączone i ułożone na piersiach, jakby się modlił. Jasnoniebieskie oczy miał otwarte, podobnie jak niemal zupełnie bezzębne usta. Na nocnym stoliku stała oprawiona w mosiężne ramki sepiowa fotografia młodego człowieka w mundurze marynarki wojennej. W tle widoczna była sylwetka okrętu.

Również jego Nathan pozostawił swojemu losowi. Gorączkowo zadawał sobie pytanie, co się tutaj właściwie wydarzyło. W pokojach pensjonariuszy było stosunkowo mało dymu, tak że nie mógł on spowodować śmierci tych ludzi, nawet jeśli byli staruszkami o słabych płucach.

Kaszląc, zdołał wejść po schodach na pierwsze piętro. Tam dym był tak gęsty, że musiał iść niemal na czworakach. W ten sposób dotarł do pierwszych drzwi i sięgnął ku klamce. Była bardzo gorąca, uznał jednak, że nie ma wyboru. Szarpnął za nią i mocno pchnął drzwi.

Z pomieszczenia buchnęła na niego fala rozpalonego powietrza i Nathan instynktownie osłonił twarz rękami. Firany i łóżko stały w ogniu. Można było odnieść wrażenie, że łóżko jest po prostu stosem pogrzebowym. Leżały na nim zwłoki kobiety o popalonej twarzy. Było za późno na ratunek. Nathan zrozumiał, że nikomu już nie zdoła pomóc. Także Zauberowi. Nawet jeśli tu był, zapewne zginął w płomieniach, podobnie jak bazyliszek. A jednak jakoś nie chciał wierzyć, że doktor mógł się posunąć do samobójstwa; to nie był ten typ człowieka. Na pewno nie marzył o tym, by jak wagnerowski bohater zginąć w ogniu płonącym na jego cześć.

Popędził na parter i dalej do wyjścia. Dym był już tak gęsty, że Nathan nie mógł w ogóle oddychać. Zbliżając się do drzwi, usłyszał krzyki Richarda:

– Zostań tam! Zostań! Jedzie straż pożarna!

Nathan wybiegł na zewnątrz, zerwał z twarzy chustę i łowił powietrze szeroko otwartymi ustami. Dopiero wtedy popatrzył na Richarda. Ten stał w pewnej odległości od niego i patrzył w górę, na dach.

– Zostań tam! – powtarzał. – Słychać syreny! To już nie potrwa długo!

Nathan podążył wzrokiem ku miejscu, w które wpatrywał się Richard. Na samym skraju parapetu jednego z okien na drugim piętrze stał „Michael Dukakis" w żółtej pidżamie. Ręce miał szeroko rozłożone, jakby błogosławił cały świat. Jego potargane siwe włosy rozwiewał wiatr.

– Widziałem bestię! – krzyknął.

– Niech pan poczeka! – zawołał Nathan. – Zaraz pana ściągniemy!

– Widziałem bestię! Wielką czarną bestię! Widziałem, jaki chodzi od jednego pokoju do drugiego! Widziałem piorun strzelający z jej ślepiów! Wiem, czego chciała. Niosła nam wszystkim śmierć!

– Michael! – krzyczał Nathan. – Michael, niech się pan nie rusza. Zaraz przyjadą strażacy z drabiną!

Rozkaszlał się i wypluł flegmę, czarną od dymu i sadzy. Richard chciał poklepać go po plecach, ale Nathan mu nie pozwolił.

Tamten cofnął się z uniesionymi rękami.

– Przepraszam, profesorze. Już mówiłem, jak bardzo mi przykro.

– Na co mi twoje przeprosiny? To wszystko – wskazał ręką płonący budynek – to twoja wina! I jeszcze masz czelność mnie przepraszać?

– Na miłość boską! To nie ja wywołałem pożar!

W tym momencie w oknie drugiego piętra rozległ się przeraźliwy krzyk. Spojrzeli w górę i zobaczyli, że płomienie zaatakowały postać „Michaela Dukakisa". Płonęły jego siwe włosy, dwa wielkie słupy ognia unosiły się, niczym skrzydła anioła, z jego pleców.

– Cholera jasna – zaklął Richard.

Niestety, nie mogli już nic zrobić. Pozostawało im patrzeć, jak staruszek umiera. Wciąż stał na parapecie. Wielu innych na jego miejscu już by wyskoczyło z okna, wybierając szybką śmierć zamiast tych strasznych mąk. Być może jednak „Michael Dukakis" myślał, że ogień to ostatnia kara, jaką zesłał na niego Bóg, i cierpliwie ją znosił, ponieważ uważał, że na nią zasłużył.

W końcu jednak starzec spadł, uderzając w asfalt z głuchym łoskotem. Jego nieruchome ciało nadal płonęło.

Z wyciem syren i sygnałami klaksonów pod dom starców zajechały trzy wozy straży pożarnej. Zaraz za nimi zjawiły się cztery biało-czerwone ambulanse. Nathan i Richard wycofali się, patrząc, jak strażacy rozwijają węże, a ekipy ratunkowe przygotowują nosze i inny sprzęt.

Po kilku minutach część strażaków już polewała budynek wodą, inni, w ognioodpornych kombinezonach i maskach tlenowych, wkraczali do płonącego budynku. W powietrzu unosiły się kropelki wody niczym jesienna mżawka.

Szefowa ekipy medycznej podeszła do Nathana. Za jej plecami stanął też dowódca strażaków. Ratowniczka była niską i krępą Afroamerykanką. Strażak był postawnym mężczyzną z rudymi włosami i sumiastymi siwymi wąsami.

– Proszę pana – odezwała się kobieta. – To pan dzwonił na numer alarmowy?

Nathan pokiwał głową i zakaszlał.

– Orientuje się pan, ile osób jest jeszcze w środku? – zapytał z kolei strażak.

– Nie jestem pewien. Wbiegłem tam, ale dotarłem jedynie do pierwszego piętra. Niedawno jednak doktor Zauber mówił mi, że w ośrodku przebywa trzydzieści osiem osób, sami staruszkowie. Nie wiem, jak liczny jest personel. Wiem o co najmniej pięciu osobach. Oprócz doktora Zaubera jest to siostra Bennett, dwie pielęgniarki z Korei i jeszcze jeden pielęgniarz, Amerykanin. Ale jest ich pewnie więcej.

Szef strażaków odwrócił się i powiedział coś szybko do nadajnika radiowego. Przez chwilę słuchał niewyraźnej odpowiedzi, po czym znowu odezwał się do Nathana.

– Orientuje się pan, czy ktoś jeszcze żyje? Czy słyszał pan wołanie o pomoc?

Nathan potrząsnął przecząco głową i wskazał w kierunku „Michaela Dukakisa", którego zwłoki były już przykryte srebrnym kocem tłumiącym ogień.

– Tylko jego, gdy stał na parapecie. Kiedy wbiegłem do budynku, otworzyłem drzwi trzech pokoi, dwóch na parterze i jednego na pierwszym piętrze. Na parterze znalazłem kobietę i mężczyznę. Oboje nie żyli. Nie żyła też kobieta na pierwszym piętrze...

Szef strażaków wyciągnął z kieszeni notes i długopis.

– Zechce mi pan podać swoje nazwisko?

– Nathan Underhill. Jestem profesorem zoologii w Filadelfijskim Ogrodzie Zoologicznym.

– Słucham?

– Zoologii. Prowadzimy badania nad komórkami macierzystymi.

– Mogę zapytać, co pan tutaj robił?

– Przyszedłem, żeby porozmawiać z doktorem Zauberem. Jest właścicielem tego ośrodka. A właściwie może nie jest właścicielem, ale nim kieruje. Albo kierował. Chciałem go poprosić o kilka informacji związanych z moją pracą naukową.

– Sądzi pan, że on jest jeszcze w środku?

– Naprawdę nie wiem. Ale raczej wątpię.

– Tak? Dlaczego?

– Właściwie nie mam żadnego dowodu. Być może doktor Zauber był w środku i zginął w płomieniach. Ale jakoś nie wyobrażam sobie doktora Zaubera jako człowieka, który postanowił zakończyć życie w płonącym domu spokojnej starości.

– Co to znaczy?

– To znaczy, że nie mam pojęcia, czy on jest w środku, czy go tam nie ma. Przypuszczam jednak, że on żyje.

Strażak zadał Nathanowi jeszcze z dziesięć pytań. Większość z nich dotyczyła tego, co widział, kiedy wszedł do płonącego budynku. Gdzie ogień płonął najgwałtowniej? W którą stronę kierował się dym? Które drzwi były otwarte, a które zamknięte? Czy wyczuł zapach benzyny albo kerozyny? Czy słychać było sygnały alarmu przeciwpożarowego?

– Nie. Mogę powiedzieć z całą pewnością, że nie słyszałem żadnych sygnałów alarmowych – odrzekł Nathan.

Strażak podszedł z kolei do Richarda i Nathanem zajęła się szefowa zespołu medycznego.

– Dobrze się pan czuje? – zapytała.

– Tak, w porządku. Trochę mi trudno oddychać, ale to nic.

– Mimo wszystko musimy pana zbadać. Wdychanie dymu może spowodować poważne choroby gardła i płuc, a nawet może doprowadzić do śmiertelnego zatrucia.

– Czuję się doskonale. Nic mi nie będzie.

– Tak pan myśli? Jeszcze nie słyszałam, aby ktoś czuł się doskonale po wyjściu z płonącego budynku, ani pod względem fizycznym, ani psychicznym. Zechce pan więc podejść razem ze mną do ambulansu i poddać się badaniu.

Nathan się zawahał, ale po kilku sekundach skinął głową. Był skrajnie zmęczony, wręcz wykończony, i zrozumiał, że w tej chwili powinien pozwolić tej kobiecie, żeby się nim zaopiekowała.

– Widziałam w telewizji film dokumentalny o badaniach komórek macierzystych – powiedziała kobieta, kiedy szli w stronę karetki. – Czy to nie polega na hodowaniu ludzkich płodów z kurzych jajek? Albo na czymś takim?

– Tak, właśnie na czymś takim – odparł Nathan i spróbował się uśmiechnąć.

Usiadł na tylnych schodach ambulansu. Dwaj sanitariusze pomogli mu zdjąć fartuch, a potem zaświecili mu latarką do gardła i do nosa.

– Nałykał się pan sadzy – powiedział sanitariusz. – Szczęśliwie jednak nie ma pan żadnych poparzeń wewnętrznych.

Wytarł twarz Nathana papierowym ręcznikiem i założył mu maskę tlenową. Drugi zmierzył mu tętno i ciśnienie krwi.

– Chyba rzeczywiście nic się panu nie stało. Ale na razie niech pan sobie tutaj posiedzi. Z pewnością przeżył pan szok, który może się ujawnić dopiero po pewnym czasie, chyba pan rozumie? Może pana dopaść w chwili, kiedy będzie się pan tego najmniej spodziewał.

Nathan wyobraził sobie Grace z twarzą białą jak wosk, leżącą na intensywnej terapii i pomyślał ze złością: nie musisz mi mówić, człowieku, co się dzieje ze zszokowanymi ludźmi. Sanitariusz był jednak nastawiony bardzo przyjaźnie, a Nathan potrzebował kogoś, kto chociaż trochę przejmie się jego stanem.

Nadal siedział na stopniach ambulansu, kiedy usłyszał kobiecy głos.

– Hej, kogo ja widzę! To nasz profesor od smoczych jaj!

Odwrócił się i zobaczył Patti Laquelle w puszystej czerwonej kurtce i lśniących czerwonych butach. Kilka kroków za nią szedł apatyczny młody człowiek z długimi włosami uczesanymi w koński ogon, ubrany w granatowy polar. Żuł gumę. W ręce trzymał kamerę wideo marki Sony.

– Profesorze! – zawołała Patti. – Co pan tutaj robi? Nic się panu nie stało? Jerry, to niewiarygodne, ale to jest właśnie profesor Underhill, który starał się wyhodować te wszystkie średniowieczne smoki i w ogóle.

Jerry wzruszył ramionami, jakby ta informacja nic a nic go nie obchodziła. Nadal beznamiętnie żuł gumę i rozglądał się dookoła.

– Zamierzałem tu kogoś odwiedzić, ale gdy przyjechałem, budynek już płonął. Chciałem ratować ludzi, ale było już za późno.

– Ile w sumie osób zginęło? Wie pan?

– Nie mam pojęcia. Będziecie musieli zapytać strażaków albo policjantów.

– Mogę przeprowadzić z panem wywiad? To nie zajmie dużo czasu.

– Nie... – Nathan wstał i odłożył maskę tlenową. – Moja żona nie czuje się zbyt dobrze. Jest w szpitalu. Muszę do niej jechać.

– Bardzo mi przykro – powiedziała Patti. – Mam nadzieję, że to nic poważnego. Może zadzwonię do pana później.

– Tak. Może.

Sanitariusze już się nie interesowali Nathanem, mieli inne zajęcie. W płonącym budynku osunęła się bowiem ściana i dwaj strażacy odnieśli obrażenia. Wszyscy dookoła krzyczeli, warczały pompy, a strumienie wody z szumem spływały po murach budynku.

Richard stał niedaleko, zupełnie sam. Posłał Nathanowi krótkie zalęknione spojrzenie i przez chwilę Nathan myślał, że znowu zacznie go przepraszać. Szybko odwrócił wzrok. W tej chwili był pewien, że nigdy nie wybaczy Richardowi zdrady i tego, co zrobił wspólnie z doktorem Zauberem. Wrócił do samochodu, wziął telefon komórkowy i zadzwonił do Denvera, który nadal był w szpitalu.

– Denver? Tu tata. Są jakieś wiadomości o mamie?

– Jakieś dziesięć minut temu rozmawiałem z pielęgniarką. Stan mamy się nie poprawia ani nie pogarsza. Tato, przyjedziesz tutaj?

– Denver, poczekaj jeszcze pół godziny, dobrze? Muszę tylko wziąć prysznic i się przebrać.

Nie powiedział mu dlaczego. Denver miał teraz dosyć innych zmartwień.

– Dobrze, tato. Ale pospiesz się, okej?

Nathan popatrzył na budynek. Od frontu cały był wypalony, ocalał jedynie portyk z gargulcem. Nathan wiedział, że zanim podejmie jakieś działania, musi sprawdzić, czy doktor Zauber przeżył pożar. Tylko on znał sposób, w jaki bazyliszki odbierają ludziom energię życiową i czy istnieje jakakolwiek możliwość odwrócenia tego procesu.

Wyciągnął zza paska pistolet i schował go w skrytce w samochodzie. Leżało tam lusterko – to, które zebrał z domu w nadziei, że dzięki niemu odwróci zabójcze spojrzenie bazyliszka. Miał właśnie zamknąć skrytkę, kiedy zauważył, że tył lusterka mieni się wszystkimi kolorami tęczy, jak każdy metal, kiedy się go podgrzeje. Wyciągnął lusterko, odwrócił je i popatrzył. Szkło było czarne.

Może lusterko w krytycznej chwili jednak zadziałało, przynajmniej częściowo? Może odwróciło chociaż część zabójczego spojrzenia bazyliszka i to dzięki temu Grace straciła przytomność, lecz przeżyła?

Siedząc za kierownicą, Nathan przez długą chwilę wpatrywał się w czarną taflę lusterka. Widział w niej swoje odbicie, również czarne. Wyglądał jak duch, odnosił jednak wrażenie, że widzi w tym odbiciu coś więcej niż tylko siebie. Odnosił wrażenie, że zaczyna widzieć drogę do rozwiązania problemu.

Ze wszystkich źródeł na temat bazyliszków, które dotąd przeczytał, wynikało, że lustra są niezbędne, aby „odwrócić ku bestii jej nieskończone zło i tym samym ją zniszczyć". Jednak nawet najbardziej szczegółowe opisy nie wspominały o odwracaniu skutków tego, co znalazło swoje odbicie w lustrze. A można by przypuszczać, że efekt ten mógł być tak uderzający, że znalazłaby się o tym chociaż jedna wzmianka.

Wrzucił lusterko do schowka i uruchomił silnik samochodu. Jeszcze nigdy w życiu nie był tak samotny, tak kompletnie zagubiony. Czuł się tak, jakby znalazł się na przedmieściach jakiegoś zupełnie obcego miasta i nie miał pojęcia, dokąd jechać. Lecz jednocześnie jeszcze nigdy nie czuł tak wielkiej determinacji. Musiał znaleźć doktora Zaubera, i wiedział, że go znajdzie, jeżeli tylko leżało to w zasięgu ludzkich możliwości. A potem obudzi Grace.

Poranny wiatr unosił nad ulicą czarne kłęby dymu. Przez chwilę Nathan widział w tym dymie jakąś straszną karykaturę bazyliszka – wielkiego, przygarbionego, z rogami na głowie. Odegnał od siebie to dziwaczne wyobrażenie i ruszył samochodem w kierunku domu.

Rozdział czternasty

NOC ŁOWCÓW

Wrócił do szpitala kwadrans po drugiej. Denver czekał na niego na schodach. Sprawiał wrażenie zmęczonego i roztrzęsionego.

– Jakaś zmiana? – zapytał Nathan.

Denver pokręcił przecząco głową.

– Pielęgniarka powiedziała, że jej mózg zachowuje się jak zawieszony komputer. Rozumiesz, kiedy nie odpowiada program. Wszystko jest w środku, mózg nie jest uszkodzony. Ale to wszystko. Jakby potrzebował hasła, żeby się odblokować. Ale hasła nikt nie zna.

Nathan otoczył syna ramieniem.

– Dotrzemy do tego hasła, obiecuję ci.

Chłopak zmarszczył czoło.

– Masz głęboką ranę na policzku, tato. Co ci się stało?

– Pojechałem do Murdstone. Cały cholerny budynek spłonął. Wyglądało tak, jakby go ktoś celowo podpalił.

– Żartujesz?

– Ani trochę. Wbiegłem do środka, żeby sprawdzić, czy ktoś tam jeszcze żyje, ale było już tak gorąco, że daleko nie dotarłem. Zatelefonowałem po straż pożarną i po pogotowie. Właśnie dlatego musiałem pojechać do domu i się przebrać.

– Jezu. Coś się komuś stało?

– Tak. Jest wiele ofiar śmiertelnych.

– A ten, jak mu tam? Zauber? Był w budynku?

– Szukałem go tylko przez chwilę. Tam było jak w piekle.

– A jeśli on się spalił? Co teraz? Co się stanie z mamą?

– Denver, nie wierzę, że on był w środku. Facet jest przebiegły. I kocha życie. Taki koniec do niego nie pasuje.

– Jezu.

– Wiesz co? Najpierw pójdę do mamy, a potem porozmawiamy, dobrze?

– Nic ci nie jest?

Nathan popatrzył na syna. Miał oczy Grace.

– Nic mi się nie stało – zapewnił go i uścisnął jego ramię. – Ale cieszę się, że nie zostałem strażakiem.

Zostawił Denvera w poczekalni i wjechał na piętro, na OIOM, gdzie leżała Grace. Wciąż miała białą twarz, a kiedy wziął ją za rękę, poczuł, że jej palce są bardzo zimne, jakby przed chwilą wyjęto ją z lodowatej wody. Do pokoju weszła doktor Ishikawa z jakimiś dokumentami pod pachą.

– Ach, profesor Underhill! – Uśmiechnęła się. – Tak, pański syn mi powiedział, że jest pan profesorem.

– Niestety mimo to nie potrafię wyrwać mojej żony z tej śpiączki.

– W każdym razie powinien pan być optymistą. Trochę mnie martwi ciśnienie krwi, jest zbyt niskie, jednak ogólnie stan jest dobry.

– Ale co dalej?

– Po prostu musimy czekać. Powinien pan przy niej zostać, mówić do niej.

– Tak zrobię. Tylko jeszcze na chwilę wyjdę, żeby coś zjeść razem z synem.

– Polecam wegetariańską lasagne w naszej stołówce. Jest doskonała.

– Dziękuję, ale mój syn jada jedynie lasagne z Wendy's.

Pocałował Grace w chłodne, nieruchome usta i pogłaskał ją po włosach. Chciał powiedzieć: Daj spokój, Grace, przestań udawać, że jesteś nieprzytomna. Mam dość tej zabawy. Wiedział jednak, że tym razem to nie żarty.

Na zewnątrz czekali na niego dwaj mężczyźni w szarych płaszczach przeciwdeszczowych. Jeden z nich miał nastroszone białe włosy i perkaty nos, a drugi był wysokim mężczyzną o długiej twarzy i bardzo smutnych oczach.

– Profesor Underhill? Jestem detektyw Cremer, a to jest detektyw Crane.

– Naprawdę? W czym mogę panom pomóc?

– Był pan świadkiem pożaru Domu Spokojnej Starości Murdstone. Prawdę mówiąc, kilkoro świadków stwierdziło, że na miejscu pożaru zachował się pan bardzo dzielnie.

– Zrobiłem tylko to, co na moim miejscu uczyniłby każdy inny człowiek.

Detektyw Cremer kichnął i wytarł nos chusteczką.

– Chodzi o to, że mam już wstępny raport lekarski. Chciałbym panu zadać kilka pytań na temat tego, co pan widział w płonącym budynku.

– Widziałem martwych ludzi.

– Tak, proszę pana. Chciałbym jednak uzyskać nieco dokładniejsze informacje.

– Idę właśnie z synem do Wendy's; może pójdą panowie z nami?

Detektyw Cremer popatrzył na zegarek.

– Cóż, dlaczego nie. Chętnie wypiję filiżankę kawy.

W czwórkę ruszyli do Wendy's przy North Broad Street. Wybrali stolik przy oknie, zalanym strugami deszczu, i zamówili trzy kawy oraz tradycyjnego cheeseburgera dla Denvera. Nathan nie był głodny. Wydawało mu się, że nadal czuje w nozdrzach odór płonących ciał, mimo że zdawał sobie sprawę, iż to niemożliwe.

– Do tej pory natrafiliśmy na zwłoki dwudziestu sześciu osób – powiedział detektyw Cremer. – Oczywiście medycyna sądowa nie zdążyła jeszcze z sekcją zwłok, ale pobieżnie zbadali pięć czy sześć ciał. Interesujący jest fakt, że żadna z ofiar nie zatruła się dymem.

– Co chce pan przez to powiedzieć? – zapytał Nathan, jakby sam doskonale nie wiedział.

Skoro nie zatruli się dymem, nie wdychali go, kiedy szalał pożar, bo wówczas byli już martwi.

– Cóż, postawmy sprawę w ten sposób – odparł detektyw Cremer. – Na razie jest zbyt wcześnie, żeby wyciągać jakieś wnioski. Formalnie jeszcze nie zidentyfikowaliśmy zwłok. Ale chcielibyśmy już teraz wiedzieć, co pan zobaczył, kiedy pan wszedł do środka. Czy dym był już bardzo gęsty?

– Na parterze raczej nie. Na początku wszedłem do dwóch pokoi właśnie na parterze. Natrafiłem na kobietę i mężczyznę. Zobaczyłem, że oboje są martwi. Jednak dymu w ich pokojach było niewiele.

– Dostrzegł pan na zwłokach jakieś ślady urazów?

Nathan potrząsnął przecząco głową.

– Nie. Niczego takiego nie zauważyłem.

– Rozumiem, że potem udał się pan na pierwsze piętro?

– Chciałem, jednak tam było już zbyt dużo dymu i było zbyt gorąco. Otworzyłem tylko pierwsze drzwi na piętrze i wszedłem do pokoju, w którym leżała kobieta. Właściwie płonęła na swoim łóżku, jak na grillu. Trudno to inaczej określić.

Denver właśnie ugryzł cheeseburgera i popatrzył na Nathana z nieskrywanym niesmakiem. Szybko wziął ze stolika papierową chusteczkę, wypluł ugryziony kęs i odsunął od siebie tacę.

– Przepraszam, Denver – powiedział Nathan. – Powinienem był z tym poczekać, dopóki nie skończysz jeść.

– Wspaniale. Teraz się boisz, że zwymiotuję?

– Przepraszam cię, naprawdę. Detektyw pytał, co widziałem. Nie jestem ekspertem, ale uważam, że ogień wybuchł właśnie gdzieś na pierwszym piętrze.

– Sądzi pan, że ktoś mógł go celowo zaprószyć? – zapytał detektyw Crane. Smutny był nawet jego głos.

– Nie wiem. Pożar był bardzo gwałtowny i bardzo szybko się rozprzestrzeniał. Jak jednak powiedziałem, nie jestem ekspertem w tej dziedzinie.

Detektyw Cremer dopił kawę.

– Dobrze, profesorze. Prawdopodobnie będziemy musieli jeszcze z panem porozmawiać. Mam nadzieję, że nie ma pan nic przeciwko temu. A na razie dziękujemy.

Wskazał palcem na niedokończonego cheeseburgera leżącego przed Denverem.

– Nie pogniewasz się, jeśli go zjem, młody człowieku? Od rana nie miałem czasu na śniadanie.

– Proszę się częstować – odparł chłopak. – Danie prosto z grilla. A smakuje prawie jak z pieca krematoryjnego.

Nathan zawiózł Denvera z powrotem do West Mount Airy. Mimo że Grace rzadko bywała w domu przed osiemnastą lub dziewiętnastą – ze względu na wizyty domowe, które składała pacjentom przykutym do łóżek – teraz dom bez niej nagle wydawał się cichy, pusty i nawet jakoś dziwnie zakurzony. Drobiny kurzu unosiły się w promieniach słońca wpadających przez okna do salonu.

– Masz coś przeciwko temu, że zostanę dziś na noc u Stu? – zapytał Denver.

– Możesz u niego zostać, oczywiście. Ja i tak pojadę na noc do szpitala. Ale czy jego rodzice nie będą mieli nic przeciwko temu?

– Już go o to pytałem. Wszystko jest w porządku.

Nathan usiadł na taborecie w kuchni i otworzył puszkę piwa.

– Dobrze, idź więc do niego. Jeśli coś się wydarzy, zadzwonię do ciebie.

Denver podszedł do drzwi i na chwilę przystanął, jakby się wahał.

– Tato – odezwał się wreszcie. – Ja wiem, że to nie była twoja wina. No, może tylko w pewnej części. To była też wina mamy. Razem postanowiliście tam pojechać.

– Nie – odparł Nathan. – Winę ponoszę wyłącznie ja. Nie powinienem był pozwolić, żeby mama jechała ze mną.

Moim obowiązkiem było wybić jej to z głowy w tej samej chwili, w której o tym pomyślała. Decydowałem się na rzecz bardzo niebezpieczną i doskonale o tym wiedziałem.

– No tak, ale to cała mama. Zawsze skłonna do ryzyka. Pamiętasz, kiedy ostatnio zjeżdżaliśmy w Aspen na deskach snowboardowych? Zachowywała się jak szalona.

Nathan pokiwał głową.

– Nie martw się, Denver. Ona wyzdrowieje. Obiecuję ci.

Wczesnym wieczorem Nathan wrócił do szpitala i usiadł przy łóżku żony. Zabrał ze sobą ulubioną książkę Grace, liryczną powieść o profesorze amerykańskiego uniwersytetu przemierzającym Saharę.

Doktor Ishikawa poszła już do domu, wkrótce jednak przy łóżku pojawiła się młoda internistka o jasnych włosach i powiedziała Nathanowi, że stan Grace jest stabilny, że z wyników badań wynika, iż nie doszło do żadnych nieodwracalnych zmian. Należało się spodziewać, że w końcu Grace po prostu się obudzi.

Nathan ujął jej dłoń. Boże, jaka była zimna.

– Przepraszam, Grace – wyszeptał. – Nie wiem, co jeszcze mógłbym powiedzieć. Mam tylko nadzieję, że masz słodkie sny, a nie jakieś okropne koszmary.

Grace oddychała równomiernie i głęboko. Bez wątpienia coś jej się śniło, ponieważ jej gałki oczne poruszały się gwałtownie. Nie sposób było jednak odgadnąć, czy w swoim śnie Grace ścina róże w swoim ogrodzie, czy biega po korytarzach Murdstone, ścigana przez śmiertelnie niebezpiecznego bazyliszka.

Pielęgniarka przyniosła kawę i Nathan zaczął czytać książkę.

„W Maroku panuje wiosna i wzgórza wprost spływają potokami kolorów. Jedna góra jest błękitna, kolejna czerwona, a następna jasnożółta. Białe doliny poniżej wyglądają jak wielkie koronkowe fartuszki, pośród których cicho szumią wąskie strumienie. W powietrzu unosi się kuszący słodkawy zapach, jeszcze wspanialszy niż zapach miodu z kwiatów pomarańczy. Ten wszechobecny aromat przyprawia mnie o zawroty głowy".

Czytał przez prawie dwie godziny. W końcu zaschło mu w gardle. Zostawił na chwilę Grace i poszedł korytarzem w kierunku recepcji. Za kontuarem siedziały dwie pielęgniarki. Na jego widok obie uśmiechnęły się ze współczuciem.

– Potrzebuje pan czegoś, panie Underhill?

– Najlepszy byłby cud.

– Niech pan nam wierzy, panie Underhill, modlimy się o niego.

Siedział przy Grace, dopóki niebo nie zaczęło szarzeć i na ulicach za oknami nie zapaliły się lampy. Wtedy podeszła do niego jedna z pielęgniarek i powiedziała:

– Teraz umyjemy pańską żonę i zmienimy jej pościel. Może pan w tym czasie trochę odpocząć, przespać się. Nie chcemy, żeby i pan zachorował.

– Tak – odparł Nathan zmęczonym głosem. – To dobry pomysł.

Pojechał do domu. Ledwie przeszedł przez próg, usłyszał dzwonek telefonu. Wziął aparat i przeniósł go do salonu. Zanim podniósł słuchawkę, ciężko usiadł na kanapie i zrzucił buty.

– Profesor Underhill? Mówi detektyw Cremer. Jak się czuje pańska żona? Jest z nią lepiej?

– Jej stan jest stabilny, ale ciągle jest w śpiączce.

– Cóż, bardzo mi przykro, proszę pana. Mam nadzieję, że naprawdę szybko wróci do zdrowia. Proszę posłuchać, telefonuję do pana, ponieważ znamy już ostateczną liczbę ofiar pożaru w Murdstone. Zginęło dwadzieścia dziewięć osób. Dwadzieścia sześć osób spośród rezydentów i trzy osoby personelu. Niektóre ciała są spalone, ale wszystkie zdołaliśmy zidentyfikować.

– Co z doktorem Zauberem? Znaleźliście jego ciało?

– Nie, proszę pana. Nie było go w budynku. Nie znaleźliśmy go także w jego domu. Mamy jednak informację, że wyjechał w pośpiechu. Jeden z sąsiadów powiedział nam, że widział, jak doktor wychodził z walizką do samochodu, mniej więcej o godzinie szóstej trzydzieści rano. Przeszukaliśmy dom, jednak nie natrafiliśmy na żadne osobiste notatki ani dokumentację medyczną. W domu nie było też żadnych cennych rzeczy. W szafach były tylko ubrania i buty doktora Zaubera.

– A więc wyniósł się z domu?

– Wszystko na to wskazuje. Sprawdziliśmy środki transportu, z których mógł skorzystać. Samoloty, autobusy, pociągi, wypożyczalnie samochodów. Wreszcie godzinę temu odkryliśmy, że wyczarterował cessnę citation, na lotnisku w Brandywine. Odleciał stamtąd około dwunastej w południe. Jako cel podróży podał Montreal. Czekam właśnie na wiadomość od Kanadyjczyków; być może dowiem się czegoś.

Nathan poczuł nieprzyjemny chłód w żołądku. Chłód, który zwiastował uczucie porażki, utratę wszelkiej nadziei. Jeśli Zauberowi udało się uciec z kraju, tylko jeden Bóg wie, jak i gdzie można go teraz szukać. A może bezsensownym optymizmem była wiara, że doktor Zauber potrafi wyprowadzić Grace ze śpiączki? No ale jeśli ktokolwiek na świecie mógł tego dokonać, to jedynie on, i Nathan musiał zrobić wszystko, żeby tak właśnie się stało.

– Jeśli się dowiecie, dokąd ucieka, proszę do mnie zadzwonić, dobrze? – powiedział do policjanta.

– Oczywiście – odparł detektyw Cremer. – Aha, jeszcze jedno. Pożar w Murdstone został wywołany celowo; tę informację przekazała nam niedawno straż pożarna. Jednak w przeciwieństwie do typowych przypadków celowego zaprószenia ognia, strażacy nie natrafili na żadne środki łatwopalne, zwykle używane przez sprawców. Wygląda to tak, jakby ktoś chodził po całym pierwszym piętrze z wielką lampą lutowniczą i dotykał nią ścian, dywanów i innych łatwopalnych elementów wyposażenia.

– To raczej dziwny sposób wywoływania pożaru.

– Cóż, w tej sprawie trudno znaleźć choć jedną rzecz, która nie jest dziwna. Żadna z przebadanych dotychczas ofiar nie zatruła się dymem. Wszyscy byli martwi już na długo przed wybuchem pożaru. Także dwie siostry i pielęgniarz. Nikt do nich nie strzelał, nikt ich nie zadźgał nożem, nikt też nie walił ich po głowach tępym narzędziem. W ich układzie krwionośnym ani w żołądku nie ma też śladu trucizny, zatem nikt nie zatruł im czekoladek czy ciasteczek na przykład strychniną. Doprawdy nie wiem, jak można zabić dwadzieścia dziewięć osób, nie zostawiając żadnego śladu.

Na wątpliwości detektywa Cremera Nathan miał tylko jedną odpowiedź. Bazyliszek.

Wziął prysznic, a potem przygotował sobie kubek mocnej kawy i razowy tost z miodem. Ugryzł jednak tylko jeden kęs i zaraz wrzucił tost do kosza na śmieci. W ustach czuł suchość, a gardło miał ściśnięte z nerwów. W ogóle nie miał apetytu.

Był w stanie myśleć jedynie o Grace, leżącej bez czucia w szpitalnym łóżku, i o doktorze Zauberze. Zastanawiał się, gdzie on teraz jest i co zrobił z bazyliszkiem. Przecież raczej nie mógł go wziąć ze sobą, tym bardziej że wyjeżdżał z Filadelfii w biały dzień.

Zatelefonował do Denvera. Głos syna brzmiał tak, jakby chłopak miał zapchany nos. Denver był przygnębiony, ale już opuściła go złość. Razem ze Stu postanowili zostać w domu, żeby trochę ochłonąć i posłuchać muzyki. Obiecał, że wróci do domu na kolację.

– Nie mam ochoty na gotowanie – powiedział Nathan. –

Właściwie nawet nie mam apetytu. Ale mimo wszystko musimy coś jeść. Może pojedziemy do Trolley Car Diner na quesadillę?

– Okej, tato. To mi pasuje.

Nathan usiadł wygodnie na kanapie i zaczął czytać notatki i wykresy, które Keira przygotowała dla projektu gryfa. Prawie godzinę później notatki spadły mu z kolan na podłogę i to go obudziło. Początkowo nie wiedział, gdzie jest i co robi. Zaraz jednak wyprostował się i rozejrzał dokoła. W domu było niemal zupełnie cicho. Słychać było jedynie szum wiatru w gałęziach drzew. Na zewnątrz było ponuro, jakby zbierało się na burzę.

Pomyślał, że się ubierze i pojedzie do szpitala. Nie potrafił się skoncentrować na pracy. No i na razie nie mógł uczynić nic, żeby znaleźć doktora Zaubera. Najpierw powinien go dopaść detektyw Cremer.

Skierował się ku schodom na piętro, kiedy zadzwonił dzwonek przy drzwiach. Nathan mocniej przewiązał w pasie szlafrok i poszedł otworzyć. W progu stała Patti Laquelle ze współczującym uśmiechem na ustach.

– Słyszałam o pana żonie. Bardzo mi przykro.

– Dzięki. Właśnie zamierzam jechać do szpitala. Czego pani sobie życzy?

– Chciałam porozmawiać o tym, jak próbował pan ratować tych staruszków. Uważam, że zachował się pan bardzo dzielnie. Ale tak naprawdę to chciałabym się dowiedzieć, co pan tam robił i dlaczego wbiegł pan do płonącego budynku. Będę miała wspaniały tekst dla „Web".

– Naprawdę? „Profesorek od smoków śpieszy na ratunek"? O to pani chodzi?

– Jest pan zabawnym facetem, profesorze. W każdym znaczeniu tego słowa, jeśli pan się nie obrazi.

Nathan szerzej otworzył drzwi.

– Właściwie może pani wejść do środka. Proszę mi jedynie wybaczyć mój strój.

Patti przeszła przez próg.

– Widywałam już gorzej ubranych facetów. Pewien członek Rady Miasta otworzył mi kiedyś drzwi, ubrany jedynie w fartuszek kuchenny. Musiałby go pan zobaczyć, kiedy odwrócił się tyłem. A właściwie to nie powinien go pan wtedy widzieć. Miał naprawdę brzydki tyłek.

Nathan zaprowadził dziewczynę do salonu. Usiadła na poręczy jednego z foteli i wyciągnęła cyfrowy magnetofon.

– Bardzo mnie interesuje, czy znał pan któregoś z rezydentów tego domu spokojnej starości. Czy właśnie dlatego pan tam pojechał? Żeby kogoś odwiedzić?

– Czy zechciałaby pani jednak tego nie nagrywać? – zapytał Nathan. – Przynajmniej na razie.

Patti skrzywiła się z niechęcią, ale po chwili powiedziała:

– Dobrze. Pod warunkiem że potem udzieli mi pan wywiadu. Nie mogę stąd wyjść bez niczego.

– Szukałem doktora Zaubera, właściciela Murdstone.

– Naprawdę? I znalazł go pan?

– Doktor Zauber opuścił budynek, być może nawet na kilka minut przed moim przyjazdem. A poprzedniej nocy moja żona i ja byliśmy w Murdstone. Szukaliśmy tam czegoś specjalnego.

Nathan wstał, podszedł do półki z książkami i wrócił z egzemplarzem *Czarnej księgi*. Otworzył książkę i pokazał Patti drzeworyt przedstawiający bazyliszka.

– Nic nie rozumiem – powiedziała Patti. – Szukaliście tej książki?

– Nie książki, a tego, co jest na rysunku. W jednej trzeciej jaszczurki, w jednej trzeciej niedźwiedzia i w jednej trzeciej koguta. Bazyliszka, co po łacinie znaczy mniej więcej tyle co „mały król", ze względu na wystające z jego głowy rogi, przypominające poroże jelenia.

– Żartuje pan.

– Ani trochę. Chyba już pani wyjaśniałem, jakie mityczne hybrydy miałem zamiar wyhodować? Bazyliszek jest jedną z nich.

– A więc pan i pańska żona myśleliście, że w Domu Spokojnej Starości Murdstone przebywa bazyliszek? Nawet jeśli założymy, że taki stwór istnieje, co by tam robił?

Nathan opowiedział jej całą historię. O Richardzie, który kradł wyniki badań. O Doris Bellman, o jej kakadu i roślinach doniczkowych. Powiedział jej też, co się stało z Grace, kiedy doktor Zauber i jego bazyliszek dopadli ich na piętrze domu starców.

Kiedy skończył, Patti długo siedziała nieruchomo, z szeroko otwartymi ustami, nic nie mówiąc.

– Nie wierzy mi pani, prawda? – zapytał Nathan.

– Widziałam gryfa, którego chciał pan wyhodować; nie był podobny do niczego, co dane mi było oglądać wcześniej, nigdy. Widziałam owczarka niemieckiego, który się urodził z dwoma głowami, i gęś bez głowy, która biegała na farmie po podwórzu i znosiła jajka.

– A więc wierzy mi pani?

Patti podeszła do Nathana i szeroko rozłożyła ręce.

– Chcę panu wierzyć. A poza tym, czy pan sobie wyobraża, jaka to będzie historia dla „Web"? „Gdyby spojrzenie mogło zabijać!" Spójrzmy jednak prawdzie w oczy, profesorze. Gdybym chciała napisać o tym bazyliszku, mój wydawca by mnie w najlepszym wypadku wyśmiał. A w najgorszym by mnie zwolnił.

Nathan popatrzył jej prosto w oczy, starając się dociec, czy mówi poważnie.

– Patti... Powiedziałem prawdę. To wszystko, co tu mówiłem, naprawdę się wydarzyło. Wiem, że brzmi to nieprawdopodobnie i w żadnym wypadku nie nadaje się na artykuł. Ale mogłaby mi pani pomóc odnaleźć doktora Zaubera, prawda? Może pani spytać czytelników, czy go gdzieś widzieli albo czy wiedzą, dokąd się udał. Bardzo by mi pani pomogła.

– A co z moim wielkim artykułem o wstrząsających przygodach jajogłowego?

– Może napisze pani coś takiego: Właśnie mijałem Dom

Spokojnej Starości Murdstone, kiedy dostrzegłem dym w oknach na piętrze. Moja żona leczy kilkoro mieszkańców tego ośrodka, zatrzymałem więc samochód i pobiegłem tam, żeby zobaczyć, czy można kogoś uratować z pożaru. Niestety, dym i temperatura uniemożliwiły mi to, wybiegłem więc z budynku, nikogo nie ocaliwszy z pożogi. O tym mogłaby pani przecież napisać.

– A co z doktorem Zauberem?

– Policja filadelfijska chce go przepytać na okoliczność wybuchu tego pożaru.

– Podejrzewają, że sam podłożył ogień?

– Sama musi ich pani o to zapytać.

– Już pytałam. Nie chcą powiedzieć ani „tak", ani „nie". Nawet nie chcą powiedzieć „być może". Co pan o tym sądzi?

– Sądzę, że w tej chwili jestem bardzo zmartwiony i niesłychanie zmęczony, ale jeśli zechciałaby mi pani w czymkolwiek pomóc, będę dozgonnie wdzięczny, nawet nie wie pani jak bardzo.

Patti ujęła dłonie Nathana i mocno je uścisnęła, a potem niespodziewanie pocałowała go w czoło, jakby był jej ulubionym wujkiem.

– Zobaczę, co się da zrobić. Niczego nie obiecuję. Ale umowa jest taka, że będzie mnie pan informował o wszystkich wydarzeniach. O tych, które się nadają do publikacji, i o tych, które powinny pozostać między nami. Nawet jeśli będzie pan przekonany, że to totalne wariactwo. Tak jak to wszystko, o czym opowiedział mi pan dzisiaj.

– Dobrze, umowa stoi. W końcu muszę z kimś o tym rozmawiać, nie tylko z Denverem, bo inaczej zwariuję.

Patti wzięła ze stolika swoją torebkę i skierowała się ku drzwiom. Zanim je otworzyła, popatrzyła na Nathana i odezwała się:

– A co się stało z bazyliszkiem? Jakoś nie widzę możliwości, by doktor Zauber mógł przemycić coś takiego na pokład wyczarterowanego samolotu. Mam rację?

– Sam sobie zadaję to pytanie. Strzeliłem do bazyliszka i doktor krzyknął, że go trafiłem. Nie wiem, czy to prawda, a jeśli tak, to jak groźna jest jego rana. Może go zabiłem i Zauber już go pochował? A może sam go dobił i pozbył się ciała? Ale ma pani rację. Raczej nie zabrał go ze sobą do Montrealu.

– Jasne. Ale jeśli przyjdzie panu coś odkrywczego do głowy...

– Zadzwonię do pani. Proszę się nie martwić.

Patti otworzyła drzwi i zobaczyła Denvera. Zbliżał się do domu w wielkiej luźnej kurtce khaki i w przekrzywionej czapce.

– Hej, Denver! – zawołał Nathan. – Dobrze, że jesteś. Chcę, żebyś kogoś poznał.

Chłopak wszedł na werandę. Był blady i miał sine kręgi pod oczami, jakby już od dawna nie zmrużył oka.

– Patti, to jest mój syn, Denver. Denver, poznaj Patti Laquelle z „Philadelphia Web".

– Jak się macie? – zapytał Denver. Starał się okazywać obojętność, jednak po jego głosie Nathan się zorientował, że dziennikarka bardzo mu się spodobała.

– Dziękujemy, całkiem nieźle – odparła Patti. – Właśnie rozmawiałam z twoim tatą o różnych mrocznych zjawiskach.

– Naprawdę? Co on pani naopowiadał?

Patti popatrzyła na Nathana, jakby chciała go zapytać, ile można Denverowi powiedzieć.

– Wszystko – odezwał się profesor. – Nie widziałem powodu, żeby cokolwiek ukrywać. Patti napisze artykuł i poprosi czytelników o pomoc w odszukaniu Zaubera.

– Przynajmniej spróbuję – dodała Patti. – Wszystko zależy od mojego wydawcy. A to jest przesadnie skrupulatny sukinsyn.

– No tak. Dziękujemy – mruknął Denver.

– Ten bazyliszek to musi być naprawdę przerażający stwór – kontynuowała Patti.

– No jasne. Modlę się, żeby go nigdy nie spotkać.

– Ale możesz go sobie wyobrazić, prawda? Pomyśl, jaki będę miała temat na artykuł.

– Tato. – Denver popatrzył na Nathana. – Przyszedłem tylko, żeby zabrać MP3. Zostawiłem je w kuchni. Chciałem cię też poprosić, żebyś wypłacił mi już dzisiaj kieszonkowe na przyszły tydzień.

– Nie ma sprawy. Poczekaj chwilę.

Denver popatrzył na Patti z miną, jakby był zdziwiony natychmiastową zgodą Nathana. Zwykle w takich sytuacjach musiał go prosić o pieniądze całymi godzinami.

– Czego słuchasz? – zapytała Patti, kiedy Nathan wszedł do domu.

– Głównie metalu. Circle of Dead Children, Cattle Decapitation i Brujeria.

– Hej! – zawołała Patti. – To nadzwyczajne! Ja też tego słucham. Uwielbiam Soilent Green. Lubię te brudne tony z Południa.

Stali na werandzie i kiwali głowami jak dwie kaczki chłepczące wodę z kałuży, po kolei wymieniając tytuły ulubionych utworów. Nie musieli nic mówić: właściwie słyszeli tę muzykę w swoich głowach.

Nathan wrócił na werandę z odtwarzaczem i pięćdziesięcioma dolarami w ręce.

– Tylko nie wydawaj forsy na głupoty, dobrze? I chcę cię widzieć w domu jutro o wpół do siódmej rano.

Wraz z Patti patrzyli, jak Denver oddala się szybkim krokiem, rozbryzgując wodę na asfalcie.

– Wspaniały chłopak – powiedziała Patti. – Widać, że to pański syn.

Nathan długo milczał. Denver za bardzo przypominał mu Grace. Po chwili jednak położył dłoń na drobnym ramieniu Patti i powiedział:

– Dzięki. Później się z panią skontaktuję. I bardzo proszę, niech pani zrobi wszystko, żeby informacja o poszukiwaniu doktora Zaubera ukazała się w sieci, dobrze?

– Widzi pan, w przyszły wtorek miną trzy lata, jak straciłam matkę. Umarła na raka piersi. Przez ostatnie dni była w śpiączce, dlatego wiem, jak się pan teraz czuje. Do takich ludzi się przemawia, trzyma się ich za ręce, ale przez cały czas ma się świadomość, że odchodzą i już nigdy nie wrócą.

– Przysięgam, że Grace wróci – powiedział Nathan. – Nie spocznę, dopóki się nie dowiem, co ten cholerny bazyliszek z nią zrobił.

Rozdział piętnasty

GŁOS ZE ŚCIANY

Kiedy Patti wyszła, Nathan wrócił do szpitala. Niebo miało już kolor czarnego atramentu i padał rzęsisty deszcz. Zaparkował przed budynkiem i wjechał windą na oddział. Włosy miał mokre i sterczące. Trząsł się z zimna – emocjonalnego i fizycznego. Aż do tej pory nie pozwalał sobie o tym myśleć, teraz jednak zaczął się zastanawiać, co będzie, jeżeli Grace już nigdy nie odzyska przytomności. A on przecież nie potrafił sobie wyobrazić życia bez niej. Nate i Grace byli nierozłączną parą i za taką uważali ich przyjaciele i członkowie rodziny. Taką parą mieli być zawsze, rozłączyć ich mogła dopiero śmierć.

Grace leżała na łóżku, zimna i blada jak kilka godzin wcześniej. Jej skóra była niemal przejrzysta. Pielęgniarka o urodzie Egipcjanki mierzyła jej akurat ciśnienie krwi.

– Czuje się dobrze – powiedziała, dotykając ramienia Nathana dłonią o długich palcach, lecz dziwnie suchą, niczym doskonale wygarbowana skóra.

– Trochę przy niej posiedzę. Poczytam jej.

– Możecie nawet posłuchać muzyki, jeśli sądzi pan, że to jej pomoże.

Muzyki? Nathan wcale nie pałał chęcią do słuchania w szpitalu wszystkich tych piosenek, przy których tańczyli z Grace albo po prostu siedzieli przez wiele długich nocy, sącząc wino. Słuchali wtedy Van Morrisona, Donny Summer i Coldplay. I Johna Denvera. Grace uwielbiała *Sun-*

shine on My Shoulders Johna Denvera, ale ani ona, ani Nathan nigdy nie zdobyli się na to, aby powiedzieć synowi, że nadali mu imię na cześć piosenkarza.

Znów zaczął czytać na głos.

„Na Saharze są rośliny o ostrych wąsach, niczym zdradliwe stalowe pułapki, i inne, przypominające czarownice, wyrastające z ziemi, jakby zastygłe w niemym krzyku. Nie zaufałbym żadnej z tych roślin, nie zbliżyłbym się do nich nawet z litościwą kropelką wody".

Czas mijał. Zmieniały się pielęgniarki; jedne kończyły swoje dyżury, inne je zaczynały. Grace była pogrążona w śpiączce, a jej oczy wciąż poruszały się chaotycznie pod zamkniętymi powiekami. Nathan zamknął książkę i w ciszy długo wpatrywał się w żonę, w jej bladą dłoń... W końcu zasnął na siedząco.

Jeśli naprawdę tego chcesz, pozwolę ci mnie znaleźć – usłyszał głos, który rozległ się przerażająco blisko jego ucha.

Otworzył oczy. W szpitalnym pokoju oprócz niego i Grace nie było nikogo. Grace nawet się nie poruszyła. Z całą pewnością to nie ona wypowiedziała te słowa.

Przyśniło mi się, pomyślał. Cóż, od tak dawna nie przespałem całej nocy.

Masz coś pilniejszego do załatwienia, Nathan. Coś znacznie ważniejszego niż wyspanie się.

Wstał. W białej gipsowej ścianie na drzwiach, mniej więcej metr nad podłogą, ukazała się połowa ludzkiej twarzy. Widoczne było tylko jedno oko, zresztą zamknięte.

– To mi się tylko śni – powiedział głośno i zbliżył się do ściany.

Twarz nie zniknęła, a jedynie lekko się od niego odwróciła, jakby obraził jej właściciela.

– Co to ma być? – zawołał.

Bilokacja – odparła twarz. – *Dziwię się, że jeszcze o czymś takim nie słyszałeś. Przecież twój ojciec był takim utalentowanym medium.*

– Mój ojciec nigdy nie był medium. Potrafił przewidywać różne rzeczy, i to wszystko. Wyniki wyścigów konnych, pogodę... nic ważnego.

A kto mówi, że przepowiadanie przyszłości zawsze musi dotyczyć czegoś ważnego? Przepowiadanie przyszłości to zgadywanie, opierające się tylko na znanych faktach. Ale twój ojciec miał wielki dar ich interpretowania. To dlatego zawsze tak dobrze grał w karty.

– Ja śpię. Siedzę w szpitalu przy łóżku Grace. A gdzie ty jesteś?

Powiedziałbym ci, Nathan, ale pod pewnymi warunkami.

– O co ci chodzi? Pod jakimi warunkami?

Widzisz, to zależy od powodu, z jakiego mnie szukasz. Potrzebuję cię, chcę, żebyś ze mną współpracował. Potrzebuję twojej wiedzy i twojego doświadczenia.

– A ja potrzebuję ciebie, żebyś mi powiedział, jak wyrwać moją żonę ze śpiączki.

Istnieje na to sposób. Ale raczej nie chcę ci go ujawnić. A właściwie mam bardzo konkretne powody, żeby ci tego nie zdradzić.

– Jeżeli mi nie powiesz, uwierz mi, będę cię ścigał do utraty tchu. W końcu cię znajdę i zmuszę, żebyś ujawnił mi tę tajemnicę, nawet gdybym miał ci w tym celu odciąć jaja.

Cóż, bałem się, że tak zareagujesz. Ale jeśli zgodzisz się na współpracę ze mną i wyprodukujemy stwory, które obaj od zawsze chcieliśmy wyhodować... Wówczas zmienię zdanie i powiem ci, jak odzyskać Grace.

– Gdzie teraz jesteś, draniu?

Nie tutaj, Nathan. Nie istnieję w rzeczywistości. I jestem także twoim koszmarem.

Nathan usłyszał tuż za sobą jakieś sapanie i szuranie nogami. Odwrócił się i zobaczył wielkiego czarnego stwora, wypełniającego swoim ogromnym cielskiem niemal cały pokój. Bazyliszek był ogromny, miał rogi jak rozłożyste gałęzie, ptasią głowę z wąskimi oczami. Jego rozdęte cielsko pokryte było niebieskoczarnymi łuskami, które tworzyły okropny dźwięczący płaszcz.

Nathan wiedział, że nie ma do czynienia z realnym stworem. Wiedział, że śni. A jednak słyszał i czuł oddech potwora, cuchnący jakby płynnym metalem i spalonym czosnkiem.

Nie była to bynajmniej przygarbiona, zdeformowana istota, którą wraz z Grace ujrzeli w Murdstone. Ten bazyliszek wcale nie był okryty szmatami. Był to inny, doskonale rozwinięty osobnik o lśniących szponach i wyrośniętych rogach; a jego ślepia błyszczały intensywnie jak dwa reflektory.

Popatrz, co potrafilibyśmy zrobić razem. Popatrz, co moglibyśmy stworzyć.

Stwór zwrócił łeb ku Nathanowi. Fałdy na szyi zmarszczyły się, upodabniając go do jaszczura. Nathan natychmiast opuścił głowę i zasłonił twarz dłońmi. Jasność bijąca ze ślepiów bazyliszka prześwitywała jednak przez jego palce. Musiał więc zamknąć oczy.

– Ani mi w głowie współpraca z tobą, ty draniu. Przynajmniej dopóki mi nie powiesz, w jaki sposób mogę ocalić żonę.

Rozważysz więc moją ofertę, jeśli ci obiecam, że dostaniesz Grace z powrotem? Ja cię naprawdę potrzebuję, profesorze. Potrzebuję twojej wiedzy naukowej. Potrzebuję twojego geniuszu.

Światło pomiędzy palcami Nathana stopniowo słabło. Ostrożnie opuścił ręce i podniósł głowę. Bazyliszek wciąż był w pomieszczeniu, teraz jednak pochylał się nad łóżkiem Grace, mroczny jak chmura burzowa. Jego oczy już nie świeciły. Wpatrywał się w kobietę z zainteresowaniem, jakby nie mógł dociec, z jakim stworzeniem ma do czynienia, jakby nie wiedział, czy ono żyje. Była ofiarą czy padliną? Należało ją zabić czy już była martwa?

Bazyliszek wzniósł zakrzywiony czarny pazur i sięgnął ku twarzy Grace. Nathan natychmiast rzucił się w jego kierunku.

– Nie! Nie dotykaj jej! – krzyknął.

Ktoś złapał go z tyłu i odepchnął na bok. Nathan otworzył oczy i zobaczył, że uczyniła to jedna z pielęgniarek, krępa czarna dziewczyna z włosami splecionymi w cienkie warkoczyki.

– Panie Underhill! – powiedziała. – Panie Underhill. Co pan robi, panie Underhill?

Nathan odwrócił się. Grace nadal leżała na łóżku. Nikt jej nie zrobił żadnej krzywdy. Bazyliszek zniknął.

– Ja... – zaczął. Nagle pokój zawirował mu przed oczami i Nathan musiał chwycić się łóżka, żeby utrzymać się na nogach. – Chyba coś mi się śniło. Przepraszam. Wydawało mi się, że coś widziałem, ale to było przywidzenie.

– Musi pan pomyśleć o sobie, panie Underhill. Wiem, że martwi się pan o żonę, ale w niczym pan jej teraz nie pomoże, samemu nie dojadając i nie dosypiając.

– Wiem. Ma pani rację.

– Mamy tu pokoik, w którym mógłby się pan przespać, jeśli tylko pan zechce. Wystarczy poprosić. Jeśli w stanie pańskiej żony zajdzie jakaś zmiana, oczywiście natychmiast pana poinformujemy.

Nathan pokiwał głową i wyszeptał:

– Dziękuję.

Przystawił krzesło bliżej łóżka i znów na nim usiadł. Drżał i kręciło mu się w głowie, jakby przed chwilą skończył przejażdżkę na roller-coasterze. Wiedział, że pojawienie się bazyliszka było jedynie iluzją, a przecież nadal czuł jego odór.

A zatem doktor Zauber nie zrezygnował. „Popatrz, co potrafilibyśmy zrobić razem! Popatrz, co moglibyśmy stworzyć!” No i dał mu do zrozumienia, że wie, w jaki sposób pomóc Grace. Ale za jaką cenę? Czy Nathan mógł się domagać uratowania żony, skoro mogło to kosztować życie wielu starszych ludzi? A nawet jeśli on udzieliłby na to pytanie twierdzącej odpowiedzi, jak zareagowałaby Grace? Była przecież lekarzem. Czy poradziłaby sobie z wyrzutami sumienia, gdyby sobie zdała sprawę z ugody, jaką Nathan zawarł w jej imieniu z doktorem Zauberem? Wyobrażał ją sobie jako lady Makbet, unoszącą w górę zakrwawione ręce.

Został przy Grace do szóstej. Już nie czytał, lecz po prostu mówił do niej, wspominając najlepsze chwile, które spędzili razem od dnia, kiedy się poznali. Grace lubiła zabawę, nie unikała trudnych sytuacji, zawsze lubiła nowe wyzwania. Jako lekarz medycyny wiedziała, jak krótkie i jak bolesne może być życie. Korzystała więc ze swojego, czasami nawet nie licząc się z konsekwencjami. Nathan przypomniał sobie, jak go namówiła, by ją zabrał do Denny's Beer Barrel Pub w Clearfield, żeby spróbować największego amerykańskiego hamburgera – dwa kilogramy wołowiny w specjalnie pieczonej bułce, z piklami, sałatą, pomidorami, cebulą i majonezem, ociekające roztopionym serem. Narobili tam takiego zamieszania i tak głośno się śmiali, że Nathan mało się nie udławił.

Teraz wiedział, że ma tylko jedno wyjście. Musiał odszukać doktora Zaubera i zmusić go, za pomocą wszelkich możliwych środków, żeby przywrócił Grace świadomość.

Grace mruknęła i poruszyła się. Jej prawa ręka niespodziewanie zadrżała. Nathan wstał i powiedział:

– Grace... Grace, kochanie... Czy mnie słyszysz?

Ale Grace znowu leżała nieruchomo, chociaż jej gałki oczne poruszały się chaotycznie. Tak jakby poruszała się w jakimś nierealnym świecie, którego Nathan nawet nie potrafił sobie wyobrazić.

Wreszcie pochylił się, pocałował ją w policzek i powiedział:

– Grace... Jutro do ciebie wrócę, kochanie. Teraz muszę dopilnować, żeby Denver coś zjadł, i zdrzemnąć się trochę.

Już miał wyjść z pokoju, gdy zobaczył, że na ścianie, w miejscu, gdzie ukazała się twarz, nadal widnieje mała owalna skaza. Podszedł do niej i uważnie się jej przyjrzał. Było to niewielkie wgłębienie w tynku, w miejscu, w które przy otwieraniu drzwi uderzała klamka. I nic więcej. Dotknął tego miejsca palcami i w tym samym momencie skaza rozwarła się jak powieka. Pod nią tkwiła kredowobiała gałka oczna.

Nathan odskoczył od ściany. Nieruchome oko wpatrywało się w niego.

Obserwuję cię, profesorze. Zawsze wiem, gdzie jesteś i co robisz.

– Posłuchaj, dam ci wszystko, czego zechcesz, jeśli pomożesz Grace. Ale przecież nie mogę zabijać ludzi!

Tak myślisz? Na początku jest trudno, jednak zapewniam cię, że szybko to się staje bardzo łatwe. Czasami, owszem, błagają, żeby ich oszczędzić. Ale w innych przypadkach, kiedy są bardzo starzy i zmęczeni i żyją w nieustannym bólu, wydają się wprost szczęśliwi, że mogą przejść na tamten świat. Otaczają się żałosnymi małymi pamiątkami! Ich fotografie i ich nagrody z turniejów golfowych... Jedną rzecz mogę ci jednak powiedzieć z całą pewnością, profesorze. Kiedy umieramy, tak naprawdę nikogo to nie obchodzi. Nikt za nami nie tęskni. Karuzela życia kręci się dalej, w prawo i w lewo, w górę i w dół, a wszyscy piszczą i śmieją się z zadowoleniem. To samo stanie się z tobą, ze mną, dlaczego więc aż tak się martwisz?

– Dlaczego się martwię? Żartujesz ze mnie? Martwię się, bo nie jestem mordercą zabójcą, oto dlaczego. Każdy człowiek zasługuje na życie i ani ja, ani ty, ani nikt inny nie ma prawa decydować o tym, kiedy powinien umrzeć.

– Panie Underhill!

Nathan odwrócił się. W otwartych drzwiach czekała na niego pielęgniarka. Musiała usłyszeć, że mówi do ściany, i zapewne pomyślała, że na dobre postradał zmysły.

– Ja... ach, tak. Właśnie mówiłem Grace dobranoc.

Zerknął szybko na ścianę za drzwiami, jednak oko zniknęło. Teraz był to tylko mały krater w tynku w miejscu, w które bezustannie uderzała klamka.

– Proszę skorzystać z mojej rady, panie Underhill, dobrze? Zje pan coś i się prześpi?

– Tak – odparł Nathan.

I wyruszę na polowanie na doktora Zaubera, pomyślał.

Minęły trzy dni. Nathan przychodził do szpitala każdego ranka o ósmej, a czasami wcześniej, i przesiadywał przy Grace do wpół do szóstej po południu. Dotarł do ostatniej strony książki.

„Okna błyszczą złoto. Wyglądam na zewnątrz, żeby się przekonać, że pędzimy przez Saharę szybciej od prędkości światła, uciekając od grożącego nam wielkiego włochatego magnesu słońca. Zza moich pleców ten mały stary typek o jednym oku pyta mnie: «Dlaczego aż tak ci śpieszno, żeby się tam dostać, skoro pustynia daje nam wszystko, czego potrzebujemy?»"

Zamknął książkę. Czytał ją od pierwszej do ostatniej strony przez wiele godzin, jednak Grace nie zareagowała. Na jej twarzy nie pojawił się cień uśmiechu, kiedy akcja była wesoła, w jej oczach nie ukazała się też łza, kiedy treść była smutna.

Nathan podniósł wzrok. W drzwiach stała Patti i obserwowała go. Ubrana była w puszysty biały sweter i obcisłe dżinsy.

– Dzień dobry, profesorze.

– Niech pani wejdzie, Patti – powiedział Nathan i wstał, żeby z kąta pokoju przynieść jej krzesło. – Co panią tu sprowadza?

– Otworzył pan link, który panu przesłałam pocztą elektroniczną? „Profesor zoologii i dramat w domu spokojnej starości".

– Tak, dziękuję. Chciałem się do pani odezwać, przepraszam. Ten apel w sprawie doktora Zaubera był doskonały.

– Rozumiem. Ma pan teraz ważniejsze zmartwienia. – Patti skinęła głową na Grace.

– Otrzymała pani jakieś odpowiedzi?

– Nie, ani jednej. No, właściwie dwie albo trzy, ale to były bez wątpienia kawały. Ktoś napisał, że widział, jak doktor Zauber zajada stek z serem w Geno, a ktoś inny, że doktor Zauber sprzedawał podróbki markowych portfeli na Chestnut Street. Obie informacje są równie głupie.

Wręczyła Nathanowi wydruk komputerowy. Była to wiadomość z międzynarodowej strony informacyjnej EIN.com. Jej tytuł brzmiał *Śmierć szesnastu pensjonariuszy w pożarze autokaru w Polsce*. Wiadomości towarzyszyła kolorowa fotografia spalonego autobusu, który został zredukowany do czarnego szkieletu z czterema wypalonymi kołami.

– Niech pan czyta – zachęciła Patti.

Nathan odłożył książkę. Według tekstu z wydruku szesnaścioro pensjonariuszy domu spokojnej starości w Skawinie zmierzało na spotkanie z mieszkańcami podobnej placówki w Oświęcimiu, połączone z wieczorkiem tanecznym. Nie dotarli na miejsce. Wkrótce się okazało, że wszyscy zginęli w pożarze autokaru, do którego doszło w lesie, niedaleko drogi numer 44.

Nikt nie był w stanie wyjaśnić, dlaczego zjechali do lasu z głównej drogi ani dlaczego autokar się zapalił, ani też dlaczego żaden ze starszych ludzi nawet nie podjął próby ucieczki.

Patti wskazała błyszczącym różowym paznokciem na ostatni akapit.

– To jest najważniejszy fragment, niech pan czyta.

Nathan przeczytał.

– Specjaliści z dziedziny medycyny sądowej z Krakowa poinformowali, że chociaż ciała szesnastu pasażerów autokaru były spalone, nikt z nich nie zmarł z powodu zatrucia dymem, co doprowadziło lekarzy do konkluzji, że wszyscy już nie żyli, zanim autokar się zapalił. Prowadzący śledztwo komisarz policji Tomasz Schetyński wyraził wczoraj na konferencji prasowej przekonanie, że starsi ludzie padli ofiarami nieznanych napastników, którzy podpalili autokar, żeby ukryć dowody zbrodni. Nie potrafił odpowiedzieć, dlaczego zamordowano jednocześnie tak wiele starszych osób; żadna z ofiar nie przewoziła ani pieniędzy, ani żadnych wartościowych przedmiotów. „Mogę jedynie teoretyzować, że mamy do czynienia z aktem bezsensownego barbarzyństwa – powiedział. – Ze wstrząsającą zbrodnią, popełnioną dla samej zbrodni".

– Co pan o tym myśli? – zapytała Patti. – Bo moim zdaniem to wygląda dokładnie tak samo jak pożar w Domu Spokojnej Starości Murdstone. Jasne, mamy do czynienia z autobusem, a nie z budynkiem. Ale ci wszyscy starzy ludzie nie żyli już wtedy, gdy autokar stanął w ogniu.

– Możliwe, że ma pani rację – powiedział Nathan. Jeszcze raz uważnie przeczytał wydruk, po czym dodał: – Kraków... To podobno stamtąd pochodzi bazyliszek. Wszystko zaczyna się układać w całość! Odnalezienie jakichś szczątków bazyliszka pozwoliłoby ustalić jego DNA... Tak, Kraków to pierwsze miejsce, w którym zacząłbym ich szukać.

– To doktor Zauber, prawda? – zapytała Patti z podnieceniem. – Wiedziałam, że to jego sprawka, w tej samej chwili, w której przeczytałam tę historię.

– Chwileczkę, niech pani poczeka. Nie możemy z całą pewnością twierdzić, że to on. Może to po prostu nawalił układ wydechowy i ci wszyscy ludzie zmarli, bo nawdychali się tlenku węgla?

– To sprawka Zaubera, przecież pan wie. Pojechał do Polski, żeby wyhodować sobie nowego bazyliszka.

Nathan nie potrafił powstrzymać uśmiechu.

– Cóż, Patti, pani jest jeszcze bardziej szalona ode mnie.

– Wcale nie jestem szalona, po prostu nie mam żadnych uprzedzeń. Wierzę, że każdy człowiek jest zdolny absolutnie do wszystkiego, i dzięki temu znajduję ciekawe tematy do artykułów. Dodaję dwa do dwóch i wychodzi mi sześć i jedna czwarta. To właśnie ja ujawniłam historię człowieka, który próbował porwać Punxustawneya Phila, wie pan, świstaka z *Dnia świstaka*, i go zjeść.

– Co? Nigdy o tym nie słyszałem.

– A to była prawdziwa historia. Chciał go ugotować i zjeść. Dzięki zdobytej sławie zamierzał przepowiadać pogodę w telewizji, koniecznie w NBC.

– To szaleństwo.

– Tak, ale miało to miejsce w realnym życiu. I bazyliszek także jest realny.

Nathan przez chwilę milczał.

– Znów go widziałem – powiedział po chwili. – Doktora Zaubera. Słyszałem go tak, jak teraz słyszę panią. Widziałem także nowego bazyliszka. Tu, w tej sali.

– Kiedy to było?

– Trzy dni temu.

– Trzy dni temu? Dlaczego mi pan nie powiedział? Obiecał mi pan o wszystkim mówić.

– Wiem. Ale to był tylko nocny koszmar. Albo raczej dzienny koszmar. Od tamtego czasu nic się nie działo.

Patti znowu postukała paznokciem w wydruk.

– Niech pan patrzy, kiedy to się stało. Również trzy dni temu. – Na moment zamilkła i kontynuowała: – Naprawdę widział pan twarz doktora Zaubera, tak jak na suficie w swojej sypialni? Mówił coś do pana? Co powiedział?

– W zasadzie to samo. Twierdzi, że chce, abyśmy razem pracowali i hodowali mityczne bestie. Bez wątpienia wie, jak je ożywiać i jak podtrzymywać przy życiu, nie wie jednak, jak kontrolować wzrost ich komórek.

– Co to znaczy?

– Nieprawidłowo się rozwijają. Wie pani, jak dzieci urodzone z jednym okiem albo z rozszczepem kręgosłupa. Bazyliszek, którego Grace i ja widzieliśmy w Murdstone, był poważnie zdeformowany, a jeśli mamy używać tych mitycznych zwierząt do pozyskiwania komórek macierzystych, muszą być doskonałe. Nie chcemy przecież powodować u ludzi jeszcze gorszych schorzeń, zamiast ich leczyć.

Patti zmarszczyła czoło.

– Mówi pan, jakby naprawdę chciał się tym zająć.

Nathan spojrzał z ukosa na Patti.

– Doktor Zauber obiecał, że jeśli się na to zgodzę, wyprowadzi Grace ze śpiączki. Muszę powiedzieć, że ta perspektywa przez chwilę mnie kusiła. Ale tylko przez chwilę.

– To co pan teraz zrobi?

Nathan uniósł wydruk na wysokość oczu.

– Zamierzam zatelefonować do mojego przyjaciela, Rafała Jaślewicza, który pracuje w Muzeum Zoologicznym w Krakowie. Powiedziałem „przyjaciela", ale prawdę mówiąc, spotkałem go tylko raz, podczas seminarium zoologicznego w Chicago. Ale Jaślewicz jest pierwszym w świecie ekspertem od bazyliszków, chimer i gryfów. To naprawdę wspaniały facet.

– A ja myślałam, że to pan jest pierwszym ekspertem w tej dziedzinie.

– Jeżeli patrzeć na biologiczną stronę zagadnienia, to owszem. Ale Rafał wie wszystko o historii i mitologii. Służył mi nieopisaną pomocą, kiedy rozpoczynałem mój projekt z gryfami. I zgadza się ze mną: wierzy, że większość zwierząt mitycznych rzeczywiście istniała. Nie zgadza się natomiast, że były efektami ewolucji naturalnej.

– Co pan ma na myśli?

– Cóż, gryfy i bazyliszki nie ewoluowały w sposób naturalny, w przeciwieństwie do małp, koni, słoni lub na przykład ludzi. Wyhodowane zostały przez alchemików, którzy odkryli sposób krzyżowania ze sobą krańcowo odmiennych gatunków. – Nathan wstał i zdjął płaszcz z wieszaka na drzwiach. – Pojedzie pani ze mną? Mam zamiar pojechać do domu, żeby zadzwonić do Rafała, a potem zjeść coś razem z Denverem. Zapraszam do towarzystwa.

– Chętnie – odparła Patti. Spojrzała na Grace. – Jakaś poprawa?

Nathan pokręcił przecząco głową.

– Niech się pan nie martwi. Gdziekolwiek Grace teraz przebywa, Bóg się nią opiekuje.

– Nie przypuszczałbym, że wierzy pani w Boga.

– Oczywiście, że wierzę. Kiedy się widzi, jak źli potrafią być ludzie, wierzy się, że istnieje diabeł. A skoro istnieje diabeł, musi istnieć Bóg. *Quod erat demonstrandum*.

Kiedy Nathan dzwonił do Rafała Jaślewicza, w Polsce było niemal wpół do dziesiątej wieczorem. Nie rozmawiali ze sobą przez ponad trzy lata, ale Rafał powitał Nathana tak, jakby obaj byli w barze na drinku zaledwie tydzień temu.

– Nathan! Słyszałem o twoim niepowodzeniu z gryfem. Bardzo mi przykro z tego powodu! Może przy kolejnej próbie będziesz miał więcej szczęścia.

– Nie będzie następnej próby, Rafał. Przynajmniej na razie. Zoo odcięło mi fundusze.

– To głupota! Czy oni nie rozumieją, jak trudne jest twoje zadanie? Przecież tu nie chodzi o hodowlę kurczaków! Taka praca trwa wiele lat!

– Oczywiście. Ale posłuchaj mnie, Rafał. Mam do ciebie wielką prośbę. Słyszałeś kiedykolwiek o doktorze Zauberze? Jest Niemcem, ale od ładnych paru lat mieszka i pracuje w Stanach.

– Masz na myśli Christiana Zaubera? Oczywiście, że o nim słyszałem. Jakieś piętnaście lat temu był w Krakowie, na Uniwersytecie Jagiellońskim. Napisał kilka artykułów o średniowiecznej magii. Jeden z nich pamiętam bardzo dobrze, ponieważ dotyczył zwierząt mitycznych, które, jak wiesz, znajdują się w spektrum moich zainteresowań. Na tamte czasy jego artykuły były bardzo sławne, i była to zła sława.

– Zła sława? Z jakiego powodu?

– Christian Zauber głosił, że ludzie nie rozumieją czarnej magii i że gdyby przebadali ją naukowo, odkryliby, że to wcale nie była magia, lecz praktyczna droga do wykorzystania mocy istniejących na świecie. Jak możesz sobie wyobrazić, w kręgach uniwersyteckich nie zyskało to szczególnego uznania. Szczególnie źle do poglądów Zaubera odniósł się Kościół. Największą wściekłość wywołał jednak jego artykuł o zwierzętach mitycznych. Musiał opuścić uniwersytet, zanim jeszcze bardziej zepsuł mu opinię.

– Naprawdę? – zapytał Nathan. – A co konkretnie wywołało taką wściekłość?

– Artykuł *De Monstrorum*. Ten sam tytuł nosi również rzadki szesnastowieczny traktat, napisany przez mnichów z uniwersytetu w Lipsku. O ile wiem, istnieją tylko dwa jego egzemplarze, chociaż ja sam nigdy nie widziałem ani jednego. Mnisi próbowali hodować nadzwyczajne stworzenia, ale w sekrecie zmuszali miejscowe kobiety do spółkowania z końmi, ptakami i gadami. Niektóre z ich eksperymentów były potworne.

Po lekturze *De Monstrorum* Zauber był przekonany, że mnisi naprawdę odnieśli sukcesy i wyhodowali parę mitycznych zwierząt, a także kilka potwornych stworzeń, na przykład dziecko ze skrzydłami indyka czy kobietę z końskimi nogami, jak centaur. Mówił, że koniecznie należy powtórzyć ich eksperymenty, używając nowoczesnych technologii, ponieważ nie ma właściwie powodu, dla którego gatunki nie mogłyby się mieszać, wykorzystując swoje najlepsze cechy. W końcowej analizie pisał, że wszystkie stworzenia są dziełem Boga. Mężczyźni powinni pływać jak delfiny, a kobiety powinny być zdolne do rodzenia psów.

Być może Zauber nie głosił tych pomysłów całkowicie na poważnie. Może chciał po prostu prowokować. Ale był Niemcem, a jego sugestie prowadziły bezpośrednio do eksperymentów medycznych przeprowadzanych w Bergen-Belsen i w Auschwitz. No i oczywiście denerwował Kościół.

– Jasne. Wszystko to rozumiem. Na mnie też Kościół rzucał gromy. Co się później stało z Zauberem?

– Mieszkał jeszcze przez rok albo dwa w Krakowie. Wiem o tym, ponieważ widywałem go niemal co tydzień w restauracji Nostalgia na ulicy Karmelickiej, gdzie jadał lunch. Zawsze to samo: kluski z grzybami, które popijał białym winem.

Widziałem jakiś jego artykuł w „Dzienniku Polskim". Twierdził, że rzucił mitologię średniowieczną dla archeologii średniowiecznej. Badał historię kultury Krakowa i prowadził wykopaliska. To musiało być ponad osiem lat temu. Później już go więcej nie widziałem ani nie czytałem o jego wykopaliskach. Do twojego dzisiejszego telefonu, przyjacielu, ani razu nie pomyślałem o Christianie Zauberze.

– Rafał, nie mogę ci powiedzieć dlaczego, ale naprawdę muszę go odnaleźć.

– Tak? Cóż, jeśli tylko mogę być pomocny, wal do mnie jak w dym.

– Być może cię odwiedzę.

– Przyjedziesz do Krakowa? Naprawdę? To wspaniała nowina. Zabiorę cię do mojej ulubionej restauracji i nakarmię najlepszym na świecie bigosem.

– Nie mogę się doczekać i to bez względu na to, co to takiego ten bigos.

Kiedy Nathan odłożył słuchawkę, Patti zapytała:

– No i co?

– Chyba pojadę do Polski.

– Więc miałam rację?

Nathan pokiwał głową.

– Myślę, że tak. Uważam, że Zauber wrócił do Krakowa i próbuje wskrzesić nowego bazyliszka. I Bóg jeden wie, jakie jeszcze monstra.

– Cóż, jeśli to on wymordował tych starszych ludzi, wszystko wskazuje, że może coś takiego zrobić znowu.

– Nie możemy pochopnie wyciągać wniosków. Jak już mówiłem, nie mamy żadnego dowodu, że on ma cokolwiek z tym wspólnego. Myślę jednak, że masz rację. To on. Lecz nie rozumiem, o co chodzi z tą energią. Jak można komuś odebrać energię życiową? Gdzie ona dokładnie jest? Mój kuzyn Jack jest neurochirurgiem w Szpitalu Uniwersyteckim w Temple. Kiedyś mi powiedział, że nawet po dwudziestu latach grzebania w mózgach ludzkich nie zlokalizował jeszcze duszy człowieka.

– Może doktor Zauber uczynił to dzięki czarnej magii? – zasugerowała Patti. – Słyszałam, jak rozmawialiście o czarnej magii.

– Tak – przyznał Nathan. – Ale ja w nią nie wierzę.

– Twarz doktora Zaubera ukazuje się na ścianie i do pana przemawia. Staje przed panem potworne monstrum i pan nie wierzy w czarną magię?

– Już mówiłem, to był koszmar. A jeśli nawet to nie był sen, musi istnieć jakieś naukowe wyjaśnienie tego zjawiska.

– Jasne! Tyle że nie ma pan żadnego pomysłu, jak to zjawisko wyjaśnić. I nie wie pan, dlaczego pańska żona jest w śpiączce. A zapadła w nią w momencie, kiedy popatrzył na nią ten stos starych szmat.

– A pani wierzy w czarną magię?

– Ja mam otwarty umysł.

– Dobrze. Jestem gotów zaakceptować fakt, że nawet jeśli ja nie wierzę w czarną magię, wierzy w nią doktor Zauber i odpowiednio się zachowuje. Więc kiedy go znajdę, jeśli go znajdę, sprawdzę, czy próbuje czarodziejskich sztuczek.

– Kiedy p a n go znajdzie? A co ze mną?

– Przecież nie chce pani jechać do Polski, prawda?

– Oczywiście, że chcę. To moja historia i nadal będę się nią zajmowała. Kto znalazł panu artykuł w EIN? I zacznijmy wreszcie mówić sobie po imieniu.

– Nie wiem, Patti. To może być naprawdę niebezpieczne. A szczególnie gdy się okaże, że Zauberowi naprawdę się udało stworzyć kolejnego bazyliszka.

– Lubię niebezpieczeństwa. Poza tym potrzebujesz mnie. Moja matka była Polką i ja wiem, co to jest bigos.

Rozdział szesnasty

NOCNY LOT

Kiedy Denver wrócił do domu, pojechali razem do Trolley Car Diner przy Germantown Avenue. Znowu padał deszcz, a krzykliwy neon na fasadzie baru odbijał się na czarnym asfalcie przed budynkiem. Znaleźli miejsca na końcu sali jadalnej i zamówili smażonego kurczaka, kraby oraz koktajl truskawkowy. Z maszyn grających rozlegała się muzyka doo-wop.

– Jedziecie do Polski?! – krzyknął Denver. – Na jak długo?

– Nie wiemy. Będziemy tam do czasu, aż znajdziemy doktora Zaubera.

– A co ja mam robić?

– Chcę, żebyś tu został i opiekował się mamą.

– Tak, ale jeśli to, co mówicie, jest prawdą i musicie odnaleźć tego całego Zaubera, bo inaczej mama się nie obudzi, jaki jest sens, żebym ja tutaj zostawał? Jeśli pojadę z wami do Polski, będę mógł pomóc w poszukiwaniach. W sprawie zdrowia mamy zawsze można zadzwonić do lekarzy.

Nathan popatrzył na Patti. Ta tylko wzruszyła ramionami.

– Tato – nalegał Denver.

– Dobrze – zgodził się Nathan. – Możesz być moim wsparciem. Ale jeśli znajdziemy doktora Zaubera, musisz się trzymać od niego z daleka. Nie chcę, żebyś skończył tak jak mama. Albo gorzej, martwy.

Bał się, że Denver będzie mu raczej zawadą niż pomocą,

ale uznał, że lepiej mieć go przy sobie; będzie wtedy pewien, że dzieciak nie wpadnie w kolejne kłopoty. No i Denver miał rację: można było sprawdzać stan zdrowia Grace przez telefon. A Polska w końcu nie jest aż tak daleko, zaledwie kilkanaście godzin lotu.

– Dobra, kończymy jedzenie i jedziemy do domu, żeby się spakować.

Wyjechali z Trolley Car około dziewiątej. Patti obiecała, że przyjedzie do nich o siódmej trzydzieści rano, w sam raz, żeby zdążyć na lot American Airlines z Międzynarodowego Portu Lotniczego w Filadelfii. Nathan zabrał Denvera do domu i kupił przez Internet bilety do Krakowa. W końcu, kiedy byli już spakowani, pojechał do szpitala, żeby pożegnać się z Grace.

Światło w pokoju było przyćmione. Grace leżała na łóżku blada i cicha; wyglądała jak martwa. Dopiero kiedy się pochylił, by ją pocałować, wyczuł jej oddech.

– Grace, kochanie, muszę wyjechać na kilka dni. Ale wrócę, kiedy tylko będę mógł. Obiecuję ci, że znajdę doktora Zaubera i wyprowadzę cię z tej śpiączki. A kiedy wszystko się skończy, skończę z moimi badaniami, obiecuję ci. Dopiero teraz do mnie dotarło, że nie należy starać się być mądrzejszym od Boga? To się nigdy nie uda i prędzej czy później skończy się katastrofą.

Do pokoju cicho weszła pielęgniarka i stanęła w kącie, obserwując go. Gdy zdał sobie sprawę z jej obecności, odwrócił się i powiedział:

– Nie słyszałem, jak pani wchodziła.

– Dokąd pan wyjeżdża?

– Do Polski. Mam tam pilną sprawę do załatwienia. Muszę kogoś odnaleźć. Nie jestem pewien, jak długo mnie nie będzie. Będzie się pani nią opiekować, prawda? Zostawię pani numer mojej komórki; w razie potrzeby proszę dzwonić o każdej porze.

– Oczywiście, że się nią zaopiekuję, panie Underhill. W tej chwili widać, że jej stan jest stabilny. Doktor Ishikawa nie przewiduje żadnych dramatycznych zmian. – Podeszła do Nathana i położyła dłoń na jego ramieniu. – Wiem – powiedziała. – Czuje się pan bezradny, ale w tej chwili nie można dla niej niczego zrobić.

Zobaczymy, pomyślał Nathan. Popatrzył na wgłębienie w ścianie za drzwiami. Gdziekolwiek jesteś, doktorze Zauber, dopadnę cię, a ty oddasz mi moją żonę.

– Zastanawiam się, co to jest – odezwała się pielęgniarka.

– „Co to jest"? O co pani chodzi?

– Nie wiem. Od czasu, kiedy leży tu pańska żona, czuję w tym pokoju coś dziwnego. Nie wiem, jak to wyjaśnić. – Rozejrzała się dookoła. – Widzi pan, to jest prawie tak, jakby był tutaj ktoś jeszcze, ktoś, kto ją obserwuje. Jeszcze nigdy nie miałam takiego odczucia. Nie chcę pana alarmować ani denerwować. Ale pomyślałam, że powinien pan wiedzieć.

– Bo ktoś naprawdę ją obserwuje – odparł Nathan. – Ja też nie potrafię tego wyjaśnić, lecz to jest właśnie powód, dla którego muszę wyjechać.

Pielęgniarka sięgnęła do szyi i odpięła naszyjnik. Wysunęła go spod fartucha i podała Nathanowi. Przytrzymał go na dłoni ze zmarszczonym czołem. Był to ankh, krzyż egipski, wysadzany czarnymi perłami. Jeszcze był ciepły.

– Niech pan go weźmie ze sobą – powiedziała. – Ochroni pana przed złymi rzeczami.

– Nie, nie mogę. Co będzie, jeśli go stracę?

– Nie straci go pan. Przywiezie go pan z powrotem, a kiedy to nastąpi, pańska żona się obudzi.

Nathan zmrużył oczy i popatrzył na kobietę. Czy wiedziała o czymś, o czym on nie wiedział? Rozmawiała z nim tak, jakby dokładnie wiedziała, dlaczego Grace jest w śpiączce i dlaczego on wyjeżdża do Polski. Tak jakby i ona widziała doktora Zaubera.

– Dziękuję pani – powiedział takim głosem, jakby spodziewał się dalszych wyjaśnień.

– Niech pan już idzie. Niech pan jedzie do Polski i szybko wraca. I proszę się nie martwić. Niech pan pamięta, że jestem pielęgniarką, a pielęgniarki potrafią widzieć rzeczy, których nie widzą inni. Stale obcujemy ze śmiercią, widzimy, jak życie gaśnie w oczach pacjentów. Widzimy ich duchy, jak cienie stojące w kącie. Widzimy ich dusze.

– Dziękuję pani – powtórzył Nathan; tym razem jednak znaczyło to wyłącznie „dziękuję".

– Wiem, gdzie przebywa pańska żona – mówiła pielęgniarka. – Wiem, po jakim świecie spaceruje. Kiedy pozna pan sposób, wezwie ją pan stamtąd, obiecuję, a ona wróci do pana.

– Skąd pani może to wiedzieć?

– Ponieważ uczono mnie patrzeć na ludzi, obserwować, jak się zachowują. Uczono mnie rozpoznawać strach i troskę. Ale także odwagę i nadzieję.

– Chyba chodzi o coś więcej, prawda?

– Panie Underhill, każdy z nas ma kogoś, kto nad nami czuwa, czy zdajemy sobie z tego sprawę czy nie.

– Skoro tak pani twierdzi.

– Proszę się do mnie zwracać Ajsza. To znaczy „żywotność".

Nathan pocałował Grace w usta i w czoło. Nie mógł znieść myśli, że musi zostawić ją samą, ale nie miał wyboru.

– Bóg będzie nad panem czuwał – powiedziała Ajsza.

Nathan wyszedł ze szpitala i smagany deszczem skierował się ku wielopoziomowemu parkingowi. Naprawdę nie rozumiał, skąd ta pielęgniarka wiedziała, co on zamierza zrobić. Czuł się jednak spokojniejszy i wdzięczny losowi za to, że właśnie ona będzie się opiekowała Grace.

Przed parkingiem jakiś chudy młody człowiek stał na rogu chodnika, kuląc się w strugach deszczu. Na głowie miał brązową wełnianą czapkę, naciągniętą na uszy, a ubrany był w luźną parkę.

– Może udzielisz mi drobnego wsparcia, człowieku? – zawołał cienkim nosowym głosem.

Nathan sięgnął do kieszeni i wyciągnął z niej garść jednocentówek, dziesięciocentówek i ćwierćdolarówek. Młodzieniec popatrzył na monety z pogardą.

– To wszystko? Nie jadłem od trzech dni.

– To wystarczy na McMuffina z jajkiem. Przykro mi, jeśli to za mało.

– Rzucam na ciebie klątwę, człowieku.

– Posłuchaj – zdenerwował się Nathan. – Jeżeli nie chcesz tych drobnych, chętnie je zabiorę.

– To je sobie zabierz! – krzyknął młody człowiek i podbił Nathanowi dłoń tak, że monety uderzyły go w twarz.

Nathan stał przez chwilę w miejscu, walcząc z ochotą, by rzucić się na młodzieńca i przycisnąć go do ściany, ale w końcu potrząsnął głową i powiedział:

– Nawet nie wiesz, jakie masz szczęście.

– Szczęście? Ty to nazywasz szczęściem?

– Żyjesz, jesteś przytomny. Na pewno masz jakieś zdolności. Czego więcej byś chciał?

– O czym ty do mnie mówisz, popaprańcu. Powiedziałem ci: Rzucam na ciebie klątwę. Nigdy więcej nic ci się w życiu nie uda. Nigdy.

Nathan ruszył w górę skorodowaną rampą. Kiedy znalazł się na najwyższym poziomie parkingu, odwrócił się i zobaczył, że chłopak klęczy na chodniku i zbiera porozrzucane monety.

Lot do Krakowa trwał trzynaście i pół godziny, z uwzględnieniem przesiadki w Chicago do samolotu Polskich Linii Lotniczych LOT. Przez większość drogi Denver spał, oczywiście ze słuchawkami odtwarzacza MP3 w uszach. Patti przez chwilę pracowała na laptopie, szybko jednak go złożyła i również zapadła w sen.

Nathan zamknął oczy, lecz był w stanie myśleć jedynie

na temat doktora Zaubera i jego białej twarzy wynurzającej się ze ściany. Słyszał jego głos przebijający się przez warkot silników samolotu i syk klimatyzacji. „Kiedy umieramy, tak naprawdę nikogo to nie obchodzi. Karuzela życia kręci się dalej, w prawo i w lewo, w górę i w dół, a wszyscy piszczą i śmieją się z zadowoleniem".

W pewnej chwili miał okropne uczucie, że Zauber znajduje się w samolocie, pochyla się nad nim i patrzy mu w twarz. Gwałtownie otworzył oczy. Ale to tylko jedna ze stewardes pochylała się nad Patti i naciągała koc na jej ramiona.

– Przepraszam. – Dziewczyna obdarzyła go ciepłym uśmiechem. – Nie chciałam panu przeszkadzać. Życzy pan sobie czegoś? Może kawy? Albo drinka?

– Dziękuję. Poproszę o kieliszek czerwonego wina.

Potem nawet już nie próbował zasnąć, a tylko siedział, obracając w dłoni kieliszek. Za oknami samolotu był już dzień, a słońce przebijało przez osłony na okna. A przecież w Filadelfii była dopiero czwarta nad ranem. Kiedy stewardesy zaczęły roznosić śniadanie, on miał jeszcze wino w kieliszku.

Denver otworzył oczy, zamrugał i ziewnął.

– Co się dzieje, tato?

– Śniadanie.

– Co, już? Miałem naprawdę straszny sen. Nagle ożyły wszystkie pomniki i zaczęły mnie ścigać.

– W takim razie dobrze, że się obudziłeś, zanim cię dopadły.

Wylądowali w Krakowie o czternastej trzydzieści. Miasto spowijały grube, szare chmury. Padał deszcz i kiedy samolot zmierzał ku płycie lotniska, krople deszczu ukośnie pełzły po jego szybach.

Rafał czekał na nich w hali przylotów Międzynarodowego Portu Lotniczego imienia Jana Pawła II. Był krępym, dobrze zbudowanym mężczyzną o krótko ściętych włosach, które – od czasu, kiedy Nathan widział go po raz ostatni – mocno posiwiały, i o gęstych, równie siwych wąsach, przypominających szczotkę ryżową. Miał wydęte policzki, bulwiasty nos i wytrzeszczone oczy. Nosił okulary w cienkich stalowych oprawach.

Jego oklapnięty brązowy płaszcz przeciwdeszczowy wyglądał, jakby należał do tajnego agenta z filmu o zimnej wojnie.

– Proszę, proszę! Cześć, Nathan. Witamy w Polsce!

Obdarzył Nathana szerokim niedźwiedzim uściskiem i klepnął go w plecy. Mocno pachniał tytoniem i deszczem.

– A to pewnie twój syn! Witaj w Polsce, młodzieńcze! A kim jest ta czarująca młoda dama?

Patti wyciągnęła rękę.

– Patti Laquelle z „Philadelphia Web News". Miło mi pana poznać.

Rafał ujął jej rękę i pocałował ją. Patti zaczerwieniła się i powiedziała:

– Po raz pierwszy ktoś mnie tak powitał.

– To stary polski zwyczaj. – Rafał uśmiechnął się, obnażając zęby, żółte od tytoniu. – Pewnie jesteście zmęczeni. Zawiozę was do hotelu, żebyście mogli trochę odpocząć. Potem spotkamy się, zjemy coś i porozmawiamy o tym, co zamierzacie robić.

Jeździł srebrnym renault espace, które czekało na nich przed lotniskiem. Rafał pomógł gościom umieścić walizki w bagażniku, a potem ruszyli w kierunku centrum miasta.

– Zarezerwowałem wam pokoje w hotelu Amadeus, niedaleko Rynku Głównego; bardzo dobre miejsce, jeśli się chce chodzić po Starówce i żydowskiej dzielnicy Kazimierz. To hotel w dawnym stylu, ale myślę, że polubicie go i spodoba się wam jego położenie. Nie wiem, czy macie dużo czasu na zwiedzanie.

Mimo deszczu ulice Krakowa wypełniał kolorowy tłum turystów. Rafał przejechał wzdłuż starych murów, które kiedyś otaczały miasto. Pokazał im górujący nad miastem

Zamek Wawelski, wzniesiony na wzgórzu nad zakolem Wisły.

– Według średniowiecznej legendy w jamie na Wzgórzu Wawelskim mieszkał straszny smok. Legenda głosi, że jacyś niemądrzy chłopcy nie wierzyli w jego istnienie i chcieli to sprawdzić, mimo że mieszkańcy miasta mówili im, aby trzymali się z dala od tego miejsca. Smok spał głębokim snem przez setki lat, jednak chłopcy weszli do jego jamy i go obudzili. Od tego czasu smok wychodził już z jamy codziennie, zabijał i zjadał bydło i owce, a nawet ludzi. Smoka w końcu zabił mądry szewc, który zwał się Skuba. Nafaszerował barana siarką i zostawił go przed smoczą jamą. Gdy rano głodny potwór wyszedł z jamy jak co dzień, rzucił się na barana i pożarł go w mgnieniu oka. W żołądku siarka zaczęła go palić jak ogień, dlatego smok wskoczył do Wisły i zaczął pić wodę. Jednak to sprawiło, że żołądek zaczął go palić jeszcze bardziej, pił więc jeszcze więcej, aż wreszcie wypił tak dużo, że w końcu pękł.

– Niesamowita historia – powiedział Nathan.

– Historia z morałem – dodał Rafał. Zatrzymał samochód na czerwonym świetle i przed maską auta przejechał ze zgrzytem biało-niebieski tramwaj. Przez okna widzieli blade twarze pasażerów, jakby przed ich wzrokiem przesuwała się galeria smutnych portretów. – Morał jest taki, że jeśli czegoś nie potrafimy zobaczyć, to wcale nie oznacza, że to nie istnieje. Jak smok z Wawelskiego Wzgórza.

Dowiózł gości do Rynku Głównego, wielkiego placu w centrum miasta. Na środku wznosiła się piękna budowla zwana Sukiennicami, zbudowana niemal siedemset lat temu, oraz trzynastowieczna wieża Ratusza Miejskiego. Dookoła placu było mnóstwo kawiarenek i restauracji. Stoliki stały nawet na chodnikach, osłonięte parasolami i markizami, z których teraz skapywały krople deszczu.

– Co za niezwykłe miejsce – zachwyciła się Patti.

Nathan zgadzał się z nią, choć uważał, że byłoby bardziej niezwykłe, gdyby deszcz nie padał tak mocno i gdyby ich misja w Krakowie nie była tak ponura i niebezpieczna.

Rafał zawiózł ich na ulicę Mikołajską i zaparkował samochód przed hotelem. Amadeus mieścił się w budynku o płaskim frontonie z osiemnastego wieku, pomalowanym na biało, z dekoracyjnym przedsionkiem. Z hotelu wyszedł portier, zabrał ich bagaż, a tymczasem Rafał po raz kolejny wziął Nathana w niedźwiedzi uścisk i znów ucałował dłoń Patti.

– Zobaczymy się o szóstej, dobrze? Sprawdziłem już kilka rzeczy, które mogą się wam okazać pomocne. Popytałem ludzi o Christiana Zaubera, czy go widzieli albo czy słyszeli, gdzie on może teraz być. Jeśli przebywa tutaj, w Krakowie, obiecuję wam, że go znajdziemy. Mam wielu przyjaciół w różnych kręgach: studentów, konduktorów tramwajowych, sklepikarzy, kelnerów. Tacy ludzie zawsze wiedzą, co się dzieje w mieście.

W recepcji siedziała śliczna dziewczyna o wydatnym biuście, jasnych włosach splecionych w dwa warkocze i niezwykle błękitnych oczach. Patti dała Denverowi kuksańca i powiedziała:

– Hej, Denver, ona jest dla ciebie za stara. No a poza tym nie mówisz po polsku.

– Nie ma takiej potrzeby – odparł Denver.

– Pewnie masz rację. Luz i uśmiech zastąpią tysiąc słów, nawet po polsku.

Nathan zdjął buty i leżał na łóżku do za piętnaście piąta. Jego pokój miał wysoki sufit, był jednak bardzo posępny – z wielkim mahoniowym łóżkiem i masywną antyczną garderobą, w której zmieściłaby się cała rodzina razem z domowymi zwierzakami. Na ścianie wisiał ciemny obraz przedstawiający chłopkę w brązowej chuście, idącą przez pole pod burzowym niebem. Wymowa obrazu odpowiadała nastrojowi Nathana.

Zamknął oczy, jednak nie mógł zasnąć. Wokół rozlegało się zbyt wiele nieznajomych dźwięków, zgrzytanie windy i odgłosy samochodów przejeżdżających po wybrukowanej ulicy za oknem.

W końcu podniósł słuchawkę i zatelefonował do szpitala. Rozmawiał z jedną z pielęgniarek opiekujących się Grace.

– Niestety, żadnych zmian, profesorze. Żałuję, że nie mogę przekazać panu innej wiadomości.

– Cóż, niech jej pani powie, że ją kocham, nawet jeśli ona tego nie usłyszy.

– Oczywiście.

Wziął prysznic i przebrał się w czarne sztruksowe spodnie i szarą dżinsową koszulę. Czesząc, patrzył w lustro. Stwierdził, że ostatnio bardzo zmizerniał.

A myślałem, że to Rafał źle wygląda.

Zjechał na dół ciasną windą, otoczony ze wszystkich stron odbiciami swojej mizernej sylwetki. Przeszedł przez słabo oświetloną restaurację i po chwili znalazł Patti i Denvera. Siedzieli razem przy jednym ze stolików. Nie wiedział, o czym rozmawiają, jednak siedzieli blisko siebie i kiwali się w jednakowym tempie, jakby słuchali tej samej muzyki.

– Napijesz się piwa? – zapytał Denvera, przysiadłszy się do nich.

– Piwa? Jasne. Dzięki. Ale już zamówiłem sobie colę.

– Zrezygnuj z coli i wypij piwo. Jeśli jesteś dość dorosły, żeby pomóc mi ścigać Zaubera, jesteś też dość dorosły, żeby pić piwo.

Kilka minut później przyjechał Rafał, pachnący mydłem i tytoniem. Znów przebrnęli przez nowo poznany rytuał uścisków, klepania po plecach i całowania w rękę. Polak usiadł i zamówił kieliszek wódki oraz ciemne ciasto z czekoladą, które pachniało przyprawą korzenną. Wypił wódkę jednym haustem i podniósł kieliszek, wskazując kelnerce, że ma podać następny.

– Pół godziny temu zatelefonował do mnie przyjaciel,

agent nieruchomości, który wynajmuje domy i mieszkania na Kazimierzu – oznajmił.

– Tak?

– Powiedział mi, że ponad pięć lat temu doktor Zauber wynajął stary dom na skrzyżowaniu ulic Kupa i Izaaka. Obecnie mieszkania tam są w modzie, ale wówczas jeszcze tak nie było. Budynek był bardzo zdewastowany. Jednak doktor Zauber tam nie zamieszkał. Podnajął dom pewnej rodzinie oraz jakiemuś artyście. Mniej więcej miesiąc temu wypowiedział umowy podnajemcom i obecnie sam tam przebywa.

– A więc jest tutaj – powiedział Nathan.

– A nie mówiłam? – wtrąciła Patti. – Myślisz, że powinniśmy się tam udać i złożyć mu wizytę?

– Sam nie wiem. Nie chciałbym go wystraszyć. Jeżeli znowu zniknie, to już na dobre.

– Tak myślisz? – zapytała Patti. – Facet nie sprawia wrażenia takiego, którego łatwo przestraszyć.

– Rafał, jak sądzisz, co powinniśmy zrobić? – zapytał Nathan.

– Trudno powiedzieć. Doktor Zauber zawsze był nieprzewidywalny. W jednej chwili cały w uśmiechach, a w następnej rozzłoszczony niczym wulkan. Z jednej strony twój przyjazd do Krakowa może go ucieszyć, ponieważ potrzebna mu jest twoja wiedza. Z drugiej strony powiedziałeś mu, że nie będziesz brać udziału w zabijaniu starszych ludzi dla tej tak zwanej „energii życia", której on potrzebuje, aby utrzymywać swoje stwory przy życiu. Wniosek jest taki, że ci nie zaufa.

– Może tak, może nie. Muszę podjąć ryzyko. Mam nad nim pewną przewagę. Wiem, że policja filadelfijska bardzo chętnie by z nim porozmawiała, no i jeśli miał cokolwiek wspólnego z tym pożarem autokaru...

– Tak, polska policja prawdopodobnie też byłaby zainteresowana rozmową.

– Wydaje mi się, że powinniśmy wymyślić coś na poczekaniu – powiedział Nathan. – Jedno jest pewne, nic mu nie zrobię, dopóki się nie dowiem, jak wyprowadzić Grace ze śpiączki.

– Też uważam, że najważniejsza jest ostrożność – dodał Rafał. – Tym bardziej jeśli podejrzewasz, że Zauber może hodować kolejnego bazyliszka. Polowanie na bazyliszka w nocy byłoby niemądre, podobnie jak na gryfa i inne bestie. Takie zajęcie jest bezpieczniejsze w dzień, kiedy większość z nich śpi.

Rafał zabrał ich do Wierzynka, restauracji położonej kawałek dalej przy Rynku. Serwowano tam tradycyjne polskie jedzenie. Wreszcie przestało padać i kiedy dotarli na miejsce, było już bardzo ciepło, a w środku hałaśliwie i tłoczno. Wszędzie paliły się świece.

Usiedli przy okrągłym stoliku w rogu. Rafał zamówił barszcz, pierogi z serem, raki oraz pieczoną kaczkę, comber sarni i szczupaka.

Wtedy wzniósł w górę kieliszek i powiedział:

– Jedzcie, pijcie i popuszczajcie pasa.

Nathan również wzniósł toast, jednak w ustach miał sucho i nie czuł głodu. Nie mógł się pozbyć poczucia winy. Siedział sobie w gwarnej restauracji, zajadając się dobrym jedzeniem i pijąc wino, a tymczasem Grace leżała nieprzytomna w szpitalu. Przynajmniej miał nadzieję, że jest nieprzytomna i nie męczą jej przerażające koszmary.

Rafał starannie wytarł usta serwetką.

– Na koniec zostawiłem najważniejszy dowód, na jaki natrafiłem – powiedział. – Pamiętacie, powiedziałem wam, że kiedy doktor Zauber został zmuszony do opuszczenia Uniwersytetu Jagiellońskiego, zrezygnował z mitologii i powiedział, że przerzuca się na archeologię. Znalazłem na uniwersytecie jednego ze studentów, którym płacił za pomoc w wykopaliskach; ten student jest teraz wykładowcą. Zauber i jego studenci przeszukiwali wiele interesujących historycznych miejsc w mieście. Najciekawsze były podziemia pod kościołem Świętego Kazimierza Królewicza, przy ulicy Reformackiej.

Według tego mężczyzny kościół Świętego Kazimierza został wzniesiony w siedemnastym wieku na miejscu znacznie starszego obiektu. Budowniczowie wykorzystali te ruiny jako fundamenty.

Nathan zaczynał rozumieć, do czego Rafał zmierza.

– Czego dokładnie szukał Zauber?

– Powiedział swoim asystentom, że poszukuje świętych relikwii. W końcu istnieje przypowieść, że wszystkie gwoździe wyciągnięte z krzyża Chrystusa zostały szczelnie zamknięte w trumnie i przywiezione do Krakowa przez pielgrzymów z Ziemi Świętej. Istnieje też plotka, że złoty medalion, który nosił Poncjusz Piłat, ukryty jest gdzieś w murach któregoś z kościołów. Jest tu ponoć jeszcze wiele podobnych przedmiotów, jak chociażby włos z brody Jana Chrzciciela.

Doktor Zauber i jego asystenci przekopali trzy podziemia, położone jedno nad drugim. W najniższym odkryli szkielety trzech mnichów wraz z przegniłymi resztkami habitów. Znaleźli także dużą paczkę zawiniętą w skóry, przewiązaną sznurem i zapieczętowaną czarnym woskiem.

Mój informator twierdzi, że doskonale pamięta tę paczkę, ponieważ doktor Zauber natychmiast ją otworzył, co oczywiście nie jest zwykłą praktyką postępowania z cennymi reliktami historii. Zazwyczaj pakuje się je i przesyła do laboratoriów, aby je badać w kontrolowanych warunkach.

Doktor Zauber odmówił także asystentom możliwości sfotografowania paczki. Powiedział, że jest to bez wątpienia jakiś falsyfikat i nie życzy sobie, żeby periodyki akademickie robiły z niego durnia.

– No ale co było w tym zawiniątku? – zapytała Patti. – Czy pański znajomy zdołał na to zerknąć?

Rafał pokiwał głową.

– Powiedział mi, że w środku były duże kości, które wyglądały, jakby pochodziły od zwierzęcia wielkości mniej więcej konia, oraz mniejsze, podobne do czarnych gałęzi. Był tam też fragment skóry, łuszczącej się i grubej, jakby pochodzącej od wielkiego węża. Mówi, że chyba była ciemnoszara lub czarna. Doktor Zauber jednak szybko zawinął wszystko z powrotem w skóry, no i oświetlenie było słabe.

– Czy ten student starał się odgadnąć, co to było?

– Nie... nie próbował, chociaż jeden z nich uważał, że kości wyglądały, jakby pochodziły od demona. Mówił, że pewnie poddano go egzorcyzmom i zabili go kapłani, a szczątki zapieczętowano czarnym woskiem, aby zapobiec jego odrodzeniu się. Ale on wszystkim próbował wciskać jakieś bzdury.

– Ten student był bliższy prawdy, niż sobie zdawał sprawę – powiedział Nathan. – To nie był demon, ale coś bardzo podobnego. A jeśli z tych kości i skóry udało się pozyskać DNA, stwora można było stworzyć na nowo.

– Zatem myślisz tak samo jak ja – powiedział Rafał. – Doktor Zauber poszukiwał szczątków bazyliszka i je znalazł.

– Dobrze, znalazł je – wtrącił Denver. – Ale przecież nie dysponował żadnym laboratorium, prawda? Chociażby takim, jakie miał tato.

– Nie, ale właśnie z tego powodu pojechał do Stanów Zjednoczonych. Bez wątpienia czytał o pracach twojego taty w zakresie kryptozoologii i chciał skorzystać z jego doświadczenia. Wiedział jednak, że twój ojciec nie zgodzi się na zabijanie starszych ludzi, żeby pobierać od nich energię życiową albo ich dusze, czy jakkolwiek to nazwiemy. Dlatego przekupił asystenta twojego ojca, który wykradł wyniki badań.

– Teraz chcę się tylko dowiedzieć, w jaki sposób wyrwać Grace ze śpiączki – powiedział Nathan. – Nie interesuje mnie, co się stanie z Zauberem, jeśli tylko powie mi to, co chcę wiedzieć.

– Bardzo miło to słyszeć – odezwał się gruby głos, tuż przy jego uchu.

Nathan błyskawicznie odwrócił się, przewracając kieliszek z winem, które rozlało się po białym obrusie jak krew. Tuż przy nim, bardzo blisko, stał doktor Zauber i uśmiechał się wesoło; jego oczy błyszczały, a białe zęby lśniły w świetle świec. Ubrany był w swój zwykły czarny garnitur i białą koszulę z czarną muszką.

– Proszę was... – powiedział, unosząc wypielęgnowaną dłoń. – Proszę, nie wstawajcie.

Nathan wstał mimo wszystko. Rafał uczynił to samo, przy okazji ściągając serwetę. Zacisnął gniewnie pięści.

– Proszę, proszę – powiedział Nathan, mimo że brakowało mu oddechu. – Dobry doktor Zauber. Jak nas znalazłeś?

– Myślę, że tak samo jak wy mnie. Przez intuicję. Wystarczyło dodać dwa do dwóch. Mam do tego wyjątkowy talent. – Doktor Zauber uśmiechnął się do Denvera i Patti i powiedział: – Widok młodych ludzi zaangażowanych w badania naukowe jest inspirujący, prawda? Czuję, że ten młody człowiek jest twoim jedynym synem, profesorze. A ta młoda dama jest bardzo krnąbrnym duchem.

– Hej! – zaprotestowała Patti.

– Nie chciałem pani urazić – powiedział doktor Zauber łagodnym tonem. Zaraz odwrócił się do Nathana i dodał: – Wiedziałem, że przyjedziesz, prędzej czy później. Gdybyś nie przyjechał, znów musiałbym cię odwiedzić i, oczywiście, dodać ci odwagi.

– Najlepiej przestań pieprzyć – odparł Nathan. – Masz mi powiedzieć, jak mogę odzyskać żonę, i to natychmiast.

– Rozumiem twój niepokój. Ale ty z kolei musisz zrozumieć, że wszystko na tym świecie ma cenę. Po tym doskonałym posiłku także otrzymasz rachunek. Twoja żona, co mówię ze smutkiem, otrzymała rachunek za to, że wtrąciła się w moje sprawy. I ten rachunek należy teraz uregulować.

– Nic ci nie zrobiła. Zupełnie nic.

– Kłamiesz, profesorze. Być może to ty strzeliłeś, śmiertelnie raniąc moje dzieło, jednak twoja żona ci pomagała, zatem była współsprawcą, prawda? Tylko przypadkiem oboje nie zginęliście na miejscu, a zasługiwaliście na to, Bóg to wie. Nawet bazyliszek jest żywym stworzeniem, które ma prawo do życia.

– Chcę ją odzyskać, Zauber. I nie dam ci ani chwili spokoju, jeśli mi nie powiesz, jak do tego doprowadzić.

– Co zrobisz? Pobijesz mnie? Będziesz mnie torturował? Będziesz mnie przypalał? Ty wiesz, czego ja chcę od ciebie, profesorze. Jeśli zgodzisz się na współpracę, dokładnie powiem ci, co masz zrobić, żeby obudzić żonę. Przysięgam na Biblię.

Nathan stracił cierpliwość. Obiecywał sobie, że przy ewentualnej konfrontacji z Zauberem do tego nie dopuści, ale nagle eksplodował cały stres i narastające w nim napięcie. Zaatakował z furią wściekłego psa.

Tyle że Zaubera już przy nim nie było. Stał w odległym miejscu w restauracji, za jednym z suto zastawionych stołów, wciąż uśmiechnięty. Jego oczy błyszczały w świetle świec.

Denver patrzył na niego z szeroko otwartymi ustami.

– Jak on to zrobił?

Rafał przeżegnał się dwukrotnie i natychmiast usiadł. Twarz miał purpurową, jakby dopadł go atak serca. Patti spokojnie powiedziała:

– Cholera jasna. Ale mam materiał dla „Web".

Sięgnęła do ciemnozielonej torebki i wyciągnęła aparat fotograficzny.

– Patti – ostrzegł ją Nathan. – Bądź ostrożna.

Zdał sobie sprawę, że mają do czynienia z postacią bardziej złożoną i potężną, niż początkowo sądził. Próbował wyjaśniać pojawianie się doktora Zaubera na suficie jego sypialni i na ścianie pokoju szpitalnego jakąś ponadzmysłową percepcją albo opóźnioną sugestią hipnotyczną, albo po prostu działaniem nocnego koszmaru. Nie mógł jednak wyjaśnić, w jaki sposób człowiek może się błyskawicznie przenieść z jednego końca sali w drugi, i to tak szybko, że nikt nie był w stanie tego zarejestrować.

– Naprawdę powinieneś dobrze rozważyć, co wybrać, profesorze – powiedział doktor Zauber. Znów stał tak blisko za Nathanem, że mógł położyć dłoń na jego ramieniu.

Denver powoli potrząsnął głową.

– Kurczę, facet. To jest fenomenalne.

Patti skierowała na niego aparat, jednak Zauber uniósł rękę i powiedział:

– Żadnych zdjęć, proszę. Szkoda czasu. I tak nie wyjdą. A poza tym nie lubię lamp błyskowych.

Nathan znowu odwrócił się do niego.

– Co więc proponujesz? – zapytał, chociaż nadal trząsł się ze złości. – Powiedz, czego dokładnie ode mnie chcesz w zamian za tę bezcenną informację.

Doktor Zauber uniósł prawą brew.

– Robię to samo, co ty robiłeś, tyle że pracuję nad projektem dokładnie od drugiej strony. Ty i ja byliśmy jak inżynierowie, którzy starali się zbudować samochód. Ty skonstruowałeś doskonały silnik. Teraz jednak musimy działać wspólnie, żeby ostatecznie złożyć nasz cudowny wehikuł i odjechać nim w przyszłość.

– Ale żebyśmy mogli to osiągnąć, muszą umrzeć ludzie. Czy to ty zabiłeś tych wszystkich starców w autokarze... Gdzie to było?

– W Brzeźnicy, przy drodze numer czterdzieści cztery – wtrącił się Rafał. – Zginęło łącznie szesnaście osób. Większość z nich była tak zwęglona, że nie sposób było ich rozpoznać.

Twarz doktora Zaubera spochmurniała.

– Do niczego się nie przyznam, profesorze. Uważasz mnie za głupca?

Patti zrobiła zdjęcie. Doktor Zauber uniósł ramię, żeby osłonić oczy, i wszyscy w restauracji spojrzeli w jego kierunku. Szef kelnerów ruszył w ich stronę pomiędzy stolikami, żeby sprawdzić, co jest przyczyną zamieszania. Jego łysa czaszka lśniła jak jasnoróżowa żarówka.

Doktor Zauber warknął.

– Chyba ci mówiłem! Żadnych błysków! – Następnie zwrócił się do Nathana: – Musisz to bardzo głęboko przemyśleć, profesorze Underhill. W wyniku naszej pracy może umrzeć jedynie kilku staruszków, których życie i tak się kończy. Strata będzie znikoma, a korzyści ogromne. Cała ludzkość będzie zdrowa i szczęśliwa.

– Dobrze. Pomyślę nad tym – obiecał Natan,

Doktor Zauber skinął z zadowoleniem głową.

– Daję ci jedną noc i jeden dzień. Jutro wieczorem o tej samej porze spotkamy się w kawiarni przy ulicy Sławkowskiej. Wtedy spokojnie porozmawiamy i podejmiemy decyzję.

Podszedł do nich szef kelnerów.

– Jakieś problemy?

Rafał pokręcił przecząco głową.

– Nie, żadnych problemów. Tylko żywo dyskutujemy.

– Pan też tak uważa? – Kelner odwrócił głowę, by spojrzeć na Zaubera.

Ale doktora już nie było. Zniknął tak szybko, że Nathan, który stał zaledwie kilka centymetrów od niego, nawet tego nie zauważył.

Nathan niepewnie usiadł.

– O co tu chodzi, Rafale?

– Co za facet – wtrącił Denver. – To prawdziwa magia.

– Nie używaj pochopnie tego słowa – upomniał go Rafał. – Ale myślę, że w tej sytuacji masz rację. Ale nie chodzi o sztuczki magiczne, jak wtedy, gdy iluzjonista na scenie przepiłowuje śliczną dziewczynę na dwie części. Tutaj wchodzi w grę kontrola nad siłami elementarnymi. Doktor Zauber potrafi używać światła, przestrzeni i funkcjonować poza czasem. Chyba dzięki temu jest w stanie kreować mityczne stwory.

Nathan westchnął.

– Chyba się napiję.

Patti jednak uważnie patrzyła na Rafała.

– Chce pan nam powiedzieć, że doktor Zauber jest magikiem? Prawdziwym magikiem, nie takim jak Doug Hennig czy David Copperfield?

– Myślę, że to oczywiste, iż posiadł wiedzę dawnych alchemików i czarnoksiężników, czyli tych, którzy jako pierwsi nauczyli się ożywiać mityczne stwory. Oczywiście, czytałem o takich procesach, jednak nigdy nie miałem możliwości się przekonać, czy one naprawdę działają. W podobny sposób, jak twój ojciec używa metod naukowych, doktor Zauber musi używać swoich umiejętności alchemicznych i czarnoksięskich.

– Ale choć potrafi je przywoływać do życia, nie wie, jak kontrolować ich wzrost, dlatego wszystkie są w jakiś sposób zdeformowane.

– A więc, do diabła, co mam robić? – zapytał Nathan.

Rafał odłożył nóż i widelec, mimo że tylko do połowy zjadł swoją sarninę.

– Powiedział, że daje ci noc i dzień. Cóż, w tym czasie musimy się dowiedzieć, w jaki sposób Zauber ożywia swoje stwory, i przede wszystkim musimy zdobyć informację, po którą tu przyjechałeś, a mianowicie: jak ocalić twoją żonę. Nie możesz współpracować z kimś, kto zabija ludzi i odbiera im energię życiową, nieważne z jakich szczytnych pobudek. Ale nie martw się, znam kogoś, kto może nam pomóc.

Rozdział siedemnasty

MISTRZYNI MROCZNYCH SZTUK

– Kim jest kobieta, z którą mamy się spotkać? – zapytała Patti, kiedy wychodzili z restauracji.

– Przykro mi, ale na to spotkanie pójdziemy tylko profesor Underhill i ja – odpowiedział jej Rafał. – To nie jest łatwa osoba.

– Och, daj spokój – jęknął Denver. – Sprawa robi się bardzo interesująca. Prawdziwa czarna magia i w ogóle. Nie mogę się doczekać, kiedy opowiem o tym Stu.

Rafał położył mu dłoń na ramieniu.

– Myślę, że na razie powinieneś zabrać Patti do jakiegoś klubu. Trochę się rozerwiecie, zabawicie. Proponuję, żebyście poszli do Frantica przy ulicy Szewskiej. Są tam dobre drinki, wspaniałe jedzenie, no i muzyka house i techno.

– House i techno? Wie pan, że istnieje coś takiego? – zapytał Denver ze zdziwieniem.

– Mam córki – odparł Rafał. – Być może nawet je tam spotkacie. – Wezwał taksówkę dla Denvera i Patti, po czym ujął Nathana za ramię. – Pójdziemy na piechotę. To niezbyt daleko. Po naszym krótkim spotkaniu z doktorem Zauberem chyba potrzebuję trochę świeżego powietrza. Wiesz co? Mimo że widziałem go ostatnio kilka lat temu, zauważyłem, że wcale się nie postarzał.

– Co byś zrobił na moim miejscu? – zapytał Nathan.

– Nie wiem. – Światła uliczne odbijały się w okularach Rafała, sprawiając, że wyglądał jak ślepiec. – Uważam, że masz przed sobą bardzo trudny wybór. Ale jeśli życie czegoś mnie nauczyło, to tego, że wyborów należy dokonywać samodzielnie, a nie spełniać oczekiwania innych. W tym przypadku także powinieneś sam zdecydować. Po swojemu. Dlatego właśnie idziemy do Zofii Czarownicy.

Rafał prowadził Nathana wąskimi ulicami Starego Miasta, aż w końcu dotarli na miejsce. Była to ślepa ulica. Po obu jej stronach ciągnęły się rzędy ponurych budynków z łuszczącymi się tynkami. Frontowe ściany drążyła wilgoć, a pod murami i w rynnach rosły kępy zielska. W ciemnych oknach wisiały brudne firanki. Nathan i Rafał przez jakiś czas szli ramię w ramię, ale później musieli ruszyć gęsiego, ponieważ na chodnikach stały rzędy samochodów. Nathan czuł słodkawy odór stęchlizny.

– Zupełnie niedawno tak wyglądała większa część dzielnicy żydowskiej – powiedział Rafał. – Ale wyremontowano już wiele budynków i teraz zwykła kawalerka na Kazimierzu może kosztować nawet ćwierć miliona euro.

Dotarli do wąskiego budynku z przedsionkiem z szarego kamienia. Fasadę porastał bluszcz o suchych, chorych liściach. Farba z drzwi wejściowych już dawno się złuszczyła, a mosiężna kołatka na drzwiach była czarna. Przedstawiała głowę wilka z obnażonymi kłami. Rafał trzy razy mocno zapukał do drzwi.

Odczekali ponad minutę i Rafał zapukał jeszcze raz, lecz wciąż nikt nie odpowiadał.

– Chyba nikogo nie ma – powiedział Nathan.

– Zofia zawsze jest w domu. Ale czasami jest tak zajęta, że nie słyszy.

Cofnął się kilka kroków i głośno zawołał:

– Zofio! Zofio! To ja, Rafał! Otwórz drzwi!

Wciąż patrzył w górne okna, gdy drzwi niespodziewanie się otworzyły i ukazała się w nich kobieta. Miała bladą twarz, czarne oczy z rozmazanym makijażem i potargane czarne włosy, które zapewne rzadko widywały grzebień. Ubrana była w obcisłą czarną wełnianą suknię podkreślającą chude, kościste ciało i nieproporcjonalnie duże piersi. Na przegubach obu rąk nosiła przynajmniej po pół tuzina srebrnych bransoletek, wysadzanych bursztynami, turkusami i różnokolorowymi kamieniami.

– Rafał Jaślewicz! – powiedziała wysokim, zdartym głosem, który dowodził, że kobieta najprawdopodobniej pali zbyt dużo papierosów. – Co ty tutaj robisz? Strasznie długo cię nie widziałam! Już myślałam, że o mnie zapomniałeś!

Nathan był zaskoczony, że kobieta mówi do Rafała po angielsku, ale kobieta natychmiast na niego spojrzała i rzekła:

– Jesteś Amerykaninem. To przez grzeczność.

– Czy wyglądam na Amerykanina? – zdziwił się Nathan.

Zofia dotknęła swojego czoła bardzo długim paznokciem pomalowanym na czarno.

– Zofia Czarownica widzi wszystko, proszę pana. Poza tym słyszałam, jak rozmawiacie przed drzwiami. Ja mam dobry słuch. Zawsze czujnie nasłuchuję gości, którzy stają przed drzwiami mojego domu.

Rafał obdarzył Zofię swoim tradycyjnym niedźwiedzim uściskiem, po czym ucałował ją w oba policzki, po dwa razy. Wreszcie się cofnął i powiedział:

– Zofio, wyglądasz jeszcze bardziej czarująco niż zwykle.

– Czegoś ode mnie chcesz – odparła kobieta.

– Oczywiście. Zwykle nie odwiedzam cię tak późno. Pozwól, że ci przedstawię mojego przyjaciela, Nathana Underhilla, profesora zoologii z Filadelfii.

Zofia popatrzyła prosto na Nathana.

– Ma bardzo poważny problem – oceniła.

Nathan przytaknął.

– Zgadłaś. Przepraszam, jeśli ci przeszkadzamy.

– Wejdźcie. Musicie mi o wszystkim opowiedzieć. Jestem znachorką i moim obowiązkiem jest chronienie ludzi przed złem.

Rafał spojrzał na Nathana. Jego mina mówiła: Dlaczego nie? Wchodzimy. W końcu co mamy do stracenia?

Zofia zniknęła w ciemności, ale Nathan i Rafał ruszyli za nią. Kiedy przekroczyli próg, znaleźli się w mrocznym holu. Czuć było pastą do podłóg i gotowaną kapustą. Po prawej stronie stał mahoniowy stojak na parasole i kapelusze. Na środku ściany wisiało poplamione lustro; przechodząc, Nathan dostrzegł w nim swoje odbicie. Wyglądał jak człowiek tonący w mętnej wodzie.

Ruszyli po stromych, trzeszczących schodach. Na górze po lewej stronie znajdowały się drzwi, które Zofia otworzyła i skinęła na gości, żeby weszli do środka.

To był salon, z oknami wychodzącymi na ulicę. Na dworze było już ciemno i Nathan widział teraz tylko okna budynku naprzeciwko, z przybrudzonymi pomarańczowymi zasłonami. Pokój był ciepły i pełen bibelotów, pachniał suszonymi ziołami i starymi książkami, które znajdowały się dosłownie wszędzie: na półkach, na stole i na podłodze.

Na brokatowej zniszczonej kanapie spały dwa bure koty. Zofia przegoniła je, po czym zaprosiła Nathana i Rafała, żeby usiedli.

– Napijecie się herbaty? – zapytała. – Mogę wam zaparzyć herbatę ze skalnicy. Będzie was chronić przed złą magią. Albo kawę, jeśli wolicie. Mam kawę bez kofeiny.

– Właśnie wyszliśmy z Wierzynka – odparł Rafał. – Ale poprosimy o wodę.

Kuchnia Zofii była oddzielona od pokoju zasłoną z czarnych paciorków. Zofia zniknęła za nią i dosłownie w tym samym momencie wróciła z czerwoną szklanką pełną wody – stało się to tak szybko, jakby ją wyczarowała.

– A więc macie poważny problem – powtórzyła. – Nathan bardzo się martwi o kogoś, kogo kocha. Ten ktoś być może jest chory. To kobieta. Chce znaleźć lekarstwo na tę chorobę, lecz coś mu w tym przeszkadza. Jakiś problem. Jakiś dylemat.

Nathan spojrzał na Rafała.

– Jestem pod wrażeniem – powiedział.

Zofia uniosła upierścienioną dłoń.

– Nie, nie. To nie jest magia. To wrażliwość. Obserwacja. Tak jak Sherlock Holmes. Przychodzisz do znachorki, ponieważ szukasz swego rodzaju lekarstwa. Ty nie jesteś chory, więc już wiem, że przychodzisz w imieniu kogoś innego, kogoś, kto jest ci bliski. Jesteś Amerykaninem, a Stany Zjednoczone mają najbardziej zaawansowaną medycynę na świecie, dlaczego więc Rafał przyprowadził cię do mnie? – Zakręciła dłonią. – Z powodu problemu, z którym amerykańska służba zdrowia nie potrafi sobie poradzić. Z powodu dylematu.

– Wciąż jestem pod wrażeniem.

Zofia popatrzyła na Rafała. Miała szeroką kocią twarz o bardzo wysokich kościach policzkowych. Była uderzająco blada, tak jakby nigdy nie opuszczała swojego mieszkania. Jej skóra była bez skazy, jakby wyrzeźbiona z kości słoniowej. Widząc ją teraz w świetle lampy, Nathan zdał sobie sprawę, że kobieta jest znacznie młodsza, niż początkowo zakładał. Z pewnością nie miała więcej niż dwadzieścia siedem, dwadzieścia osiem lat.

– Słyszałaś o Christianie Zauberze? – zapytał Rafał.

– Oczywiście. Co z nim?

– Nathan ci wyjaśni.

Nathan opowiedział Zofii o swoim projekcie kryptozoologicznym, o tym, jak zdechł gryf i jak Richard Scryman ukradł wyniki jego badań. Powiedział jej o Domu Spokojnej Starości Murdstone, o pożarze i o bazyliszku – zarówno o tym realnym, jak i o tym, którego widział w nocnych koszmarach.

– Bazyliszek – wyszeptała Zofia, kiedy skończył. – Potworna istota. Dlaczego doktor Zauber chce ożywić coś takiego?

– O ile wiem, zamierza go wykorzystywać do leczenia pacjentów chorych na raka i inne choroby inwazyjne.

– Jak chce to zrobić?

– Jak wiesz, spojrzenie bazyliszka zabija. Gdyby chirurg mógł je kontrolować, mógłby nim zabijać komórki nowotworowe. Nie potrzebowałby skalpela ani lasera, niepotrzebna będzie także żadna chemioterapia.

– Cóż, masz rację – powiedziała Zofia. – Sekret tkwi w oku bazyliszka. W płynie, który ono zawiera.

– Mówisz o płynie ocznym.

– Właśnie, w płynie ocznym. W wypadku bazyliszka ten płyn potrafi lśnić oślepiająco. Efekt jego działania jest taki sam jak tego, co Grecy nazywają *matiasma*, a Włosi *malocchio*, złe oko. Potrafi sprawić, że dzieci chorują, krowy przestają dawać mleko, a rośliny więdną. Potrafi nawet zatrzymać bicie serca człowieka. Ty coś o tym wiesz.

Nathan sięgnął do kieszeni marynarki i wyciągnął z niej lusterko, które miał w Murdstone. Jego tafla nadal była czarna.

– Myślę, że to lusterko sprawiło, że Grace nie zginęła na miejscu. Wiesz, dlaczego tak się stało? Przeczytałem mnóstwo różnych starych legend o bazyliszkach i prawie wszystkie mówią, że jedynym sposobem zabicia takiego stwora jest pokazanie mu jego odbicia w zwierciadle.

Zofia przez chwilę oglądała lusterko, po czym oddała je Nathanowi.

– Prawdopodobnie masz rację, Nathan. Istnieje jednak teoria, że jedno lusterko nie wystarcza, żeby zabić bazyliszka. Potrzeba przynajmniej pięciu.

– Pięciu? Jak to?

– Światło odbite od jednego lusterka do drugiego tworzy pentagram, który sprawia, że jest ono pięciokrotnie silniejsze. Takie światło musi zabić bazyliszka.

– A co z Grace? Czy istnieje jakiś sposób, żebym mógł ją wybudzić ze śpiączki?

Zofia podeszła do kominka. Jego palenisko wykonane było z kutego żelaza i pełne białego popiołu z drewna, ale wciąż dawało ciepło. Gzyms zrobiono z dębu pięknie rzeźbionego w bukiety kwiatów, kiście winogron i liście. Niestety kominek był bardzo zniszczony przez dym i wysoką temperaturę.

Zofia wzięła z gzymsu gliniany garnek i postawiła go na stercie książek. Przytknęła zapaloną zapałkę do wypełniających go suszonych ziół, które wkrótce zaczęły się tlić.

– Trifolium – wyjaśniła. – Inaczej koniczyna biała. Chroni ludzi, na których spoczęło złe oko.

– Ale czy to leczy?

Zofia pokręciła głową.

– Nie potrafię powiedzieć. Nie spotkałam jeszcze nikogo, kto zapadłby w śpiączkę po spotkaniu z bazyliszkiem. Kraków jest sławny ze swoich bazyliszków, owszem, jak również ze smoków i wielu innych stworów. Jednak żadnego z nich nie widziano tutaj od czterystu lat.

– Musi istnieć jakiś sposób, w przeciwnym razie doktor Zauber nie obiecywałby mi, że pomoże Grace, jeśli będę z nim współpracował.

Zofia usiadła na kanapie blisko Nathana i ujęła jego dłoń, tak naturalnie, jakby się znali od wielu lat.

– A przyszło ci do głowy, że on stara się ciebie oszukać i żadne lekarstwo nie istnieje? Pomyśl: ty mu pomożesz, a on potem powie: „Przepraszam, przyjacielu, kłamałem".

– Nie. Wiem, że to człowiek bez skrupułów, kompletnie pozbawiony uczuć. Ale jestem pewien, że doskonale zdaje sobie sprawę z tego, co bym mu zrobił, gdybym się dowiedział, że próbuje mnie oszukać.

– Popamiętałby nas do końca życia – dodał Rafał.

Zofia popatrzyła na nich uważnie.

– On ma coś, co jest ci potrzebne, jeśli to w ogóle istnieje. Ty masz coś, czego on potrzebuje: wiedzę, umiejętności, doświadczenie. A gdybyś miał coś, co postawiłoby cię ponad nim? Gdybyś miał coś, co sprawiłoby, że nie może prowadzić swoich eksperymentów?

– Co masz na myśli?

– Mówiłeś mi, że aby wyhodować bazyliszka albo innego podobnego stwora, potrzebna jest jego skóra lub kości. Zamiast więc planować pobicie Zaubera, zabierzcie mu szczątki, które wykopał w kościele Świętego Kazimierza. I wtedy mu oznajmisz: „Jeśli mi nie powiesz, jak obudzić moją żonę, zniszczę te rzeczy i już nigdy ich nie zobaczysz". Tak łatwo nie znajdzie nowego materiału do swoich eksperymentów.

Nathan popatrzył na Rafała.

– To jest plan, prawda? Ale jak go zrealizować? Skąd będziemy wiedzieli, czy jest w domu czy nie. A nawet jeśli nie będzie go w domu, to jaką będziemy mieli pewność, że się nagle nie pojawi, tak jak w restauracji?

– W tym mogę wam pomóc – powiedziała Zofia. Podeszła do starego sekretarzyka z żaluzjowym zamknięciem i otworzyła jedną z szuflad. Przez chwilę czegoś szukała i w końcu wyciągnęła małą ozdobną torebkę, wyszywaną dużymi szklanymi paciorkami. – Masz. Oto jedna z moich ulubionych ładanek.

Nathan odebrał torebkę, choć jego mina wyrażała powątpiewanie. Mimo że mała, była całkiem ciężka.

– Otwórz – zachęciła go Zofia. – Zajrzyj do środka.

– Ładanki to „torebki amulety" – wyjaśnił Rafał.

Nathan poluźnił skórzane wiązanie torebki i zajrzał do środka. Wyciągnął stamtąd mały mosiężny cylinder zamknięty korkiem. Kiedy wyjął korek, znalazł w środku zwitek pożółkłego papieru, gęsto zapisany czarnym ręcznym pismem.

– To jest zaklęcie – wyjaśniła Zofia. – Ktokolwiek nosi taki amulet, jest strzeżony przed złymi niespodziankami. Nikt go nie może zaskoczyć ani zaatakować, bo właściciel ładanki zawsze będzie w stanie wyczuć zagrożenie. I zawsze będzie wiedział, czy wróg gdzieś na niego czyha.

Z kolei Nathan wyciągnął z torebki kilka gładkich kamieni – były wśród nich bursztyn, marmur i turkus oraz jakiś czerwony kamień, którego nie rozpoznał.

– Dzięki nim będziesz mógł widzieć dalej, słyszeć lepiej, a także mieć oczy szeroko otwarte nawet wtedy, kiedy będziesz bardzo zmęczony.

W torebce znajdowało się jeszcze mnóstwo innych rzeczy: motek szorstkich brązowych włosów, związanych drutem; medalion z podobizną gorgony, z wężami zamiast włosów; mały sztylet z rubinem, osadzonym w końcówce rękojeści; bukiecik suszonych ziół.

– Przestęp zapewni ci szczęście; mięta będzie chronić twoje zdrowie; liść brzozy przyniesie powodzenie, a także będzie cię strzegł przed złym spojrzeniem.

W końcu Nathan wydobył z woreczka jajko, bogato ozdobione biało-czerwonymi wizerunkami ptaków i węży.

– Pisanka – powiedziała Zofia. – W polskiej tradycji jajko jest symbolem życia. Każde jest zdobione innym wzorem i ma inne znaczenie. Ciemne, bogato zdobione daje się w prezencie osobom starszym, ponieważ ich życie jest niemal dopełnione, a z kolei jajko z mnóstwem białej, wolnej przestrzeni prezentuje się małym dzieciom, ponieważ ich życie jest wciąż pustą kartą. Jajka kładzie się też na trumnach ludzi, których się kochało, a nawet na rodzinnych grobach.

– A co znaczy to jajko? – zapytał Nathan.

– Ozdobione jest wizerunkami ptaków, które oznaczają słońce, niebo i nadzieję i symbolizują walkę z siłami ciemności i zła. Widoczna na nim głowa węża chroni przed wszelkimi możliwymi katastrofami.

– I co mam zrobić z tą torebką?

– Musisz założyć ją sobie na szyję.

Nathan rozpiął koszulę i wyciągnął spod niej czarny krzyż, który otrzymał od pielęgniarki.

– Jeden amulet już mam – stwierdził.

Zofia wzięła krzyż w dłoń, zamknęła oczy i po chwili powiedziała:

– Dobra rzecz. To znak, jak my mówimy. Bardzo dobrze chroni. Ma w sobie ciepło kogoś, kto chce, żebyśmy bezpiecznie wrócili do domu. Jednak mój amulet jest bardzo specjalny. Nie tylko ochroni cię przed złem, ale powie ci też, czy w pobliżu jest ktoś, kto chce cię skrzywdzić.

Jeśli chcesz się włamać do domu doktora Zaubera, ta torebka powie ci, czy jest on w środku, czy go nie ma. Uprzedzi cię także o jego powrocie.

– W jaki sposób?

– Zobaczysz.

Nathan zważył torebkę w dłoni.

– Mówisz poważnie, prawda?

– Sama jej używałam – odrzekła Zofia z uśmiechem. – Kiedyś musiałam wejść do mieszkania bardzo zazdrosnego kochanka, żeby znaleźć biżuterię, której nie chciał mi oddać. Talizman powiedział mi, że nie ma go w domu. Ale także ostrzegł mnie, kiedy wracał. Zdołałam ukryć się w szafie i kiedy wszedł do łazienki, wyszłam z mieszkania. Nigdy się nie dowiedział, że tam byłam.

Nathan nie wiedział, czy wierzyć jej czy nie. Jednak tutaj, w jej mieszkaniu, przesyconym aromatem ziół, wśród starych książek i magicznych sprzętów, łatwo było uznać, że mówi prawdę. Na ścianie za Zofią wisiał obraz chochlika o zielonej twarzy. Chochlik mrużył jedno oko, jakby chciał mu powiedzieć: No dalej, Nathan, dasz sobie radę. Jeśli tylko zechcesz, będziesz zdolny do wszystkiego. Potrafiłbyś nawet przemieszczać się tak jak doktor Zauber.

– Dobrze – powiedział. – Zaufam temu talizmanowi. Oddam ci go, kiedy zakończę tę sprawę.

– Możesz ją zatrzymać. Nigdy nie wiadomo, kiedy będziesz jej znów potrzebować. A ja zawsze mogę przygotować kolejną. W końcu jestem znachorką.

Była prawie północ, gdy Nathan z Rafałem wrócili do hotelu. Poszli do baru, gdzie zamówili czerwone wino i wódkę. Wino było mocne i cierpkie w porównaniu z winami kalifornijskimi albo chilijskimi, Nathan jednak wiedział, co się stanie, jeżeli zacznie pić wódkę.

– Uważasz, że naprawdę powinniśmy się włamać do domu doktora Zaubera?

– Myślę, że nie mamy innego rozsądnego wyjścia.

– To jest bardzo niebezpieczny człowiek. Skoro potrafił zabić tych wszystkich starszych ludzi i nie ma wyrzutów sumienia...

– Hej, przecież to ty chciałeś go pobić.

– Wiem. Ale spojrzałem w lustro i przypomniałem sobie, ile mam lat. Kiedyś wiosłowałem i podnosiłem ciężary, ale od wielu lat nie uprawiam żadnego sportu. Poza tym, jak można uderzyć człowieka, który w ciągu sekundy potrafi się przemieścić o wiele metrów?

Nathan upił łyk wina i skrzywił się.

– Uważam, że powinniśmy spróbować. Nawet jeśli Zofia ma rację i Zauber nie potrafi pomóc Grace, przynajmniej powstrzymamy go przed kolejnymi zbrodniami.

– Co się wtedy stanie z twoją żoną?

– Może Patti ma rację co do Grace? Może jej los nie spoczywa już w moich rękach, lecz w rękach Boga?

Zastanawiali się, czy zamówić jeszcze coś do picia, gdy przyszli Denver i Patti. Chichocząc, podeszli do baru i zajęli miejsca obok Nathana i Rafała.

– Dobrze się bawiliście? – zapytał Nathan.

– Odjazdowo – odparł Denver. – Ten Frantic to absolutnie najlepszy klub, w jakim kiedykolwiek byłem.

Patti uścisnęła dłoń Denvera.

– Coś panu powiem, profesorze. Pański syn naprawdę świetnie tańczy.

– Rozumiem, że chętnie się czegoś napijecie.

Denver stanowczo pokręcił głową.

– Poproszę jedynie sok z jeżyn. Nic więcej.

– Tylko sok?

Denver starał się skupić spojrzenie na ojcu. Uniósł rękę, kciukiem i palcem wskazującym pokazując, że miałby ochotę na coś mocniejszego.

– Z odrobiną wódki, ale tylko dla wysterylizowania szklanki.

– Dobrze – zgodził się Nathan. – Cieszę się, że miło

spędziłeś wieczór. Zaraz jednak trzeba iść spać. Jutro od rana czekają nas poważne sprawy i oboje z Patti musicie być w dobrej kondycji.

– Patti już jest w dobrej kondycji – wypalił Denver. – Jeszcze nigdy nie widziałem dziewczyny w takiej kondycji.

Patti popatrzyła na Nathana z uśmiechem. W uśmiechu tym Nathan zobaczył bardzo wiele: wesołość, uczucie i niemal rodzinne oddanie. Ale zobaczył w nim też zdecydowanie, żeby pozostać w nurcie wydarzeń. Była młoda i nie traktowała samej siebie zbyt poważnie, zamierzała jednak wrócić do Filadelfii z materiałem, który w jej redakcji przebije wszystkie inne.

– Chyba będę wymiotował – oświadczył niespodziewanie Denver.

– Chodź – powiedział Rafał. – Zaprowadzę cię do toalety.

Kiedy wyszli, Patti odezwała się do Nathana:

– Cóż to za poważne sprawy czekają nas jutro?

– Drobna kradzież, nic nadzwyczajnego. Ale jeżeli nie zechcesz się w to mieszać, zrozumiem.

Opowiedział jej o Zofii i pokazał amulet.

– Zajrzyj do środka – zachęcał. – Jest tam wiele dziwnych rzeczy. Zofia przysięgała jednak, że to działa.

Patti wyciągnęła zwój, mały sztylet, jajko i kolorowe kamienie.

– To jest magia, prawda? Prawdziwa, autentyczna magia. Trudno to objąć rozumem.

– Przecież wierzysz w Boga.

– Jasne, że wierzę. Ale to jest zupełnie inna sprawa. Bóg może być niewidzialny, ale Jego świat ma zasady, nie? Ludzie w nim tak po prostu nie znikają i nie pojawiają się znowu, ot tak! Jak doktor Zauber. I nie chodzą z torebkami pełnymi jajek, włosów i różnego śmiecia, z nadzieją, że to ich będzie chronić.

Nathan oparł się łokciem o kontuar i nachylił się do niej.

– Wyczuwam odpowiedź „jednak idę".

– Tak. Prawidłowo. Nic z tego nie rozumiem, ale to nie znaczy, że nie jestem gotowa uwierzyć. Pójdę jutro z wami. Ktoś musi odnotować, co się wydarzy, nawet jeśli sprawy potoczą się źle. S z c z e g ó l n i e jeśli potoczą się źle.

Nathan zamówił jeszcze jeden kieliszek wina i jeszcze jedną wódkę dla Rafała. Patti poprosiła o sok brzoskwiniowy.

Mniej więcej po pięciu minutach wrócił Rafał. Potrząsał głową.

– Denverowi nic nie będzie. Poszedł się położyć. Jutro wstanie w dobrej formie. – Usiadł i podniósł kieliszek z wódką. – Na zdrowie! Za nas wszystkich.

– Wypiję za to – powiedziała Patti i podniosła szklankę soku brzoskwiniowego. – Na zdrowie.

Rozdział osiemnasty

DOM PUSTYCH LUDZI

Następnego ranka Nathan, Denver i Patti zeszli na śniadanie do hotelowej restauracji. Słońce mocno świeciło przez witrażowe okna, w powietrzu unosiły się drobinki kurzu.

Patti ubrała się w biały golf i bardzo krótką dżinsową spódniczkę, tymczasem Denver włożył purpurowy T-shirt. Wczorajsze dolegliwości minęły mu bez śladu. Zjadł dwa jajka gotowane na twardo oraz pół koszyka czarnego chleba z serem salami i grojerem.

Nathan ograniczył się do szklanki słodkiego soku z granatów, pewnie sztucznego, oraz dwóch filiżanek mocnej czarnej kawy.

Wyjaśnił Denverowi plany, starając się mówić obojętnym głosem.

– Bez tych szczątków Zauber będzie załatwiony.

Bardzo się martwił, że Denver uzna pomysł włamania się do mieszkania doktora Zaubera za zbyt zwariowany albo zbyt ryzykowny. Denver jednak tylko kręcił z podziwem głową i rzekł z pełnymi ustami:

– Odlot, człowieku. Totalny odlot.

– Tylko pamiętaj – kontynuował Nathan. – Jeśli chcesz iść z nami, musisz wypełniać moje polecenia. I nie zgrywaj bohatera. Wolałbym, żebyś nie brał w tym udziału, ale będziesz nam potrzebny. Musimy przeszukać cały dom od góry do dołu, i to tak szybko, jak tylko się da. Bóg jeden wie, gdzie Zauber trzyma te szczątki, jeżeli w ogóle trzyma je w domu.

– Szukamy więc czegoś, co przypomina zwierzęce kości i skórę? I to wszystko w skórzanym zawiniątku?

– Dokładnie tak. Te szczątki zawierają DNA, potrzebne Zauberowi do wyhodowania bazyliszka. Ja w swojej pracy korzystam z embrionalnych komórek macierzystych. On woli jakieś średniowieczne hokus-pokus. Niezależnie jednak od sposobu, nawet on musi zaczynać od tych samych składników genetycznych.

Dwadzieścia pięć po dziesiątej zjawił się Rafał. Ubrany był w zieloną myśliwską kurtkę z brązowymi zamszowymi naramiennikami. Miał ze sobą czerwoną siatkę na zakupy. Uścisnął Nathana i Denvera na powitanie i pocałował Patti w oba policzki.

– Wszyscy gotowi? Nie rozmyśliliście się? – zapytał.

– Myślę, że to będzie odjazdowa przygoda – powiedział Denver.

– Nie możemy się doczekać, Raffo – zadeklarowała Patti.

– Jadąc tutaj, minąłem dom doktora Zaubera – poinformował Rafał. – Z zewnątrz wszystko wskazuje na to, że jest pusty.

– Masz lusterka? – zapytał go Nathan.

– Oczywiście. – Lekko uniósł torbę na zakupy. – W sumie pięć.

– Wszyscy wiemy, jak ich używać, kiedy zajdzie konieczność?

– Ja po pańskiej prawej, Raffo po lewej, a Denver będzie pomiędzy bazyliszkiem a mną. Wszystko jasne, profesorze. – Wskazała palcem na każdego po kolei. – Pif-paf-paf-paf.

Rafał wręczył każdemu po okrągłym lusterku do golenia, z powiększającymi soczewkami. Denver popatrzył w swoje lusterko i zrobił zdziwioną minę.

– Tato? – zapytał. – Naprawdę myślisz, że ten jak-mu-tam wyhodował sobie kolejnego tego-tam?

– Szczerze mówiąc, nie, nie sądzę. Uważam za najbardziej prawdopodobne, iż on czeka i ma nadzieję, że namówi mnie do pomocy. Nie zależy mu na następnym zdeformowanym monstrum. Ale nawet jeśli się posunął do przodu, raczej nie miał na to czasu. Zaznaczam jednak, że nie wiem, jak szybko rośnie bazyliszek.

– Miejmy nadzieję, że dość wolno – powiedział Rafał.

Nathan schował swoje lusterko do kieszeni i wstał.

– No dobrze – powiedział. – Ruszajmy.

Ruszyli wybrukowaną jasnymi kamieniami ulicą do skrzyżowania ulic Kupa i Izaaka. Nathan odnosił wrażenie, że brakuje tylko muzyki filmowej, gdy tak zmierzali we czwórkę zatłoczonym chodnikiem. Mogłyby to być tematy ze *Wspaniałej siódemki* lub *Gunfight at the OK. Corral*.

Po obu stronach ulicy ciągnęły się szeregi trzy- i czteropiętrowych budynków, Nathanowi przypominały się migawki filmowe poświęcone niemieckiej inwazji na Polskę, które kiedyś widział. Większość domów wyremontowano, jednak niektóre wciąż świeciły pustymi, odrapanymi framugami okien.

Na bladoniebieskim niebie płynęło kilka chmur.

Skręcili w ulicę Kupa. Trzydzieści metrów dalej po lewej stronie znajdowała się wąska aleja, a na rogu stał trzypiętrowy kanciasty budynek, o murach z szarego betonu, z łuszczącymi się brązowymi okiennicami i ponurymi prostokątami okien. Do ściany przy drzwiach przytwierdzona była rdzewiejąca żółta tabliczka z numerem 77. Drzwi budynku pomalowane były na matowy bordowy kolor. Obok znajdowały się dwa przyciski dzwonków do mieszkań. Na jednym było napisane R. Cichowski, na drugim Walach.

– Robert Cichowski był artystą, który wynajmował pracownię na ostatnim piętrze – powiedział Rafał. – A Walachowie... Nie wiem. Zdaje się, że pracowali dla jakiegoś biura turystycznego.

– Może spróbujemy zadzwonić, tylko żeby sprawdzić, czy nikogo nie ma.

Denver nadusił na oba dzwonki. Czekali i czekali, mijali ich turyści i przechodnie z zakupami, nikt jednak nie otwierał.

– Spróbuj jeszcze raz – powiedział Nathan. – I zapukaj, na wypadek gdyby dzwonki nie działały.

Denver znowu nacisnął na przyciski dzwonków, przytrzymując każdy przynajmniej przez pół minuty, wreszcie zapukał do drzwi. W odpowiedzi usłyszał jedynie echo z wnętrza budynku.

Patti podeszła do Nathana i wymownie zerknęła na jego skórzaną kurtkę.

– A może skorzystamy z pańskiego amuletu? Co on mówi?

– Zupełnie nic – przyznał Nathan. – Chociaż właściwie nie wiem, jak by się zachowywał, gdyby w domu ktoś jednak był.

– No właśnie. Ma kaszleć? Krzyczeć? Grzechotać? Czy ta czarownica to wyjaśniła?

– Nie. Powiedziała jednak, że jak coś się zacznie dziać, to będę wiedział.

– Może zacznie gwizdać jakiś jazzowy kawałek?

– Chyba możemy założyć, że dom jest pusty – odezwał się Rafał. – A z bocznego okna widać całą aleję. – Lekko rozchylił poły kurtki, na tyle, żeby cała trójka zobaczyła uchwyt śrubokręta, który nosił w wewnętrznej kieszeni. – Denver, pomóż mi. Tobie będzie łatwiej dostać się do środka.

W tej chwili w alei nie było nikogo oprócz starej kobiety w czarnym szalu, która siedziała na drewnianym krześle mniej więcej pięćdziesiąt metrów dalej. Odchylała się do tyłu z zamkniętymi oczami, wystawiając twarz do słońca, które wyszło zza chmur. U jej stóp spał kundel.

Nathan i Patti stanęli u wylotu alei i udawali, że rozmawiają z ożywieniem. Chcieli w ten sposób odwrócić uwagę ludzi przechodzących ulicą Kupa od Rafała i Denvera.

– No i co teraz? – pytał Nathan.

– Nie wiem – odburknęła Patti. – Dokąd chcesz iść?

– Nie wiem. Ty wybieraj.

– Jezu – jęknęła. – Kraczemy jak dwie wrony.

Tymczasem Rafał oparł się o ścianę, tak żeby kobieta nie widziała, co robią, i wyciągnął z kieszeni długi śrubokręt. Wsunął go w szparę we framudze okna, tuż pod zabezpieczającym je haczykiem. Rozejrzał się, sprawdzając, czy nikt go nie obserwuje, i zaczął podważać framugę. Drewno było tak zbutwiałe, że natychmiast poluźniły się śruby mocujące haczyk.

Denver otworzył okno, a tymczasem Rafał ukląkł i podstawił dłonie. Chłopak wspiął się na utworzoną w ten sposób podpórkę i po chwili znalazł się po drugiej stronie okna. Dał się słyszeć huk i odgłos jakby rozbijanej porcelany.

– Cholera!

– Denver? – zawołał Rafał, starając się, żeby jego głos brzmiał spokojnie.

Po chwili chłopak pojawił się w oknie.

– W porządku, Raffo. Nic mi nie jest. Po prosto rozbiłem jakiś dzbanek, i tyle. – Na chwilę umilkł, rozejrzał się i jeszcze przez moment nasłuchiwał. – Nikogo tu nie ma. Wpuszczę was do środka, co?

Rafał ostrożnie zamknął okno, tak że na zewnątrz nie pozostał żaden ślad włamania. Następnie dołączył do Nathana i Patti przy drzwiach. Denver otworzył je niemal natychmiast i zawołał z triumfem:

– Ta-dam!

– Jak dorośniesz, będziesz mógł zostać włamywaczem – powiedziała Patti, kiedy weszli do środka.

– Tak myślisz? A kim ty będziesz, gdy dorośniesz?

– Uspokójcie się oboje – przerwał im Nathan. – Skupmy się na poszukiwaniach.

Wiedział, że ci młodzi ludzie bardzo się lubią i jedynie droczą się ze sobą.

W domu doktora Zaubera panował półmrok i było zimno, ponieważ okoliczne budynki zasłaniały słońce. Wszystko sprawiało tu wrażenie, jakby nikt niczego nie zmieniał od czasów wojny. Tapeta w czerwono-żółte kwiaty po jednej stronie klatki schodowej była kompletnie wytarta; na półpiętrze miała wręcz kolor sepii, jakby kwiaty na niej po prostu wyschły i zwiędły. Drzwi, listwy przypodłogowe i poręcze pomalowano na ciemnobrązowo, ale farba na nich łuszczyła się i pękała.

– Rafał i ja zaczniemy szukać na strychu – powiedział Nathan. – A wy dwoje tutaj, dobrze? – Otworzył drzwi po prawej stronie holu i zajrzał do środka. – Salon – powiedział.

Pomieszczenie było duszne i ciemne, a firanki na oknach były aż ciężkie od kurzu. Stało tutaj mnóstwo mebli z lat trzydziestych XX wieku. Nad kominkiem wisiało wielkie lustro, tak że mogli zobaczyć swoje odbicie.

– Wygląda na to, że obok jest jadalnia, a z tyłu kuchnia. Musicie przeszukać każdy zakamarek, wszystkie szafy i szuflady. Jeśli uznacie, że znaleźliście to, czego szukamy, nie dotykajcie tego. Po prostu zawołajcie nas.

Denver i Patti weszli do salonu i zaczęli otwierać szuflady eleganckiej orzechowej serwantki.

– Zajrzyjcie w każdy kąt – powiedział Nathan.

On i Rafał weszli po schodach na półpiętro. Z sufitu niczym wielki pająk zwisał żyrandol, któremu brakowało dwóch spośród pięciu żarówek. Sufit był popękany i poznaczony brązowymi plamami wilgoci.

– Gdyby ten dom został wyremontowany, można by na nim zarobić fortunę – stwierdził Rafał.

Na ścianie obok niego wisiała fotografia zakonnika o ascetycznym wyglądzie. W tle widoczny był jakiś ponury klasztor i niebo, na którym unosiło się stado czarnych ptaków. Fotografia też nosiła ślady wilgoci, przez co mnich wyglądał, jakby był trędowaty.

Wspięli się po schodach na samą górę. Kiedy wreszcie dotarli do drzwi prowadzących na strych, Rafał ciężko oddychał i kilkakrotnie uderzył się pięścią w piersi.

– Powinienem więcej ćwiczyć – powiedział. – Pić mniej piwa, jeść mniej ziemniaków i kiełbasy.

Nathan ostrożnie otworzył drzwi. Było tutaj jaśniej niż na dole, ponieważ w suficie znajdowało się sześć świetlików, które wpuszczały światło, chociaż wszystkie trzy, skierowane na południe, przesłonięte były żaluzjami. Niewątpliwie znajdowali się w pracowni Roberta Cichowskiego. Czuć tu było mocno farbą olejną, terpentyną oraz zestarzałym dymem papierosowym. W pomieszczeniu stał długi stół, na którym leżało mnóstwo tub z farbami, słojów z pędzlami, palet upstrzonych różnokolorowymi farbami oraz kolorowych szmat. Pod ścianą, tuż przy ceglanej podmurówce komina, stało pojedyncze łóżko przykryte zniszczoną zieloną narzutą.

O jedną ze ścian ktoś oparł dwadzieścia lub trzydzieści obrazów olejnych, a także wiele rysunków węglem i szkiców ołówkowych. Na sztaludze stojącej na środku pomieszczenia widać było niedokończony obraz, przedstawiający nagą kobietę w lesie. Jej głowa jednak nie była głową kobiety, lecz dzikiego kota z żółtymi ślepiami.

Obraz ten był tak realistyczny, że Nathan niemal wyobraził sobie kobietę-kota wychodzącą z płótna. Było w niej coś zarówno przerażającego, jak i żałosnego, jakby sobie zdawała sprawę, jak groteskowo wygląda, i jakby żałowała, że już nigdy nie będzie normalną kobietą, nawet gdyby w przeszłości nie cieszyła się urodą.

Rafał rozejrzał się po pracowni, a następnie zaczął otwierać szuflady w komodzie i szperać w swetrach i dżinsach, których było mnóstwo w jednej z trójkątnych szaf ustawionych pod spadzistym sufitem.

Nathan ukląkł, popatrzył pod łóżko i zajrzał pod materac.

– Myślałem, że twój znajomy z biura nieruchomości

powiedział ci, że Zauber wymówił dzierżawę temu artyście.

– Bo tak powiedział. Ale być może malarz nie ma gdzie tego przechowywać i Zauber pozwolił mu to tu trzymać.

Przeszukali pomieszczenie bardzo starannie, przeglądając kartonowe pudła pełne listów i zdjęć wyrwanych z magazynów, a także książek, zeszytów i ołówków. Natrafili nawet na gipsową rękę, wyrwaną zapewne sklepowemu manekinowi. Nathan wziął ze stołu stalową linijkę i podważył dwie źle dopasowane klepki podłogowe, nie znalazł jednak pod nimi niczego istotnego, a jedynie pył gipsowy, zmumifikowanego szczura i paczkę papierosów extra mocne.

– Coś mi tutaj nie pasuje – powiedział Natan. – Czuję to w kościach.

– Być może – zgodził się Rafał. – Ale niekoniecznie. Może Zauber trzymał tutaj tego człowieka, ponieważ mu zależało na pieniądzach? Nawet potwory takie jak Zauber potrzebują pieniędzy.

Po raz ostatni rozejrzeli się po strychu i zeszli na dół, na drugie piętro. Kiedy otworzyli drzwi do pierwszej sypialni, stało się dla nich jasne, że tutaj mieszkali Walachowie. W pomieszczeniu stało wysokie staromodne podwójne łóżko przykryte różową jedwabną kołdrą. Na jednej z poduszek leżała starannie złożona pidżama w biało-niebieskie pasy, na drugiej koszula nocna z falbankami.

Rafał przekręcił klucz w szafie i otworzył ją. W środku znajdowało się mnóstwo ubrań – w większości sukienek, ale były też futra i dwa męskie garnitury. Czuć było naftaliną. Na szafie leżał karton na kapelusze i mała skórzana walizeczka.

– Twojego znajomego chyba ktoś źle poinformował – powiedział Nathan. – Może on jednak nie sprowadził się z powrotem do tego domu?

Rafał z niedowierzaniem potrząsnął głową.

– Był pewien tego, co mówił. Powiedział nawet, że Zauber był w jego biurze, żeby podpisać wszystkie papiery.

– No tak, ale jeśli mimo wszystko się tu nie wprowadził, marnujemy czas. Pytanie jednak brzmi: skoro on nie mieszka tutaj, to gdzie, do diabła?

Sprawdzili jeszcze dwie inne sypialnie. Jedna niewątpliwie należała do nastolatka, gdyż jej ściany zdobiły plakaty Coldplay i Oddziału Zamkniętego, jednego z najpopularniejszych polskich zespołów rockowych. W jednym rogu stało małe białe biurko z laptopem na wierzchu, a przed nim czarne krzesło. Przez oparcie było przerzuconych kilka T-shirtów i dwie pary dżinsów.

W trzecim pokoju bez wątpienia mieszkała dziewczynka. Trzy półki zajmowały tutaj lalki Barbie oraz niezliczone pluszowe misie.

– No i wszystko – powiedział Nathan, zamykając drzwi. – Totalna klapa.

Skierował się na schody. I w tym samym momencie poczuł coś dziwnego, jakby drżenie mięśni klatki piersiowej i ramion. Tak jakby ktoś raził go prądem. Niemal stracił równowagę. Zachwiał się i, żeby nie upaść, przytrzymał się poręczy.

– Nathan! – zawołał Rafał. – Dobrze się czujesz?

Nathan poczuł kolejne drgawki, jeszcze bardziej bolesne niż przed chwilą. Tym razem odniósł wrażenie, że jego serce zatrzymuje się na chwilę, jakby wahało się, czy uderzyć kolejny raz. Przycisnął dłoń do piersi i nagle zdał sobie sprawę, że kamienie, które otrzymał od Zofii, podskakują i obijają się o siebie w torebce, jakby nagle ożyły. Wyciągnął amulet spod koszuli i przez chwilę go obserwował. Panował w nim taki ruch, jakby w środku nie tylko podskakiwały kamienie, ale też walczyły skorpiony.

– On tu jest – powiedział do Rafała. – Zauber tutaj jest. Zofia mówiła, że kiedy on się tylko zbliży, od razu będę o tym wiedział.

Kiedy tylko wypowiedział te słowa, usłyszał krzyk dziewczyny. Był tak wysoki i przerażający, że musiało minąć kilka sekund, zanim się zorientował, że to krzyczy Patti. Zaraz też usłyszał głos Denvera.

– Tato! Tato! Ratunku! Tato!

Nathan rzucił się po schodach w dół, przeskakując po cztery, pięć stopni naraz. Krzyk Patti przybrał jeszcze wyższe tony i brzmiał w nim jeszcze większy strach. Denver wręcz wył z przerażenia.

– Tato! Ratuj! On ją ma! Tato!

Nathan wbiegł do holu, a Rafał tuż za nim. Niemal się przewrócił na dywaniku przed schodami, zdołał jednak złapać za słupek przy poręczy i dzięki temu nie upadł.

Wpadł do kuchni. Było tu zimno i mroczno, jedyne okno zasłaniała żółta żaluzja. Ściany wyłożono białymi i zielonymi kafelkami, na środku pomieszczenia stał duży stół z marmurowym blatem, całym w zaschłych plamach i smugach. Z sufitu, niczym kościelne dzwony zwisały miedziane rondle.

Denver kucał w kącie obok staromodnego zlewu.

– Tam! Ona jest tam! Próbowałem ją uwolnić, ale nie dałem rady! – krzyknął, kiedy zobaczył ojca.

W jednej ze ścian kuchni były kolejne drzwi, częściowo otwarte. Za nimi panował jeszcze większy mrok. Nathan jednak dostrzegł białą emaliowaną pralkę i białe ręczniki wiszące na drewnianej żerdzi.

Zza drzwi dobiegł krzyk Patti, który po chwili zaczął przechodzić w łkanie.

– Patti! – krzyknął Nathan. – Już wszystko dobrze! Idziemy do ciebie! Patti!

Przebiegł przez kuchnię i kopniakiem otworzył drzwi na całą szerokość. Początkowo nie był w stanie się zorientować, co widzi, ponieważ Patti i napastnik musieli upaść na suszarkę do bielizny i leżeli teraz wśród prześcieradeł oraz poszewek, wyglądając jak dwa walczące duchy.

Niespodziewanie Patti przesunęła się na bok i desperacko wyciągnęła rękę do Nathana. Wtedy zobaczył, co ją trzyma.

Był to potężny szary stwór, niemal tak wysoki jak człowiek, jednak znacznie bardziej zwalisty. Miał kopulastą głowę, kartoflowate czarne oczy i błyszczące bladożółte powieki, podobne do powiek żółwia, którymi bez przerwy mrugał. Pod tymi oczami widniała jednak twarz człowieka, z ludzkim nosem i ludzkimi ustami. Wargi miał wygięte w dół, jakby sam się sobą brzydził.

Przywierał do Patti sześcioma szarymi mackami, podobnymi do sznurów, cienkimi i pozostającymi w nieustannym ruchu. Jego tułów przypominał wielki, bezkształtny wór pokryty grubą, pomarszczoną skórą. Bił od niego straszliwy smród przypominający odór gnijących skorupiaków.

– Patti! – krzyknął Nathan, starając się przekrzyczeć wrzask dziewczyny. – Patti, uspokój się! Złap mnie za rękę! Patti!

Złapał jej rękę, zimną i śliską od wydzielin stwora. Spróbował wyrwać dziewczynę z jego objęć, jednak im mocniej ciągnął, tym mocniej zaciskały się macki. Obejmowały jej biodra, kibić, otaczały klatkę piersiową. Jedna z macek błądziła po jej twarzy.

Za Nathanem stanął Rafał.

– Jezus Maria – jęknął. – Czy to jest to, co myślę?

– Uwolnijcie mnie! Uwolnijcie mnie! Uwolnijcie mnie! – krzyczała Patti. – Nie zniosę tego! Uwolnijcie mnie!

Kopała, walczyła o wolność, ale kiedy Nathan złapał ją za nogę, potwór natychmiast owinął wokół niej jedną ze swoich macek. Patti wciąż błagała i krzyczała, lecz stwór w końcu zasłonił jej usta i teraz wydawała jedynie stłumione żałosne odgłosy.

– To *Schleimgeist*. Nie mam co do tego wątpliwości. W jednej trzeciej kałamarnica, w jednej trzeciej ślimak i w jednej trzeciej człowiek. Dlaczego Zauber postanowił coś takiego wyhodować?

– Najpierw uwolnijmy Patti.

Rafał wysunął spod blatu stołu kilka szuflad i po chwili wrócił z nożami kuchennymi i widelcami. Jeden z noży wręczył Nathanowi.

Wszedł do pralni. Ślimaczy stwór zdążył tymczasem zaciągnąć Patti do rogu i właśnie owijał macki dookoła jej szyi. Po chwili dziewczyna charczała, z trudem łapiąc oddech. Rafał podszedł do nich z wysoko uniesionym nożem. Wreszcie dźgnął potwora dwukrotnie w bok, wkładając w uderzenia całą siłę, jaką miał.

Stwór wydobył z siebie szorstki, wściekły wrzask, jednak ostrze noża nawet nie przedziurawiło skóry. Rafał dźgnął jeszcze kilka razy, jednak bez żadnego efektu.

– To na nic! – wystękał. – Jest zbyt twarda!

Nathan z kolei próbował odciągnąć szare macki od ust Patti. Dziewczyna wpatrywała się w niego oczami szeroko otwartymi z przerażenia. Macki trzymały jednak zbyt mocno, żeby Nathan mógł je ruszyć.

Rafał trzymał teraz nóż w dwóch rękach i z dziką zaciętością dźgał stwora w bok, głośno jęcząc przy każdym pchnięciu. Nie był jednak w stanie nawet go zadrasnąć.

– To nic nie da – powiedział Nathan, z trudem łapiąc oddech. – Ślimaki nie mają zewnętrznej skorupy, ale potrafią tak mocno napiąć ciało, że niemal nic nie jest w stanie ich zranić.

– Więc co zrobimy? Nie możemy tak po prostu stać i patrzeć, jak to monstrum ją dusi!

Nathan wrócił do kuchni. Denver już stał, obie ręce miał uniesione i z bezsilności zagryzał knykcie. W jego oczach błyszczały łzy.

– Tato, on ją zabije! Tato! Nie pozwól, żeby ją zabił, proszę!

I wtedy Nathanowi przyszła do głowy pewna myśl. Przypomniał sobie matkę, kilka minut po deszczu, kiedy te wielkie szare pomrowy wypełzały na ścieżki ogrodu, by zjadać jej pelargonie.

Przeszedł przez kuchnię i podszedł do sosnowego kredensu stojącego przy drzwiach. Za jego plecami, w pralni, Patti zdołała na chwilę uwolnić usta, ponieważ wydobyła z siebie jeszcze trzy histeryczne wrzaski.

– Nathan! – krzyknął Rafał. – Co robisz? Wracaj! Pomóż mi!

– Poczekaj! Już wracam!

Na drugiej półce kredensu stało kilka białych ceramicznych naczyń, opatrzonych zielonymi napisami: cukier, pieprz, sól. Nathan wziął pojemnik z napisem sól i otworzył go. Był niemal pełen.

– Nathan! – wrzeszczał Rafał. – On jej połamie żebra!

Nathan pośpiesznie wrócił do pralni, gdzie Rafał wciąż bezskutecznie dźgał nożem potwora. Co prawda zdołał przynajmniej naciąć mu skórę, ponieważ widać było strużkę czarnej krwi, jednak bez wątpienia nie udało mu się zadać głębokich ran.

Patti była już w złym stanie. Napastnik otoczył jej twarz dwiema mackami, a pozostałymi czterema mocno obejmował jej klatkę piersiową. Nathan wiedział, że oderwanie ich lub przecięcie będzie niemożliwe.

Wysoko uniósłszy pojemnik, pochylił się do przodu, tak że niemal dotknął potwora. Był obrzydliwy: chłodny, śliski i twardy. Nathan zaczął sypać sól wprost na poraniony grzbiet potwora.

Gdy opróżnił naczynie, odrzucił je i wytarł ręce w kurtkę. Przez kilka okropnych chwil bał się, że popełnił fatalny błąd, ponieważ potwór mocniej zacisnął macki, a Patti jęczała, jakby wydawała ostatnie tchnienie.

Po chwili jednak Rafał zawołał:

– Patrz!

Tam, gdzie naciął skórę, pojawiły się mlecznobiałe pęcherze. Monstrum niespodziewanie zadrżało, zaczęło skręcać się i marszczyć. Jego skóra zaczęła się topić, powoli przybierając szklisty szary kolor. Uniosła się nad nią para – duszący, kwaśny odór, śmierdzący gnijącą rybią skórą.

– Sól! Tak! Sam powinienem był na to wpaść! – krzyknął Rafał.

Z gardła potwora wydobył się gardłowy bulgot bólu.

Kiedy tylko sól przeniknęła zewnętrzną warstwę skóry, zaczęła błyskawicznie trawić ciało potwora. Po chwili jasnoszary płyn zaczął się rozlewać po podłodze pralni.

Potwór jednak nadal trzymał Patti. Wiedział, że zdycha, i wydawał się zdecydowany, by przed swoją śmiercią również z niej wycisnąć życie. Nathan obszedł go i stanął przed jego upiorną półludzką twarzą. Kwaśne opary wypełniały całą pralnię. Nathan musiał kilka razy odkaszlnąć, zanim zdołał się odezwać:

– Puść ją! – zażądał. – I tak tego nie przeżyjesz! Zdychasz! Już jesteś martwy! Puść ją!

Powieki potwora zamykały się i otwierały. Po chwili – ku przerażeniu Nathana – stwór przemówił. Jego zbolały głos wydobywał się z ust, które były pełne ostrych jak brzytwa kolców:

– Nic nie rozumiesz. Powinieneś był się zgodzić. Razem z doktorem Zauberem moglibyście osiągnąć wielkie rzeczy. My moglibyśmy osiągnąć wielkie rzeczy.

Nathan wpatrywał się w potwora z niedowierzaniem. Czuł litość i obrzydzenie. Stopniowo zaczynał rozumieć, z czym ma do czynienia, albo z czym miał do czynienia jeszcze przed chwilą, gdy stwór był w pełni sił. Wypukłe ślepia były groteskowe, ale wyraz jego twarzy przypominał oblicze średniowiecznego świętego. Nagle Nathan dostrzegł w tej twarzy nos i zarys twarzy Richarda Scrymana.

– Richard – powiedział. – Boże Wszechmogący, Richardzie, czy to ty?

– Miał pan możliwość zapisania się w historii, profesorze. To była nasza wspólna szansa na nieśmiertelność.

– Mój Boże, Richardzie, na co ty mu pozwoliłeś?

– Powinien pan był do nas dołączyć – powtórzył. Z jego gardła wydobywały się zduszone okrzyki. – Boże, to boli, profesorze. Nie potrafi pan sobie wyobrazić tego bólu.

– Richardzie, puść Patti. Musisz ją puścić.

– Przykro mi, profesorze, ale zabieram ją ze sobą.

– Puść ją! Co ci przyjedzie z tego, że ją zabijesz?

Jednak potwór zamknął ślepia i milczał.

Nathan znowu spróbował rozerwać jego macki, ale były jak naoliwione liny zaciśnięte dookoła piersi Patti tak mocno, że nie był w stanie nawet wsunąć pod nie palców, nie mówiąc już o objęciu ich dłońmi.

– Cholera jasna, Richard! – wrzasnął, jednak ślepia potwora pozostawały zamknięte. Na półludzkiej twarzy malował się wyraz spokoju, niemal błogości, mimo że cierpiał w agonii ponad wszelkie wyobrażenie.

– Rafał, idź do kuchni. Nad piecem wiszą miedziane rondle. Przynieś mi dwa – polecił.

– Co?

– Pośpiesz się.

Rafał ciężkim krokiem poszedł do kuchni. Denver, który słyszał prośbę ojca, zdjął już z haków dwa wielkie rondle i podał je Rafałowi, który zaniósł je do pralni.

– Nie rozumiem – powiedział. – Do czego ci one?

– No to patrz. Patrz i módl się.

Wypowiedziawszy te słowa, złapał rondle za uchwyty, a ich dna przycisnął do boków potwora niczym lekarz wykonujący elektrowstrząsy. Ślepia potwora natychmiast się otworzyły i wydał z siebie straszny charkot.

Jego macki rozwarły się jak palce i cofnęły sztywno. Patti natychmiast potoczyła się do przodu i padła na podłogę. Rafał pomógł jej wstać i zaprowadził do kuchni.

– Nigdy pan nie zrozumie – wyszeptał potwór i upadł z głośnym plaśnięciem. Zahaczył przy tym o suszarkę z praniem, która natychmiast się na niego przewróciła. Przykryła go reszta suszącej się bielizny. Pod tym prowizorycznym całunem jego rozpuszczające się ciało trzaskało jeszcze i syczało.

Nathan wyszedł do kuchni i wytarł ręce w ręcznik. Patti siedziała na kuchennym krześle; pokaszliwała, z trudem łapała oddech. Denver stał obok niej z filiżanką wody i obejmował dziewczynę ramieniem.

– Patti? Jak się czujesz?

Musiała kilkakrotnie głęboko odetchnąć, zanim udało jej się wykrztusić:

– Nie mogę oddychać. Chyba złamał mi żebro.

– Czy to coś nie żyje? – zapytał Denver.

Nathan pokiwał głową i odwiesił rondle na miejsce.

– To kolejna rzecz, jakiej mama nauczyła mnie na temat ślimaków, oprócz tego, że trzeba na nie sypać sól.

– Nie znoszą rondli?

– W pewnym sensie. Śluz umożliwia im poruszanie się, ale kiedy wejdzie on w kontakt z miedzią, powstaje reakcja chemiczna, która wywołuje u nich poważny szok elektryczny. To dlatego niektórzy ogrodnicy otaczają swoje rośliny paskami miedzi.

– Nawet nie wyobrażasz sobie, jak się cieszę, że to wiedziałeś – powiedziała Patti i na moment ujęła go za rękę.

– Co dalej, tato? – zapytał Denver.

– Nie wiem. Nadal nie znaleźliśmy tego, czego szukaliśmy. Ale jeśli macie dosyć, może wrócimy do hotelu i popracujemy nad planem B?

– Planem B?

– Może powinienem obiecać Zauberowi, że będę dla niego pracował? Tyle że pod warunkiem, że on powie mi, jak obudzić Grace.

– I naprawdę myślisz, że ci uwierzę? – rozległ się wyraźny głos z niemieckim akcentem.

Rozdział dziewiętnasty

HYBRYDA

W drzwiach, z twarzą częściowo ukrytą w cieniu, stał doktor Zauber w czarnym garniturze i w lśniących czarnych rękawiczkach.

Wszedł do kuchni i przez moment, patrzył na nich w milczeniu. Z trudem panował nad złością. Przypominał ojca, który odkrył, że jego dzieci źle się zachowują.

Skinął ku drzwiom pralni. Z pomieszczenia wciąż wydostawała się śmierdząca para.

– A więc zamordowaliście byłego kolegę i zniszczyliście moją najnowszą kreację.

– To była samoobrona – odparła Patti. – Ten wstrętny stwór próbował mnie udusić.

– Jedynie się bronił.

– Bronił się? – zaprotestował Denver. – Przed kim? Przed taką drobną dziewczyną? Człowieku, ona prawie zginęła.

Doktor Zauber uniósł rękę.

– Nie możecie go o to winić. Jeśli chcecie kogoś o coś obwiniać, to zacznijcie ode mnie. Jak wiele moich kreacji, miał wiele fizycznych i psychicznych niedoskonałości, wśród nich silną paranoję. Przyjął, że zagrażacie jego istnieniu, i najwidoczniej miał rację.

– To był Richard Scryman – rzucił Nathan. – A przynajmniej jego część była Richardem Scrymanem. Co ty z nim zrobiłeś?

– Przeprowadziłem proces, który wynalazł Albert Wielki, kiedy był biskupem Ratyzbony, w roku tysiąc dwieście sześćdziesiątym pierwszym. Nazwał go *Verwirrung*, co znaczy „mieszanie". Albert Wielki był jednym z największych alchemików... i, jak właśnie zobaczyliście, jego alchemia działała.

– Odkrył, jak stworzyć ślimako-człowieka?

– Nie tylko. Odkrył, w jaki sposób można łączyć ze sobą wiele różnych gatunków. Nie dwa, lecz trzy albo cztery, a raz udało mu się nawet połączyć pięć. Stworzył w jednym ciele kobietę, rybę, owada, ptaka i psa.

– A ty połączyłeś Richarda Scrymana z kałamarnicą i ślimakiem! Na miłość boską, Zauber! To jest chore!

– Nie ma tu żadnej choroby, profesorze. A gdybyś pozwolił mu żyć, stanowiłby prawdziwe błogosławieństwo dla ludzi, którzy są chorzy na przykład na zanik mięśni albo miastenię; chorzy na tę chorobę cierpią na brak niezbędnych neurotransmiterów.

– Mimo wszystko zrobiłeś coś potwornego.

– Richard poddał się temu dobrowolnie, przyjacielu. On tego chciał. Chciał tworzyć historię medycyny. Zawsze narzekał, że mimo całego twojego geniuszu, profesorze, brakuje ci tego, co daje uczonemu szansę przejścia do grona nieśmiertelnych. Nigdy nie byłeś gotowy na wykonanie jednego wielkiego skoku wyobraźni i przyjęcie do wiadomości, że te mityczne stworzenia potrzebowały nie tylko mitochondrialnego DNA, ale też zaawansowanej magii. – Niespodziewanie doktor Zauber zniknął. Po sekundzie stał już u prawego boku Nathana. – Nigdy nie będziesz ze mną pracował, prawda? – odezwał się. – Nie jesteś wizjonerem i nie masz odwagi. Szkoda, że twoja ukochana Grace spędzi resztę życia w śpiączce. Śpiąca królewna z Filadelfii nie znajdzie rycerza gotowego przebyć chaszcze i knieje, żeby ją uratować.

– Jak, do diabła, możesz się spodziewać, że będę z tobą pracował, skoro zamordowałeś tylu ludzi? I zamierzasz nadal to robić!

Zauber potrząsnął przecząco głową.

– Nie. Zabijanie staruszków to przeszłość.

– Tak? Odnosiłem wrażenie, że potrzebujesz ich energii życiowej.

– Nawet jeśli postanowił już więcej nie zabijać, wciąż jest odpowiedzialny za tych wszystkich, którzy zginęli do tej pory – wtrącił Rafał, niespodziewanie gwałtownie.

Nathan popatrzył na niego. Zrozumiał, że Rafał daje mu w ten sposób do zrozumienia, żeby nie osłabł i nie zgodził się na współpracę z Zauberem w zamian za uratowanie Grace.

Zauber poślinił jeden z palców czarnej rękawiczki i przygładził prawą brew.

– Tak, przyjacielu. Masz absolutną rację. Nie mogę przywrócić do życia ludzi, których zabiłem. Co gorsza, wyszło na to, że wcale nie byli dla mojego projektu tak użyteczni, jak się początkowo spodziewałem. Byli zbyt starzy, zbyt wyniszczeni. Byli jak bateria, której moc się kończy, w której tli się resztka energii. Dlatego właśnie zapytałem Richarda, czy zgodzi się być ochotnikiem w procedurze *Verwirrung* ze ślimakiem i kałamarnicą. Richard był młody i pełen wigoru. A żeby operacja zakończyła się sukcesem i żeby nowa kreacja przetrwała, niezbędne były młodość i siła.

– Co ty właściwie mówisz? – zapytał Nathan. – Twierdzisz, że teraz będziesz potrzebował energii życiowej młodych ludzi zamiast starych? Chcesz powiedzieć, że zaczniesz mordować dzieci?

Doktor Zauber znowu zniknął i po chwili ukazał się w holu przed drzwiami kuchennymi.

– Czy ten facet nie może ustać spokojnie? – mruknął Denver.

– Kiedy zrobił to po raz pierwszy, bardzo ci się spodobało – przypomniała mu Patti.

– Jasne, ale to było, zanim próbował cię załatwić.

– Zanim ostatecznie powiesz „nie", profesorze Underhill, pozwól, że ci zaprezentuję, co stworzyłem, wykorzystując energię życiową starych ludzi – powiedział Zauber. – Później pokażę ci, co moglibyśmy uczynić wspólnie, z twoją naukową błyskotliwością i moimi umiejętnościami magicznymi oraz siłą witalną młodych ludzi.

Naprzeciwko drzwi kuchennych znajdowały się inne, z napisem „piwnica". Zauber otworzył je i włączył światło.

– Proszę, chodź za mną.

– Cokolwiek chcesz mi pokazać, Zauber, naprawdę nie jestem zainteresowany. Przyszedłem tutaj tylko w jednej jedynej sprawie.

– Włamałeś się do mojego domu. Dlaczego to zrobiłeś? Mogłem kazać was aresztować, całą czwórkę. Może chcieliście mnie okraść? – Nathan nie odpowiedział. Tamten jednak podszedł do niego, spojrzał mu prosto w oczy i rzekł: – Nie jestem głupcem, profesorze Underhill. Wiem, czego tu szukałeś, i wiem również dlaczego. Zjawiłeś się jednak o wiele za późno. Te szczątki są już w użyciu, a kiedy je znajdziesz, odkryjesz w nich jedynie swoją nemezis.

Wypowiedziawszy te słowa, ruszył w dół prostymi drewnianymi schodami. Jego lśniące czarne buty mocno uderzały o stopnie.

Nathan popatrzył na Rafała. Ten jedynie wzruszył ramionami i powiedział:

– Co mamy do stracenia?

– Och, na przykład życie – zauważył Denver. – Co będzie, jeśli tam na dole kryje się jeszcze jedno z tych okropieństw?

Doktor Zauber zatrzymał się w pół drogi.

– Na dole nie ma nic, co wyrządziłoby wam krzywdę. Macie moje słowo.

Nathan podszedł do drzwi. Z dołu docierał odór wilgoci, pleśni i stęchlizny – zwyczajne piwniczne zapachy. Nathan wyczuł jednak coś jeszcze, jakby koci mocz.

– Zapraszam – nalegał doktor Zauber. – Profesorze Underhill, jestem pewien, że cię to zainteresuje. Obiecuję.

– Dobrze – powiedział Nathan. – Rafał, idziesz ze mną?

– My też idziemy. – Patti złapała Denvera za rękę. – Nie ma mowy, moi drodzy, żebyśmy znowu się rozdzielili.

Cała czwórka podążyła więc po schodach za doktorem Zauberem. Piwnica miała bardzo niskie sklepienie, a jej ceglane ściany były pomalowane na ciemnobrązowy kolor, co czyniło wnętrze jeszcze bardziej ponurym i klaustrofobicznym. Paliły się zaledwie dwie nagie żarówki, w kątach pomieszczenia czaiły się cienie.

Pod ścianą z lewej strony stał duży dębowy stół. Na nim znajdowały się dziesiątki szklanych słojów laboratoryjnych, trójnogów, probówek i pipetek, leżały sterty książek – niektóre były bardzo stare – w popękanych skórzanych oprawach, z wystrzępionymi stronicami. Pod stołem stały z kolei wiklinowe kosze z suchymi gałązkami i było jeszcze więcej szklanych słojów oraz jakieś zmatowiałe mosiężne przyrządy, przypominające sekstansy i astrolabia.

– Moje laboratorium – powiedział doktor Zauber. – Pewnie nie aż tak wysublimowane jak twoje, profesorze, jednak to właśnie tutaj powstają moje dzieła.

Zszedłszy po schodach, Nathan usłyszał jakiś trzepot i jakby drapanie. Zerknął w ciemność i zobaczył, że jeden z kątów piwnicy oddzielony jest od reszty i stoi tam klatka z grubego drutu kolczastego.

Doktor Zauber skinął na niego, żeby podszedł, a kiedy to uczynił, z klatki dobiegło pianie, jakby koguta, jednak znacznie głośniejsze. Kończyło się odgłosem podobnym do warkotu.

Patti pisnęła i zawołała:

– O cholera! Co to jest?

Nathan poczuł dziwne ciarki na plecach, a amulet na jego szyi zaczął się unosić i drgać. W piwnicy rozległo się kolejne pianie koguta, a potem jeszcze jedno. Zrozumiał, co Zauber chce mu pokazać.

Doktor podszedł do klatki i znowu na niego skinął. Jego oczy lśniły w ciemności.

– Podejdź bliżej, profesorze. Nie ma powodu się bać. Nawet jeżeli to ucieknie, jest zbyt zdeformowane, żeby któremukolwiek z nas uczyniło krzywdę.

Kiedy to powiedział, coś ni to się wyczołgało, ni wyskoczyło z ciemności – groteskowa plątanina piór i futra. Miało łeb jak orzeł lub jastrząb, zakrzywiony dziób i bystre czerwone oczy. Miało także skrzydła, wyglądające jednak na nieruchome, szczątkowe. Natomiast reszta jego ciała przypominała lwiątko, miała płową skórę oraz łapy z lwimi pazurami.

Nathan odgadł, że istota wykluła się zaledwie przed dwoma lub trzema tygodniami, jednak miała już wielkość dużego psa. Gdyby utrzymała się przy życiu, powinna osiągnąć znacznie większe rozmiary.

– O mój Boże! – zawołała Patti. – Mój Boże, nie wierzę własnym oczom.

– O rany, tato – zawtórował jej Denver. – Co to jest, do diabła?

Nathan przez długą chwilę milczał, wreszcie się odezwał:

– To jest to samo stworzenie, które ja próbowałem wyhodować. Gryf. Pół ptak, pół lew. – Urwał na chwilę. – To *opinicus*, co znaczy, że ma przednie łapy lwa.

Odwrócił się do Zaubera. Cały się trząsł.

– Jak to zrobiłeś? – zapytał.

Doktor popatrzył na swoje dzieło z mieszaniną dumy i współczucia.

– Oczywiście, nasz zmarły przed chwilą przyjaciel Richard dał mi wszystkie wyniki twoich badań. Ale jednocześnie użyłem formuły, opisanej przez doktora Johna Dee, słynnego angielskiego mistyka z czasów królowej Elżbiety I. Pod koniec szesnastego wieku odwiedził on Polskę z arystokratą Albertem Łaskim i od alchemików z Krakowa dowiedział się, jak hodują gryfy.

– To niewiarygodne – wyszeptał Nathan

Pochylił się i uważniej popatrzył na gryfa. Czuł złość i zazdrość, ale zarazem i nieodpartą ciekawość. Przecież tak wiele lat pracował, żeby wyhodować takie właśnie stworzenie... A teraz widział je na własne oczy. Stało tuż przed nim. Popatrzyło na niego nieruchomym spojrzeniem czerwonych ślepiów i nagle z głębi jego gardła popłynął wysoki skrzekliwy wrzask.

– Jak widzisz, prawie mi się udało – powiedział doktor Zauber. – Jednak to biedne stworzenie ma poważne wady kręgosłupa, szczególnie w części tylnej. Gdyby było całkowicie zdrowe, byłoby bardzo groźne, a my nie stalibyśmy nad nim i nie gawędzili tak beztrosko. Teraz widzisz, dlaczego tak bardzo potrzebuję twojego talentu.

Gryf ruszył pomiędzy ludzi, wydawszy jeszcze jeden koguci skrzek. Dotarł do drucianej klatki i spróbował ją dziobnąć. Rafał zrobił krok do tyłu i przeżegnał się.

– A więc wyhodowałeś gryfa – powiedział Nathan. – Co z nim zrobisz?

– Cóż, to smutne, ale będę musiał go zniszczyć. Nie mogę wykorzystać jego komórek macierzystych, ze względu na jego deformację. Ale przynajmniej się nauczyłem, że formuła Johna Dee umożliwia stworzenie takiej istoty i że jest ona w stanie przeżyć.

Nathan przykucnął przed klatką. Po chwili podszedł do niego Denver. Położył dłoń na jego ramieniu takim gestem, jakby to on był ojcem, a Nathan synem.

– Tato, to bezmózgowiec.

– Wiem.

– Lekarze w szpitalu Hahnemanna sami wybudzą mamę ze śpiączki. Muszą.

– Miejmy nadzieję.

Nathan się wyprostował. Popatrzył na doktora Zaubera i powiedział:

– Gdyby istniał jakiś sposób, aby prowadzić te eksperymenty bez konieczności uśmiercania ludzi, możesz mi wierzyć, zrobiłbym to.

– W gruncie rzeczy nikt przy tym nie cierpi – zapewnił

go doktor Zauber. – Używam ketaminy. Oni nawet nie wiedzą, co się z nimi dzieje.

Nathan potrząsnął głową.

– Nie ma mowy. Nie mogę być tego częścią.

– Czy to ostateczna decyzja? – zapytał doktor Zauber. Jego głos był spokojny, jednak Nathan widział, że z trudem nad sobą panuje.

– Tak.

– Chcesz opuścić żonę i zrezygnować z całego dorobku zawodowego w imię jakichś wydumanych zasad moralnych?

– Nie sądzę, by odmowa mordowania ludzi była wydumaną zasadą moralną.

– Mimo że mógłbyś dzięki temu ocalić tysiące ludzi? A może nawet miliony?

– Doktorze Zauber, mówię po raz ostatni: nie pomogę ci.

– Co więc teraz zrobisz? Doniesiesz na mnie policji?

– Powinienem. Czy to zrobię czy nie, jeszcze nie postanowiłem.

– To twój największy życiowy błąd – powiedział Zauber. – Chyba zdajesz sobie z tego sprawę?

Nathan otoczył ramionami Denvera i Patti i powiedział:

– Chodźmy już stąd. Rafał?

Rafał skinął głową i po chwili cała czwórka zaczęła się wspinać po schodach.

Doktor Zauber odwrócił się do nich plecami. Gryf zaskrzeczał znowu, kończąc swoje wołanie głuchym warkotem.

Rafał położył dłoń na ramieniu Nathana.

– Wiesz co? Może to lepiej, że nie udało ci się stworzyć żadnej z tych istot. Przecież to jest gorsze od najgorszych koszmarów.

Wyszli do holu.

– Spieprzajmy stąd, a potem zadecydujemy, co dalej – powiedział Nathan.

Jednak zmierzając do drzwi, usłyszeli z góry jakiś łomot, jakby ktoś biegał po domu i po kolei zatrzaskiwał drzwi.

Nathan obejrzał się i stwierdził, że półpiętro pogrążone jest w absolutnej ciemności. Ale zanim się zorientował, co się dzieje, rozległ się kolejny łomot i nagle opadły żaluzje na wszystkich oknach w holu, w salonie i w kuchni. Wystarczyło mniej niż dziesięć sekund i wszyscy czworo stali w całkowitej ciemności, jakby niespodziewanie stracili wzrok.

– Zamknął wszystkie okiennice – powiedział Nathan.

– Jak on to zrobił? – zdziwił się Denver.

– Lepiej mnie nie pytaj. Telekineza. Magia. Jakiś rodzaj zdalnego sterowania. Czy mógłby ktoś znaleźć włącznik światła?

Rafał zaczął przesuwać dłońmi po ścianie.

– Na tej stronie nie ma – powiedział po chwili. – Może przy samych drzwiach?

– Chwileczkę, zaraz zapalę latarkę – odparł Nathan.

– Nathan, znalazłem drzwi wejściowe – rzucił po chwili Rafał.

Nathan wyciągnął z kieszeni latarkę i ją zapalił. Rafał spróbował otworzyć drzwi, jednak zasuwa nawet nie drgnęła. Szarpnął kilkakrotnie za klamkę, ale drzwi trzymały mocno.

– Spróbujmy tylnym wyjściem.

Zaczęli się cofać w kierunku kuchni, ale niespodziewanie drogę zastąpił im doktor Zauber, który wyszedł z piwnicy. Stanął niczym iluzjonista, który pojawił się znikąd. Nathan zaświecił mu latarką prosto w oczy, ale ten nawet nie mrugnął.

– Nie wiem, co chcesz jeszcze osiągnąć, doktorze. My stąd wychodzimy, czy ci się to podoba czy nie.

– Tak, wyjdziecie stąd, oczywiście. Ale nie w takiej samej formie, w jakiej weszliście.

– O czym ty mówisz?

– Konkretnie o was, przyjaciele. O was wszystkich. Mówię o waszej energii życiowej.

Rafał podszedł do niego z uniesionymi pięściami. Jego wąsy były wojowniczo nastroszone.

– Zejdź nam z drogi, doktorze. Nie możesz nas zatrzymywać.

– Mój drogi, nawet nie będę próbował.

Wypowiedziawszy te słowa, doktor Zauber zrobił krok w bok i zniknął.

– Szybko – powiedział Nathan.

Jednak w domu natychmiast rozległo się głuche, przytłumione wycie. Słysząc je, można było odnieść wrażenie, że cały budynek drży w posadach. Patti pisnęła i nawet Rafał krzyknął ze strachu.

W drzwiach od piwnicy pojawiła się wielka, zgarbiona, czarna postać. Miała rogi jak gałęzie i wąską czaszkę.

– Bazyliszek! – krzyknął Nathan. – Nie patrzcie na niego! Pod żadnym pozorem na niego nie patrzcie!

Pchnął Patti i Denvera z powrotem do holu, a następnie do salonu. Rafał biegł tuż za nimi. Spróbował zamknąć za nimi drzwi, ale było za późno. Bazyliszek wpadł do salonu i stanął w progu. Oddychał głęboko i chrapliwie. Jego ślepia nie świeciły jeszcze pełnym blaskiem. Wyglądały jak dwie przyciemnione lampy, jednak z każdą chwilą stawały się jaśniejsze.

– Nie patrzcie na niego – powtórzył Nathan. – To by mogło was zabić.

Patti łkała.

– Ja tego nie zniosę. Już dłużej nie wytrzymam!

– Macie lusterka? – zapytał Nathan. – Wyciągnijcie je! Nadszedł ten moment! Pokonamy bestię, jeżeli wszyscy zrobimy to, co należy.

– Ja nie mogę! Nie mogę!

– Patti, możesz! Wyciągnij swoje lusterko! Bądź gotowa! To nic takiego, musimy tylko odbijać światło od jednego lusterka do drugiego, pamiętasz?

– Za bardzo się boję! – łkała Patti. Opadła na kolana. Denver otoczył ją ramieniem i spróbował postawić ją na nogi.

– Patti, dasz radę! Musi nam się udać.

Bazyliszek wciąż tkwił w drzwiach. Kołysał łbem, drapiąc rogami sufit. Popatrzył najpierw na Rafała, a potem po kolei na Nathana, Denvera i Patti. W miarę jak przenosił wzrok z jednej osoby na drugą, jego oczy zaczynały lśnić tak jasno, że w końcu w salonie zrobiło się jasno.

– Lusterka! – zawołał Nathan. Jedną ręką zasłaniał oczy. – Wyciągnijcie lusterka!

Rafał wyciągnął swoje z kieszeni i ujął je w dłoń. Podobnie uczynił Denver. Próbował wyjąć lusterko Patti, ale dziewczyna płakała jak małe dziecko. Była niemal w stanie histerii. Nie mogła stanąć twarzą w twarz z kolejnym potworem.

Nathan stanął przed bazyliszkiem z nisko opuszczoną głową. Wiedział, co będzie, jeżeli popatrzy mu prosto w oczy. Wokół niego było już tak jasno, że bladły wszystkie kolory. W żadnym miejscu nie było cienia.

Miał właśnie wydać rozkaz, żeby wszyscy podnieśli lusterka, gdy na dywanie tuż przed sobą zobaczył lśniące czarne buty doktora Zaubera.

– Myślisz, że możesz mnie zniszczyć, profesorze? – mówił cicho, obojętnym tonem.

Nathanowi wydawało się, że głos rozlega się w jego głowie.

– Odwołaj swojego bazyliszka i wypuść nas stąd – zażądał.

– Mojego bazyliszka? Ha! To prawda, to j e s t mój bazyliszek. Bazyliszek jest m n ą.

– Co? O czym ty mówisz? Natychmiast nas wypuść!

– Potrzebowałem energii młodego człowieka, żeby powołać do życia *Schleimgeista*, profesorze, i Richard Scryman się poświęcił. Ale potrzebuję jeszcze więcej energii, żeby wyhodować następnego bazyliszka. Potrzebowałem energii życiowej Roberta Cichowskiego, całej rodziny Walachów. Ale nawet oni nie wystarczyli. Nie wystarczyli dla stworzenia tak potężnego jak bazyliszek.

– Doktorze, nic dobrego z tego nie wyjdzie. Wiesz o tym równie dobrze jak ja. Na miłość boską, wypuść nas stąd!

– Nie mogę, profesorze. A ciebie po prostu potrzebuję. Obiecuję, że oddam ci żonę, jeżeli zgodzisz się mi pomóc.

Ślepia bazyliszka czujnie omiatały pokój. Ich blask był oślepiający jak blask latarni morskiej.

– To, co tutaj widzisz jako „doktora Zaubera", jest zaledwie bilokacją, w taki sam sposób pojawiłem się w twojej sypialni. Inaczej mówiąc, jest to transfer psychiczny.

– Zabierz stąd to paskudztwo! Czyżbyś nas także chciał zamordować?

Doktor Zauber zbliżył się do Nathana.

– Nie mogę go odwołać, profesorze. Już ci powiedziałem, ja jestem bazyliszkiem, a bazyliszek jest mną. Bez mojej energii życiowej by nie przetrwał. Dlatego potrzebuję ciebie bardziej niż kiedykolwiek. Potrzebuję cię jako ludzkiej twarzy naszych wspólnych przedsięwzięć. Ja byłbym w nich źródłem wszelkiej naszej potęgi.

Bazyliszek patrzył teraz wprost na Nathana. Jego oczy świeciły tak mocno, że Nathan musiał zasłaniać oczy dłońmi, żeby uniknąć oślepienia.

– Doktorze, której części odpowiedzi „nie" nie jesteś w stanie zrozumieć?

– Nie możesz mi odmówić! – wrzasnął na niego doktor Zauber. – Nie teraz! *Sie können nicht ablehnen!*

Nathan nie wahał się już ani chwili.

– Rafał ! Denver! Patti! Teraz!

Uniósł lusterko w prawej ręce, osłaniając nim twarz. Rafał stał po jego prawej stronie i również uniósł prawą rękę. Światło w lustrze odbiło się ku Patti, która stała po jego lewej ręce.

Jednak zanim Patti zdołała złapać światło w swoim lusterku, bazyliszek odwrócił głowę i skoncentrował spojrzenie na Rafale.

– Rafał! – krzyknął Nathan. – Odwróć twarz!

Rafał spóźnił się o sekundę, próbując odbić światło w lusterku Patti. Popatrzył na bazyliszka – tylko przez krótką chwilę – i od razu zesztywniał. Zdążył jeszcze krzyknąć: „Nie!" i upuścił oba lusterka.

– Rafał!

Blask oczu bazyliszka schwytał Rafała jak reflektory nadjeżdżającej ciężarówki. Przewrócił się do tyłu, uderzył głową w wyłożoną płytkami ścianę otaczającą kominek i osunął się w nienaturalnej pozycji na podłogę pomiędzy kominkiem a jednym ze staromodnych foteli. Miotały nim drgawki. Soczewki jego okularów całkowicie poczerniały, a twarz stała się czerwona.

Denver i Patti cofnęli się, byle dalej od bazyliszka, niepewni co robić dalej, skoro właśnie stracili Rafała i dwa lusterka. Nathan ich jednak ponaglił:

– Denver! Patti! Lustro nad kominkiem! Wykorzystamy je w zastępstwie.

Bazyliszek z kolei przekręcił głowę ku niemu, Nathan jednak w porę uniósł w górę oba lusterka. Odbił światło z oczu bazyliszka do lusterka Patti, a ona błysnęła nim w kierunku lustra nad kominkiem. Promień światła wrócił do niej pod innym kątem i tym razem przekazała je Denverowi. Denver zaświecił lusterkiem z powrotem do lusterka Nathana.

Nathan musiał zgadywać, gdzie mierzyć swoim lusterkiem, ponieważ nie ośmielił się spojrzeć bazyliszkowi prosto w oczy. Poruszył nim trochę, mając nadzieję, że odbije spojrzenie bazyliszka, choćby na ułamek sekundy.

Stwór wrzasnął ogłuszająco i ruszył na niego. Ale w tej samej chwili Nathan usłyszał odgłos, jakby coś trzaskało, pękało, i nagle posypały się na niego dziesiątki ostrych fragmentów czarnych kości. Oślepiające światło padające ze ślepiów bazyliszka zaczęło błądzić po całym pokoju, od jednej ściany do drugiej i od sufitu po podłogę, wywołując wrażenie, że wszystko wokół tańczy.

Wciąż osłaniając oczy, Nathan szybko zerknął na obie strony swojego lusterka. Denver klęczał w kącie za fotelem, a Patti odsuwała się od bazyliszka, obiema dłońmi zasłaniając twarz.

Bazyliszek znów wrzasnął, z wściekłości i bólu. Nathan opuścił lusterko i zobaczył, że bestia chwieje się i zatacza. Jej rogi drżały, a całe ciało sprawiało wrażenie, że za chwilę się zapadnie, jak wielki czarny namiot.

Udało się, pomyślał. Zniszczyliśmy go. I doktora Zaubera razem z nim. Ale jednocześnie przyszło mu do głowy pytanie: Jak teraz uratuję Grace?

Jednak w tym samym momencie bazyliszek na niego natarł. Jego spojrzenie nie miało już takiego blasku jak wcześniej, wciąż jednak było wystarczająco mocne, żeby Nathan musiał osłonić twarz rękoma. Bez żadnej wątpliwości stwór wpadł w furię. Miał obnażone zęby – trzy rzędy ostrych nierównych kolców – i wysuwał spomiędzy nich język przypominający węża. Machał w powietrzu przednimi łapami, jakby chciał nimi rozerwać Nathana na strzępy.

Nathan cofnął się, najdalej jak mógł, jednak po kilku krokach natrafił na kanapę. Szczęśliwie oddech bazyliszka stawał się coraz cięższy. Bestia świszczała i charczała, a jej płuca z każdą chwilą pracowały coraz ciężej. Blask ślepiów gasł z każdą sekundą. Jednocześnie w pokoju robiło się coraz ciemniej i po chwili Nathan uznał, że jest już wystarczająco bezpiecznie, aby mógł odsłonić twarz.

– Patti – powiedział. – Postaraj się włączyć światło.

Dziewczyna wstała i znalazła przy drzwiach włącznik światła. Z sufitu niby wielki martwy pająk zwisał pięcioramienny żyrandol z kutego żelaza. Sprawne były tylko trzy z jego pięciu żarówek, ale i one wystarczyły, by oświetlić salon brzydkim żółtym światłem.

Nathan patrzył, jak bazyliszek walczy o oddech. Zdał sobie sprawę, że prawdopodobnie jest świadkiem końca swoich marzeń. Rozumiał już, że potrzeba o wiele więcej niż tylko genetyki, aby z powodzeniem hodować mityczne stwory. Potrzebna była do tego także zaawansowana magia, a im bardziej gasło życie doktora Zaubera i jego bazyliszka, tym większe było prawdopodobieństwo, że ta magia zniknie na zawsze. Nathan wcale nie czuł triumfu, że stwór został pokonany. Czuł jedynie frustrację, smutek i żal.

– Tato – odezwał się Denver. Klęczał na podłodze obok Rafała. – On właśnie coś powiedział. Nie zrozumiałem słów, ale on wciąż żyje.

Nathan właśnie miał się odwrócić, gdy ślepia bazyliszka znów rozbłysły pełną, oślepiającą mocą i stwór wydał ostatni, pełen nienawiści krzyk. Był to przeszywający gardłowy odgłos przypominający syk jadowitego węża. Był w nim i element ludzki – przebijała z niego wściekłość człowieka, który wie, że jego życie zbliża się ku końcowi, a on nie zrealizował wszystkich swoich ambicji.

Nathan mocno zacisnął powieki, ale mimo to poczuł się tak, jakby ktoś uderzył nim o betonową ścianę. Zachwiał się i padł na dywan – oślepiony, ogłuszony i pozbawiony oddechu, niezdolny do wykonania żadnego ruchu.

– Tato! – krzyknął Denver.

Rozdział dwudziesty

OKO ZA OKO

Nathan kilkakrotnie zamrugał. Stopniowo powracał mu wzrok. Widział pochyloną nad sobą twarz syna, chociaż początkowo wyglądała jak negatyw fotograficzny – oczy były białe, a skóra szara.

– Tato, nic ci nie jest?

– Nie... nie mogę... się ruszać – wyszeptał Nathan. Nie czuł rąk ani nóg, a w uszach mu piszczało.

Denver wstał. Oczy bazyliszka znowu gasły. Stał teraz pośrodku pomieszczenia, kołysząc się, jakby właśnie spożytkował cały zapas energii witalnej, która mu pozostała. Pod jego pokrytą łuskami skórą powoli, kawałek po kawałku, zapadał się szkielet. Towarzyszyły temu dziwne trzaski.

– Ty cholerny potworze! – krzyknął na niego Denver. – Ty cholerny morderco, gówniany jaszczurze!

Wziął do ręki długi mosiężny pogrzebacz, wiszący na haku obok kominka, i ruszył na bazyliszka.

– Chcesz się bić? Mnie także chcesz zamordować? No to spróbuj, palancie.

Bazyliszek warknął i próbował niezdarnie zaatakować Denvera. W jego oczy znów zaczął wstępować blask.

– Denver! Uważaj na ślepia! – zawołała Patti.

Ten jednak zlekceważył ostrzeżenie.

– O nie, nie ma mowy, żeby i mnie to zrobił!

Zacisnął na pogrzebaczu obie ręce i dźgnął bazyliszka

w lewe oko. Rozległ się odgłos, jakby coś pękło, i po policzku potwora potoczyła się wielka kula płynu ocznego, czystego i przejrzystego, lecz zarazem jasnego, świecącego własnym bladożółtym światłem. Bazyliszek wrzasnął i zaczął dziko rzucać łbem z boku na bok. Denver zdołał dźgnąć go ponownie, tym razem w drugie oko.

Bestia oszalała – wrzeszczała, piszczała i bezsilnie machała czarnymi łapami. W szaleństwie miotała się po pokoju, przewracając meble, aż wreszcie wpadła na przeszkloną szafę z książkami. Denver i Patti schowali się za drzwi i mocno przytulili do siebie. Bazyliszek uderzył całym ciałem. Patti pisnęła ze strachu, ale potwór padł, drżąc spazmatycznie.

Nathan, który wciąż leżał na podłodze, podniósł wzrok. Paszcza bazyliszka znajdowała się na wprost niego, tuż ponad jego głową, jednak jej oczy nie były już niebezpieczne i jeśli nawet jeszcze nie była martwa, to z pewnością jej koniec był bliski.

Z jej okaleczonych oczu wypływał płyn, który już stracił swój blask i był jak zimna płynna galareta. Nathan poczuł, że kapie mu na twarz, nie mógł się jednak poruszyć.

– Denver – wyszeptał. – Denver, Patti, nic wam nie jest?

Nasłuchiwał, ale w uszach wciąż rozbrzmiewał mu jedynie wysoki pisk.

– Rafał? Rafał, trzymasz się?

Zaczął nasłuchiwać i w pewnym momencie na usta spadła mu wielka kropla płynu z oka bazyliszka. Spróbował ją wypluć, lecz nie był w stanie nawet potrząsnąć głową. W smaku płyn trochę przypominał ostrygi, ale jego konsystencja była ohydna. Nathan nie miał innego wyjścia, jak tylko połknąć płyn, który spłynął mu do gardła. Zrobiło mu się niedobrze i miał ochotę zwymiotować.

– Tato? Jak się czujesz?

Denver i Patti pochylali się nad nim z niepokojem.

– Zabierz mnie stąd – wyszeptał Nathan. – Ten cholerny płyn kapie mi na twarz.

Denver i Patti wywlekli Nathana na środek pokoju.

– Co z Rafałem? – zapytał.

Patti podeszła do niego.

– Raffo? Słyszysz mnie? Nic ci nie jest? – Uklękła i przyłożyła ucho do ust Rafała. – Nie czuję jego oddechu.

– Sprawdź puls – powiedział Nathan. – Przyłóż mu dwa palce na szyi, tuż przy tchawicy.

Patti chwilę odczekała i ze smutkiem pokręciła głową.

– Nic z tego. On chyba nie żyje.

– Cholera jasna. Powinniśmy wezwać karetkę.

– To pan bardziej potrzebuje karetki niż on. Biedny Raffo. Nie mogę w to uwierzyć.

Niespodziewanie Nathan zdał sobie sprawę, że pisk w jego uchu ucichł i że słyszy Patti zupełnie wyraźnie. Dotknął lewego ucha i dopiero wtedy się zorientował, że odzyskał pełną władzę w rękach.

– Tato – ucieszył się Denver.

Nathan popatrzył na swoją lewą dłoń i poruszył palcami. Następnie podniósł prawą rękę i też poruszył palcami.

– Denver, pomóż mi usiąść.

Chłopak złapał ojca za ramiona i podciągnął go do pozycji siedzącej. Nathan tymczasem zorientował się, że łatwiej mu się oddycha, a jego wzrok odzyskał dawną ostrość. Popatrzył na bazyliszka. Jedna z jego łap ciągle drżała, z pewnością jednak były to agonalne drgawki.

Złapał za poręcz najbliższego fotela i spróbował wstać. Za pierwszym razem upadł z powrotem na podłogę, ale za drugim zdołał stanąć na nogi. Początkowo zdawało mu się, że pokój wiruje dookoła niego, czuł się jak po tabletce ecstasy, jednak po kilku chwilach wszystko wróciło do normy. Zobaczył swoje odbicie w lustrze nad kominkiem. Wyglądał zaskakująco normalnie, tyle że miał rozczochrane włosy.

– Jak się czujesz? – zapytała go Patti. – Wyglądasz znacznie lepiej niż przed kilkoma minutami. Nawet wróciły ci kolory na twarz.

– Czuję się nieźle – przyznał Nathan. – Chociaż nie doskonale. Muszę obejrzeć Rafała.

Twarz Rafała była szara, a jego usta bladoniebieskie. Nathan sprawdził jego oddech i tętno.

– Nie jestem pewien – powiedział. – Być może czuję słaby puls. Bazyliszek patrzył na niego tylko przez ułamek sekundy, prawda? Tak jak na Grace.

– Ale jakim cudem tobie nic nie jest? – zdziwił się Denver.

Nathan popatrzył z ukosa na zewłok bazyliszka. Z jego oczodołów nadal wypływał płyn oczny, tyle że teraz miał postać gęstego żelu.

– Połknąłem trochę jego płynu – powiedział.

– Co?!

– Tego, co mu wypływa z oczu. Połknąłem odrobinę. Nie mogłem inaczej.

– Żartujesz. Myślisz, że to cię właśnie wyleczyło?

– Nie wiem. Ale to może być jak antidotum na ukąszenie węża, które zawsze zawiera jego jad. Może produkuje przeciwciała, które pokonują efekt wstrząsu?

Zdjął Rafałowi okulary i delikatnie uniósł kciukiem jego powiekę.

– Źrenice są rozszerzone i nieruchome, ale to wcale nie musi znaczyć, że Rafał nie żyje. To samo się dzieje z człowiekiem, kiedy dozna silnego wstrząśnienia mózgu albo jest w śpiączce. Denver, przynieś mi z kuchni jakieś naczynie i łyżkę. Tylko się pośpiesz.

Denver po chwili wrócił ze słojem i wielką łyżką. Nathan starannie zebrał tyle płynu ocznego, ile tylko mógł. Gdy włożył łyżkę głęboko w oczodół, bazyliszek zadrżał, wydał jeszcze jakiś cichy dźwięk i dopiero wtedy ostatecznie znieruchomiał. Bestia była martwa.

Denver wydął policzki i głęboko odetchnął z ulgą.

Nathan zdołał zapełnić płynem jedną trzecią słoja – był krystalicznie czysty i przypominał rzadką galaretę. Nie świecił już wewnętrznym światłem. Przeniósł słój do Rafała, uniósł jego głowę i wsunął mu do ust łyżkę z odrobiną galarety.

– Naprawdę sądzisz, że to podziała? – zapytała Patti. – Bo jeśli tak, to będę miała rewelacyjny temat.

Nathan popatrzył na nią z ukosa.

– Nie oszukasz mnie, Patti. Już dawno poniechałaś myśli o tym, żeby to wszystko spisać.

Dziewczyna lekko wzruszyła ramionami.

– Wspólne przeżycia, zwłaszcza tak przerażające, zbliżają ludzi, prawda? Kocham Raffo. I was też kocham.

Nathan popatrzył na zegarek.

– Odczekam pięć minut. Jeśli w tym czasie Rafał nie da oznak życia, wezwę pogotowie.

– Tak? – zdziwił się Denver. – Co powiesz lekarzowi? Pomyśl tylko, tato. Jak wyjaśnisz pochodzenie tego monstrum? Że już nie wspomnę o tym żywym, które wciąż jest w piwnicy.

– Denver...

– Tak, pogrążyliśmy się w totalnym gównie, prawda? Co z ludźmi, którzy tutaj mieszkali? Z tym malarzem i tą rodziną? Doktor Zauber powiedział, że odebrał im energię życiową, prawda? To znaczy, że ich zabił. A ja się założę, że ich ciała są pochowane gdzieś w tym domu. Co będzie, jeżeli to nas oskarżą o morderstwo?

– Denver, tym się będziemy martwić, kiedy przyjdzie na to czas. Najpierw postarajmy się obudzić Rafała.

Z niespodziewanym szelestem jedno ze skrzydeł bazyliszka opadło na podłogę. Wszyscy troje odwrócili się, żeby na nie popatrzeć.

– Nie martwcie się – powiedział Nathan. – On jest martwy, przysięgam.

– Jesteś pewien? – rozległ się słaby, skrzekliwy głos.

Odwrócili się jak na komendę. Rafał miał otwarte oczy

i starał się skupić na czymś wzrok. Uniósł rękę i dotknął nosa.

– Gdzie są moje okulary?

Patti podniosła poczerniałe szkła.

– Przepraszam, Raffo, ale trochę się zniszczyły.

Nathan i Denver wspólnie pomogli Rafałowi usiąść.

– Co się ze mną stało? Miałem wrażenie, że spadam z wysokiego budynku i z całej siły uderzam w ziemię.

– To robota bazyliszka. Przeżyłeś wstrząs, spojrzawszy mu w oczy. Ale odnoszę wrażenie, że dzięki Denverowi znaleźliśmy lekarstwo. – Uniósł słój z płynem ocznym. – Chyba wiesz, co mówi Biblia: „Oko za oko..."

Dali Rafałowi kilka minut na dojście do siebie. Wreszcie Nathan powiedział:

– Lepiej zabierajmy się stąd i zastanówmy się, jak wytłumaczyć to wszystko policji.

– Nie widzę powodów, dla których musielibyśmy się tłumaczyć – stwierdziła Patti. – Najlepiej wróćmy do hotelu, spakujmy bagaże i wylatujmy, zanim ktoś się zorientuje, co tutaj zaszło.

– Och, przecież w całym domu są nasze odciski palców – zauważył Denver. – Mówię ci, aresztują nas za masowe morderstwo i produkcję potworów i resztę życia spędzimy w jakimś polskim kiciu, pałaszując kapustę.

– Musimy najpierw wrócić do piwnicy – powiedział Nathan. – Jeszcze nie wiem, co powinniśmy zrobić z gryfem. Poza tym chciałbym rzucić okiem na książki doktora Zaubera. Jeśli ma egzemplarz *De Monstrorum*, być może da się jednak odtworzyć niektóre z mitycznych bestii.

– Chyba po tym, co się stało, nie zamierzasz kontynuować swoich badań?

– Prawdopodobnie to będzie niemożliwe. Jednak te prace są ważne. Nie wyhodowałbym czegoś tak niebezpiecznego jak bazyliszek, ale jeśli jego płyn oczny mógłby wydobywać ludzi ze śpiączki...

– Jasne – powiedział Rafał. Wstał i na chwilę chwycił się ramienia Nathana, żeby się nie przewrócić. – Pójdę z tobą. Wiem, czego szukać. Przede wszystkim *De Monstrorum*, jeżeli Zauber w ogóle miał egzemplarz. Legenda głosi, że dzieło to zawiera wszystkie formuły alchemiczne oraz informacje o ceremoniałach i procedurach służących do ożywiania takich stworów.

– Idziemy wszyscy razem – stanowczo oznajmiła Patti. – A potem szybko stąd spadamy, nie?

Nathan szedł na czele. Zobaczywszy ich, gryf zapiał i zaczął energicznie drapać druty klatki. Nathan przystanął i przez chwilę patrzył na niego. Czuł podziw dla osiągnięć doktora Zaubera, a jednocześnie żal. Nie mógł zabrać gryfa ze sobą. Musiał go unicestwić albo zostawić w tej piwnicy, skazując na śmierć głodową.

Tymczasem Rafał przeglądał papiery i książki.

– Patrz na to, Nathan! – wykrzyknął, unosząc niewielki tom, oprawny w wyblakłą czerwoną skórę. – *Die Verwirrung der Sorte* Alberta Wielkiego. *Mieszanie ras*. Ta książka jest warta majątek!

Nathan odszukał na stole doktora Zaubera czystą probówkę i przelał do niej płyn oczny bazyliszka. Zabezpieczył ją plastikowym korkiem i ostrożnie wsunął do kieszeni. Miał nadzieję, że dowiezie ją w całości do Filadelfii, do Grace.

– Co z *De Monstrorum*? Natrafiłeś na to?

Rafał wziął do ręki następną książkę, a potem jeszcze jedną.

– Wspaniałe dzieła. Nie mam zielonego pojęcia, gdzie Zauber to wszystko zdobył. Popatrz tylko na to, *Kitab Al-Ahjar... Księga kamieni*, napisana przez wielkiego arabskiego alchemika, Abu Musę Jabira bin Hajjana. Mówi się, że tworzył w swoim laboratorium żywe jaszczurki i skorpiony, a jego książka zawiera zakodowane informacje, jak to robił.

Denver schylił się pod stół i przyglądał się brązowym instrumentom.

– Tato! Tu jest jakiś zegar. I, co najlepsze, on chyba tyka.

– Tyka? – zdziwił się Nathan.

Wszedł pod stół, żeby się przyjrzeć znalezisku. W wielkim koszu, niemal zupełnie zastawionym przez dwa inne, zobaczył czerwony plastikowy zegar kuchenny. Denver miał rację: zegar tykał. Był częściowo przykryty brązową szmatą. Nathan ostrożnie ją uniósł. Nigdy wcześniej nie widział bomby, chyba że na filmach, ale domyślił się, co to jest. Do zegara była przyczepiona duża butelka przejrzystego płynu z dwiema bateriami przymocowanymi do niej taśmą klejącą. Poza tym w skład mechanizmu wchodziło jeszcze kilka drutów.

Na wskaźniku pozostawało mniej niż dziesięć sekund do wybuchu.

Zdawało mu się, że krzyknął:

– Bomba! Uciekajmy!

Później nie potrafił sobie jednak przypomnieć, czy rzeczywiście krzyknął, czy tylko tak mu się wydawało. Wyciągnął Denvera spod stołu, złapał Rafała za rękaw. Patti, pochylona nad klatką gryfa, filmowała go kamerą wideo. Nathan szarpnął ją z całej siły.

Wbiegli na schody, jednak pokonali zaledwie kilka stopni, kiedy rozległ się głuchy huk i podmuch gorącego powietrza rzucił ich na ścianę.

Gryf zaskrzeczał i Nathan zobaczył, jak nieszczęsne stworzenie miota się po klatce z płonącymi skrzydłami.

– Chodźcie – ponaglił i cała czwórka znowu wbiegła po schodach. Tym razem dotarli do holu, otumanieni i zszokowani.

Nathan zatrzasnął za nimi drzwi i przez chwilę wszyscy stali w miejscu i patrzyli po sobie, ciężko oddychając. Nathan miał ranę na czole, a Patti kilka drobnych nacięć na policzku. Poza tym nikt nie odniósł ran, za to wszyscy mieli twarze czarne od sadzy.

– To nie była wielka bomba – powiedział Rafał. – Raczej jakieś urządzenie zapalające. Zauber pewnie zaplanował, że zniszczy swoje dzieło, jeśli wydarzenia nie potoczą się po jego myśli.

– I tak się stało, oczywiście – zauważył Nathan.

– Co z gryfem? – zapytała Patti. – Biedne stworzenie się ugotuje.

Nathan uchylił drzwi do piwnicy. Na dole panowało już piekło. Ogień jęczał jak uwięziona zjawa, słychać było odgłosy pękania szkła – to probówki, retorty i pipety Zaubera zamieniały się w szklany pył. Towarzyszył temu desperacki krzyk, który brzmiał jak płacz dziecka. Wreszcie słychać już było tylko huk płomieni.

– Najwyższy czas się stąd wynosić – powiedział Nathan.

Kiedy chcieli otworzyć drzwi, okazało się, że także są zamknięte.

– Cholera jasna! – zaklął Denver.

– Wszystko będzie dobrze – uspokoił go Nathan. – Po prostu musimy wyjść tą samą drogą, którą przyszliśmy. I nie przeklinaj.

Podszedł do okna w holu i je otworzył. Zamknięte było drewnianą brązową okiennicą, której połówki połączono zardzewiałym hakiem. Wystarczyły jednak trzy uderzenia pięścią i hak puścił. Nathan najpierw podsadził Patti, która zaraz wyskoczyła na zewnątrz, a później razem z Denverem pomogli wyjść Rafałowi, który oddychał ciężko jak astmatyk.

– Jestem już za stary na takie przygody – wystękał, ale udało mu się z trudem wyskoczyć na zewnątrz. – Od dziś nie ruszę się z biblioteki!

– Dalej, tato – powiedział Denver.

– Nie, ty pierwszy – zaprotestował Nathan.

Denver wyskoczył przez okno, ale Nathan wrócił jeszcze do drzwi piwnicznych. Delikatnie przyłożył do nich dłonie; drewno było tak gorące, że parzyło. Ściągnął rękaw kurtki, żeby zakryć lewą dłoń, złapał za klamkę i pchnął drzwi.

Usłyszał głośne tąpnięcie i z piwnicy wytoczyła się ogromna pomarańczowa kula ognia. Płomienie natychmiast ogarnęły sufit. Piwnica była jednym oceanem ognia, a prowadzące do niej schody płonęły niczym schody do Hadesu.

Nathan pośpieszył do okna. Niezgrabnie wskoczył na parapet, kalecząc sobie kolano. Stara kobieta wciąż siedziała na swoim krześle w alei, chociaż przesunęła się kilka metrów w prawą stronę, tam gdzie padały promienie słońca. Popatrzyła w ich kierunku, jednak zaraz zamknęła oczy, jakby interesowało ją jedynie słońce.

– Chodu – rzucił Nathan.

Przez otwarte okno na ulicę przedostawały się już pasemka dymu. Było pewne, że wkrótce pożar obejmie cały dom.

Kiedy dotarli do hotelu Amadeus, chmura dymu unosiła się już wysoko i słychać było syreny wozów strażackich.

Następnego popołudnia wylecieli z Międzynarodowego Portu Lotniczego im. Jana Pawła II. Był szary dzień, jednak z południowego zachodu wiał ciepły wiatr i suszył ulice po nocnym deszczu.

Rafał uścisnął ich na pożegnanie. Miał na nosie zapasowe okulary w grubych turkusowych oprawach i z pewnością nie wyglądał w nich na poważnego naukowca.

– Będę miał oczy i uszy otwarte – zapewnił Nathana. – Jednak z tego, co mówią w wiadomościach, mogę wnioskować, że cały dom spłonął. Policja zastanawia się, czyje kości zostały znalezione w zgliszczach, jakie dziwne zwierzęta trzymano w tym domu. My jednak nie zostawiliśmy żadnych śladów i nikt nigdy się nie dowie, co się tam naprawdę wydarzyło.

– Do widzenia, Rafał – odparł Nathan. – I dzięki za wszystko.

– Zapamiętaj pewne polskie powiedzenie: Marz, jakbyś miał żyć wiecznie, żyj, jakbyś miał umrzeć dziś. Niech będzie twoim drogowskazem.

– Doskonałe! – zawołał Denver. – A przysłowie dla mnie?

– Znam takie jedno, które możesz powtórzyć kolegom – powiedział Rafał z uśmiechem i odezwał się do Denvera po polsku: – Moja dupa i twoja twarz to bliźniacy.

Denver kilkakrotnie powtórzył przysłowie, by dokładnie je zapamiętać.

– Fajnie brzmi – stwierdził po chwili. – Wrócę do szkoły i będę mówił po polsku. Mój nauczyciel od matematyki będzie pod wrażeniem. Co to znaczy?

– Lepiej, żebyś nie powtarzał tego przysłowia nauczycielowi od matematyki. Ani żadnemu innemu.

Przybywszy do szpitala Hahnemanna, Nathan i Denver musieli czekać prawie godzinę, ponieważ Grace akurat myto, a doktor Ishikawa zamierzała przeprowadzić kilka rutynowych badań. Kiedy wreszcie zostali wpuszczeni do pokoju, słońce zachodziło, a niebo miało kolor purpurowy.

Nathan powiedział Denverowi, żeby uważnie obserwował korytarz, i dopiero wtedy sam podszedł do żony i usiadł przy jej łóżku. Była bledsza niż przed kilkoma dniami, można było odnieść wrażenie, że raczej jest posągiem niż prawdziwą kobietą. Jej dłonie były zimne jak lód.

Wyjął z kieszeni probówkę z płynem ocznym i wyciągnął korek. W porze lunchu zdążył zanieść probówkę do zoo, poprosił, by udostępniono mu laboratorium i przeprowadził analizę płynu. Upewnił się, że nadal jest we właściwym stanie. O ile mógł stwierdzić, nie przedostały się do niego żadne bakterie. Odkrył, że zawiera enzym podobny do tego, który powoduje świecenie robaczków świętojańskich. To on sprawiał, że oczy bazyliszka emitowały światło, które mogło wstrząsnąć każdą żywą komórką, sparaliżować ją i doprowadzić do jej śmierci.

– Grace – powiedział. – Wiem, że mnie nie słyszysz, ale modlę się za ciebie. Niech Bóg przywróci cię do życia.

Kiedy otwierał jej usta i wlewał odrobinę płynu do jej ust, ręce mu drżały. Po chwili zakorkował probówkę i wyprostował się na krześle, trzymając żonę za rękę.

Lekko uchyliły się drzwi i Denver wsunął głowę do środka.

– Już? Dałeś jej to?

Nathan pokiwał głową.

– Teraz możemy tylko czekać. Mam nadzieję, że podałem jej tyle, ile trzeba. Oby tylko nie było za późno.

Denver wszedł do pokoju i stanął obok niego.

– Tato?

Nathan uniósł głowę.

– Co takiego?

– Nie wiem. To, co się stało w Krakowie...

– Myślę, że na razie nie powinniśmy o tym rozmawiać. Musimy wszystko przemyśleć, a to zajmie trochę czasu. Powiedzmy, kilka tygodni. Wtedy pójdziemy na piwo i wszystko przetrawimy.

– Patti mogłaby pójść z nami.

– Jasne, Patti mogłaby pójść z nami.

Za oknami zapadł zmrok i światła miasta rozbłysły wesoło. Nathan wciąż trzymał dłoń Grace, jednak nie przychodziły mu na myśl żadne słowa, które mógłby jej powiedzieć. Denver usiadł w kącie i gapił się w telewizor, w którym całkowicie wyciszył głos.

Minęły trzy godziny. Denver zasnął. Głowa mu opadła i zaczął głęboko oddychać. Od czasu do czasu mówił przez sen „Nie chciałem... Nie możesz..."

Nathan za wszelką cenę starał się nie zasnąć, jednak i jemu zaczęły się zamykać oczy. Już niemal spał, kiedy zdał sobie sprawę, że poza nimi trojgiem jest w pokoju ktoś jeszcze.

– Proszę, proszę – usłyszał zadowolony z siebie głos, mówiący z niemieckim akcentem. – Myślisz, że odkryłeś lekarstwo, co?

Podskoczył i natychmiast otworzył oczy. Doktor Zauber stał tak blisko niego, że go niemal dotykał. Ubrany był oczywiście na czarno i spoglądał na Nathana z jedną brwią uniesioną wysoko.

– Nie jesteś takim geniuszem, za jakiego cię uważałem – powiedział. – Jak mogłeś sobie wyobrażać, że płyn oczny martwego bazyliszka obudzi twoją biedną śpiącą żonę?

– Pomógł mnie i Rafałowi.

– Nie, profesorze, przeznaczeniem twojej żony jest spać już zawsze. Ma spać w zamku z koszmarów, otoczona cierniami, których już nigdy nie przebędziesz. To twoja kara za to, co uczyniłeś mnie, mojemu bazyliszkowi i dziełu mojego życia.

– Bądź przeklęty – powiedział Nathan. – Bądź po trzykroć przeklęty. – Był tak zmęczony i rozczarowany, że zaczął płakać. Po jego twarzy potoczyły się ciężkie łzy. – Bądź przeklęty – powtórzył. – Przeklęty.

Zauber ujął go za rękę.

Ale wtedy Nathan zdał sobie sprawę, że to wcale nie jest doktor Zauber. Ta dłoń był drobna i bardzo zimna.

– Nate? – usłyszał łagodny, zachrypnięty głos. – Nate? Gdzie ja jestem?

EPILOG PIERWSZY

Pięć tygodni później Grace weszła do jego gabinetu i powiedziała:

– Jest dla ciebie przesyłka z Polski. Zostaw dla mnie znaczki, dobrze? Są takie ładne.

Podała mu bąbelkową kopertę. Jego nazwisko zapisano na niej dużymi literami. Nadawcą był Rafał Jaślewicz z Krakowa.

Nathan otworzył kopertę i wyciągnął z niej książkę oprawną w czerwoną skórę. Książka była bardzo stara, a na jej stronicach widniały brązowe plamy. Na stronie tytułowej szerokimi czarnymi literami zapisano *Kitab Al-Ahjar*. Autorem był Abu Musa Jabir bin Hajjan. Wydrukowano w Kairze w 1818 roku.

W środku znajdowała się kartka: „Na wypadek, gdyby cię kiedyś znów podkusiło”.

EPILOG DRUGI

W najmroczniejszej szczelinie piwnicy pod wypalonymi ruinami Domu Spokojnej Starości Murdstone coś zaszeleściło. Na krótką chwilę zapłonęły dwa przytłumione światła, oświetlając pokryte sadzą cegły. Zaraz jednak zgasły, znowu pogrążając piwnicę w nieprzeniknionej ciemności.